COMPRENSIÓN
DE LA LECTURA

Traducción: Mario Sandoval Pineda
Revisión técnica: Sara Gómez de Ardila
Maestra de Lingüística aplicada
Universidad de los Andes
(Bogotá, Colombia)

COMPRENSIÓN DE LA LECTURA

Análisis psicolingüístico de la lectura y su aprendizaje

Frank Smith

EDITORIAL TRILLAS

México, Argentina, España,
Colombia, Puerto Rico, Venezuela

Catalogación en la fuente

Smith, Frank
    Comprensión de la lectura : análisis psicolingüístico de la lectura y su aprendizaje. -- 2a ed. -- México : Trillas, 1989 (reimp. 2015).
    272 p. : il. ; 23 cm.
    Traducción de: Understanding reading. A psycholinguistic analisys of reading and learning to read
    Bibliografía: p. 252-263
    Incluye índices
    ISBN 978-968-24-3146-3

    1. Lectura. 2. Lectura, Psicología de la I. t.

D- 371.3'5824c   LC- LB1027'55.2   1207

Título de esta obra en inglés:
UNDERSTANDING READING.
A psycholinguistic analisys of
reading and learning to read

Versión autorizada en español de la
segunda edición publicada en inglés por
Holt, Rinehart and Winston
Nueva York, N. Y., EUA

División Administrativa,
Av. Río Churubusco 385,
Col. Gral. Pedro María Anaya,
C. P. 03340, México, D. F.
Tel. 56884233, FAX 56041364
churubusco@trillas.mx

División Logística,
Calzada de la Viga 1132,
C. P. 09439, México, D. F.
Tel. 56330995
FAX 56330870
laviga@trillas.mx

🛒 Tienda en línea
www.etrillas.mx

Miembro de la Cámara Nacional de
la Industria Editorial
Reg. núm. 158

Primera edición en español XI
ISBN 968-24-1301-X
Segunda edición en español XO
ISBN 978-968-24-3146-3
⚓ (OS, OR, 2-12-OA, OM, OE,
OX, OO, ST, SI, SA, SX, TT)

Reimpresión, enero 2015*

Impreso en México
Printed in Mexico

Esta obra se imprimió
el 5 de enero de 2015,
en los talleres de
Diseños e Impresión AF, S. A. de C. V.

B 90 TW

Prefacio

Este libro intenta dar a conocer algunos de los aspectos fundamentales de la compleja habilidad humana de la lectura —lingüística, psicológica y fisiológica—, y sobre lo que está involucrado en su aprendizaje.

Este no es un libro que trata de la enseñanza de la lectura. No se hace ninguna comparación entre métodos de instrucción ni se intenta promover algún método a expensas de otro. Es probable que los métodos de instrucción actuales tal vez no sean muy diferentes de aquellos que serán desarrollados cuando aprendamos más acerca del aprendizaje de la lectura. Tantos métodos de instrucción han sido experimentados, y algunos con éxito (al menos en algunos casos), que más permutaciones en el juego de la ruleta instruccional difícilmente redundarán en algún beneficio importante, ya sea por casualidad o adrede. Lo que sí producirá una diferencia es una comprensión del proceso de la lectura.

Parte del proceso de esclarecimiento es demostrar que la lectura fluida es más compleja de lo que frecuentemente se cree, y más difícil su aprendizaje. Afortunadamente, los niños pueden superar las deficiencias instruccionales y buscar por sí mismos la información que les ayudará a adquirir las habilidades para leer —si se les da la oportunidad— mucho mejor de lo que puedan creer.

El proceso de la lectura no es muy bien comprendido aún. Los investigadores todavía no saben lo suficiente acerca de las destrezas desarrolladas por el lector fluido; el producto neto del proceso instruccional deja sólo al proceso de adquisición de estas habilidades. Pero los investigadores están comenzando a entender que la lectura será completamente comprendida sólo hasta que haya un conocimiento de todos los aspectos perceptuales, cognitivos, lingüísticos y motivacionales, no sólo de la lectura, sino del pensamiento y del aprendizaje en general. Se están efectuando avances en el estudio de todo esto, pero, muy a menudo, los resultados no están a la disposición de quienes asisten a un niño que está aprendiendo a leer —en especial, el maestro de lectura. El primer paso hacia la comprensión de lo que nos interesa es aceptar que muchas preguntas permanecen sin respuesta— y que no hay justificación para el dogmatismo con respecto a la lectura o a su aprendizaje. El segundo paso es analizar el proceso de la lectura tan cuidadosamente como sea posible para examinar todas las partes y requerimientos de este complejo proceso y desarrollar al menos una idea de lo que está involucrado.

Ese es el propósito específico de este libro, proporcionar una idea de lo que debe estar involucrado en la lectura y en el aprendizaje de ésta. El objetivo no es hacer propaganda, sino ofrecer conocimientos. Por ejemplo, que el niño no está tan imposibilitado para encarar la tarea de aprender a leer como en ocasiones creemos. Una opinión acerca de qué es lo que los niños pueden hacer y qué es lo que necesitan para hacerlo puede tener más importancia que poder desarrollar una comprensión más clara de lo que la lectura involucra.

Mi renuencia a ser dogmático con respecto a la metodología instruccional se basa en algo más que un puritanismo académico. Es una cuestión discutible afirmar que los "expertos" en asuntos escolares, que hacen declaraciones superficiales acerca de la lingüística y la psicología, causan mayor confusión que los lingüistas y los teóricos de la psicología, que hacen afirmaciones categóricas con respecto a la manera como debe enseñarse la lectura, especialmente si tales afirmaciones provienen de una falsa autoridad cuya reputación es irrelevante en el salón de clase.

El proceso de la lectura y su enseñanza son dos dominios de investigación bastante independientes. Las personas que trabajan en cada área deben influenciarse recíprocamente, quizá mucho más de lo que lo hacen, pero únicamente compartiendo la información y estimulando la formulación de hipótesis, ya que no pueden emitir un juicio acerca de los métodos que cada uno emplea. Una teoría es útil como recopilación y marco de referencia del conocimiento adquirido, y como una fuente de ideas nuevas; una teoría se comprueba por medio de los datos obtenidos bajo condiciones de laboratorio rigurosamente controladas. Por otra parte, las técnicas de instrucción mantienen su valor solamente si demuestran ser efectivas en el salón de clases, mediante el cumplimiento de los objetivos de instrucción y de otros objetivos de la educación. Nada en este libro se debe interpretar como una justificación o condenación directas de una técnica particular, aunque espero que los maestros obtengan una mejor comprensión de por qué algunos métodos pueden tener éxito y cómo podrían mejorarlos.

Una comprensión del proceso de la lectura requiere de cierta familiaridad con la investigación realizada en varias disciplinas; a ello se debe el hecho de que más de la mitad de este libro esté dedicado a temas tales como el lenguaje, la comunicación, la teoría del aprendizaje, la adquisición del habla y la fisiología del ojo y el cerebro. Se discuten estos temas en un intento por hacerlos comprensibles, lo cual significa que existe la suposición de que el lector de este libro puede no tener la experiencia ni el tiempo para emprender un estudio profundo o especializado en estas áreas. Después de subrayar que la lectura es más difícil de lo que usualmente aceptamos, y que nuestra ignorancia de ella es más profunda de lo que generalmente admitimos, no debo confundir más a mis lectores ofuscándolos con reflexiones eruditas ni extraviándolos en los vericuetos de las notas de pie de página. Pese al riesgo de ofender al especialista, diversas áreas temáticas se cubren sólo en la medida en que son relevantes para el tema de la lectura. Quienes deseen profundizar más en algún tema pueden consultar algunas fuentes introductorias que se alistan en la sección de notas al final del libro.

Este libro está diseñado para servir como texto básico en un curso elemental sobre el proceso de la lectura, como guía para la literatura de investigación relevante acerca de la lectura, y como una introducción a la lectura, entendida como un ejemplo de las habilidades cognoscitivas más elevadas.

Algunos comentarios sobre la segunda edición en inglés

Los párrafos anteriores fueron escritos hace siete años; y transferidos —con mínimos cambios editoriales— del prefacio de la primera edición de este libro; son de las pocas partes del texto original que he podido presentar en la segunda edición sin gran necesidad de reescribirlas. Obviamente, mis objetivos y actitudes básicas han permanecido sin cambios desde 1971, pero he encontrado nuevas maneras de analizar o explicar mis temas. Ciertamente, mis investigaciones durante los años intermedios han servido solamente para consolidar cuatro temas presentes a lo largo de la primera edición:

1. La comprensión de la manera en que los niños aprenden a leer requiere del conocimiento del proceso de la lectura, y de cómo los niños aprenden.
2. La comprensión de la lectura requiere de la comprensión del lenguaje en general, y del funcionamiento del cerebro.
3. Desde un punto de vista de la lectura: la información que el cerebro lleva a la lectura es más importante que la información proporcionada en forma impresa.
4. Desde un punto de vista instruccional: los niños aprenden a leer leyendo.

Recientemente se ha despertado un gran interés y se ha trabajado mucho con respecto a la lectura. Probablemente se ha investigado más acerca de la lectura durante la década pasada que en los sesenta años que siguieron a la publicación del memorable libro de Huey *La psicología y la pedagogía de la lectura*, todavía leíble y relevante en la actualidad (Huey, 1908). Éste florecimiento del interés en la lectura entre los psicólogos y los lingüistas —los dos grupos de investigadores que contribuyen con sus conocimientos y trabajos al campo de estudio interdisciplinario llamado psicolingüística— no es simplemente una respuesta al creciente interés público en la capacidad de leer y escribir (y la consecuente disponibilidad de acopios de investigación). También ha habido una liberalización teórica en la medida en que las ciencias de la conducta han persistido en librarse de las restricciones de conductismo, y se han aventurado a adentrarse en el reino de la vida mental, la cual seguramente constituye el anfiteatro de la lectura. Como George Miller dijo a los psicólogos en uno de los primeros artículos que introdujeron la lingüística transformacional de Chomsky, "la mente es algo más que una palabra anglosajona de cinco letras" (Miller, 1962). Hay incluso una gran cantidad de investigaciones, que yo consideraría como periféricas a los principales aspectos de la lectura, estudios que se restringen a los movimientos oculares y al reconocimiento de letras o palabras aisladas. Pero también ha habido muchos intentos en la lingüística y en la psicología, así como en la educación, por entender mejor las nociones de significado y comprensión, y son éstos los que a criterio mío están contribuyendo más al entendimiento de los aspectos teóricos y prácticos de la lectura.

Pero entonces estoy prejuiciado. El énfasis en la comprensión también caracteriza la dirección que mi propio trabajo ha seguido desde la primera edición de este libro. La comprensión fue subrayada en la primera edición, pero tenía relativamente poco que decir acerca de ella. La noción de *predicción*, que ahora considero como la base para la comprensión del lenguaje, penetra en la presente edición pero no fue incluida siquiera en el índice original. Ha sido principalmente a través de una concentración en los procesos de comprensión como he tratado de lograr dos objetivos gemelos en la segunda edición: 1) hacer más comprensible el texto, y 2) actualizarlo. La comprensión, como espero, ahora proporciona un eslabón para todos los distintos aspectos de la lectura a los que me refiero, y da cuenta también de las muchas referencias nuevas que he añadido. (Algunos detalles específicos concernientes a los cambios en ésta edición, de interés para instructores y para aquellos que les gustaría comparar las dos ediciones, se proporcionan en una nota en la página 209.)

Una vez más he intentado proporcionar una discusión integrada de la lectura, como opuesta a un compendio de investigación. No pretendo abarcar toda la investigación y la teorización, pero he tratado de indicar al menos una fuente de evidencia de cada afirmación que expreso acerca del lenguaje o del cerebro. La manera en que interpreto la evidencia y trato de construir una imagen coherente refleja básicamente mi propio punto de vista. En las notas del capítulo final se citan algunas consideraciones alternativas. Aún creo que las detalladas implicaciones instruccionales de mi análisis teórico pueden, y se les debe permitir, hablar por sí mismas —los maestros deben tomar sus propias decisiones en los salones de clases. Cuando hago tales observaciones —específicamente al final del útimo capítulo— debe quedar claro que estoy expresando opiniones personales, aunque estoy animado a hacerlo así porque he encontrado apoyo general para ellas en la experiencia de muchos maestros con quienes he trabajado. El hecho de que haya poca investigación que apoye (o rechaze) afirmaciones generales acerca de la instrucción, en cierto sentido concuerda con mi punto de vista teórico de que el problema de ayudar a los niños a aprender a leer es un asunto que está más relacionado con la comprensión del maestro que con el método. En el mejor de los casos, los programas de instrucción poseen sólo objetivos limitados, y la investigación sirve únicamente para demostrar que tales programas usualmente logran estos fines limitados en algunos niños al menos. Si en realidad tales programas ayudan a los niños a convertirse en lectores interesados y fluidos, es algo que generalmente está más allá del alcance del programa instruccional y de la investigación relacionada. En contraste con el impacto de la investigación relevante a los aspectos teóricos de la lectura y la comprensión, la investigación sobre la instrucción de la lectura, en mi opinión, ha demostrado relativamente poco en los últimos años (Smith, en prensa). Pienso que la cuestión de cuál es el mejor método para enseñar a leer no ha sido respondida porque no es la pregunta apropiada; los niños no aprenden debido a los programas de lectura, sino porque los maestros impiden que los programas sean un obstáculo para los niños. Es en la sabiduría y en la intuición de los maestros en lo que se debe confiar, a condición de que tengan los fundamentos teóricos para reflejarlos en las decisiones que sólo ellos pueden tomar.

Sobre las dedicatorias

La primera edición de este libro estuvo dedicada a George A. Miller, quien retó a los psicólogos, que de alguna manera deseaban promover el bienestar humano, "a divulgar la psicología", haciendo accesibles sus hallazgos para quienes los consideraran de importancia. También he mencionado a Miller como una de las inspiraciones intelectuales de mi trabajo sobre la lectura y el lenguaje; a esa lista debo añadir ahora los nombres de David Olsen, Kenneth Goodman y James Britton, figuras centrales entre mis amigos, colegas y discípulos que me han ayudado y estimulado. Debo agradecer particularmente a Hugh Glenn y a Dorothy Watson, junto con algunos de *sus* alumnos, por sus detallados comentarios sobre la primera edición de este libro, y a tantos lectores cuidadosos que se han tomado la molestia de escribirme o hablarme personalmente de él. Dick Owen ha sido un paciente editor y amigo, y Ann González una secretaria excepcionalmente útil y eficiente. Cuatro nombres más por mencionar —Mary— Theresa, quien nunca termina de comprender y comprobar, y Laurel, Melissa y Nicholas, quienes han cambiado mucho desde la primera edición de este libro. Aunque apenas son unos niños, se han convertido en compañeros de gran simpatía.

Mucha gente merecería compartir la dedicatoria de este libro, sin embargo, lo dedicaré a una actividad. El hecho de que esta actividad sea el tema principal de este libro es una coincidencia, en este momento mi interés está concentrado en la actividad a la que estoy destinado. Dedicaré este libro a la *lectura*, no como una materia de enseñanza, sino como un medio de aprendizaje y como una fuente de placer, compartiendo ideas e ideales con las personas que uno nunca podría conocer de otra manera.

Toronto, Canadá
Diciembre de 1977   FRANK SMITH

Índice
de contenido

Comprensión de la lectura: perspectiva y plan general

La lectura involucra un número de habilidades generales que no deben ser ignoradas en ningún análisis serio sobre el tema. La frecuente afirmación, por ejemplo, de que la lectura requiere de un tipo especial de discriminación visual, descuida por completo los hechos fundamentales con respecto al papel de los ojos en la lectura. No es necesario ningún tipo o grado excepcional de agudeza visual para discriminar entre letras o palabras impresas; probablemente cualquier niño que pueda distinguir entre dos caras a tres metros de distancia tiene la suficiente capacidad visual para aprender a leer. Un lector debe descubrir las diferencias críticas mínimas entre las letras y las palabras, lo cual no es un asunto de saber cómo mirar sino de saber qué es lo que hay que buscar. Debido a las características completamente generales del sistema visual y del lenguaje humanos, la lectura fluida, de hecho, depende de una habilidad para confiar en los ojos lo menos que sea posible. Como veremos, tal habilidad no se enseña; los niños la adquieren cuando emplean habilidades perceptuales y cognoscitivas comunes a muchos aspectos cotidianos de la percepción visual.

Otra afirmación persistente es que la lectura constituye simplemente un asunto de "decodificar el sonido" —de traducir los símbolos escritos en una página a sonidos reales o imaginados del habla, de manera que aprender a leer se convierte en poco más que memorizar las reglas seleccionadas para decodificar y en practicar su uso. Pero el análisis de las relaciones entre lo impreso y el habla no sólo confirma que las "reglas" para deletrear los sonidos son desmedidamente complicadas e inconfiables en inglés, sino que también son bastante irrelevantes para la lectura en cualquier idioma. La lectura es menos un asunto de extraer sonidos de lo impreso que de darle significado. Los sonidos que supuestamente revelan el significado de secuencia de letras no pueden, de hecho, ser producidos, a menos que un significado probable se pueda determinar de antemano. Es un hecho universal de la lectura, más que un defecto de deletrear el Español, que el esfuerzo por leer a través de la decodificación no sólo es inútil sino también innecesario.

Una comprensión de la lectura, por consiguiente, no se puede lograr sin algunos conocimientos generales con respecto a la naturaleza del lenguaje y de varias características del funcionamiento del cerebro humano. Consecuentemente, la primera mitad de este libro está dedicada a una consideración bastante amplia de tópicos tales como la visión, la memoria, el conocimiento, el lenguaje y el aprendizaje. Estos capítulos iniciales no intentan expresar disquisiciones comprensivas (ni siquiera equilibradas) de los temas que abarcan; éste no es un libro sobre fisiología, lingüística, ni psicología cognoscitiva. En lugar de ello, ofrece un mínimo de la teoría y de los hechos esenciales necesarios y pertinentes para un análisis de la lectura. Se proporcionan algunas sugerencias en las notas de esos capítulos para aquellos lectores interesados en consultar fuentes más detalladas sobre los temas.

Una aproximación de base amplia a la lectura tiene algunas ventajas incidentales. Entre más se hable acerca de los tópicos generales al principio, menos tendrá que decirse con respecto a la lectura cuando el tema específico sea mencionado por primera vez. De hecho, no hay nada único con respecto a la lectura. No hay nada en la lectura, en lo que a la visión se refiere, que no esté involucrado en las actividades perceptuales mundanas tales como distinguir a las mesas de las sillas o a los perros de los gatos. No hay nada en la lectura, en lo que al lenguaje se refiere, que no esté dentro de la competencia de cualquiera que posea la habilidad para comprender el habla. Aunque la dificultad con que algunos niños enfrentan el aprendizaje de la lectura a menudo se atribuye a cierto tipo de daño cerebral mínimo, no detectado, no hay una evidencia convincente de que una parte particular del cerebro esté exclusivamente involucrada en la lectura. Es posible, desde luego y —aunque no tan comúnmente como algunas autoridades en lectura sugerirían—, que algún niño, ocasionalmente, tenga un daño cerebral que afecte su habilidad para el lenguaje, pero tal daño no interferiría en la lectura dejando intacta la comprensión del habla. Obviamente, los niños pueden tener defectos visuales que interfieren en la lectura, pero estos defectos también se presentarían en otras actividades visuales. Ello no significa que sea imposible que un niño fracase al aprender a leer por el solo hecho de que posea una visión perfecta y la habilidad del lenguaje hablado; hay muchos ejemplos de lo contrario en nuestras escuelas. Pero hay muchas otras razones posibles para que se presenten dificultades en la lectura, aparte de los desórdenes cerebrales hipotéticos, los conflictos personales, sociales o culturales pueden interferir críticamente en la motivación o en la habilidad de un niño para aprender a leer, y también es posible que se cometan errores durante la instrucción. Los niños pueden desarrollar hábitos de lectura que hagan imposible la comprensión.

En consecuencia, en la segunda mitad de este libro se hará un análisis detallado de la lectura; cuando ya haya sido examinada una gran parte de los fundamentos básicos. Las cuestiones relacionadas con la enseñanza de la lectura se revisan en el capítulo final, debido, en parte, a que el énfasis pedagógico de este libro está en capacitar a los maestros para tomar decisiones actualizadas, más que en decirles qué es lo que deben hacer, y también porque las inferencias acerca de la manera en que se debe enseñar a leer se hacen más claras a medida que la lectura misma se comprende de mejor manera. La principal implicación instruccional del análisis de este libro es que los niños aprenden a leer leyendo. La disciplina, los ejercicios y el aprendizaje de memoria juegan una pequeña parte en el aprendizaje de la lectura y, de hecho, pueden interferir en la comprensión. La función de los maestros no es tanto *enseñar* a leer, sino ayudar a los niños a leer. Desde luego, la manera en que se puede hacer esto —y la resolución de la parajoda de que los niños deben leer para aprender mientras aprenden a leer— involucra un problema que debe ser eventualmente enfrentado. Pero por el momento es más apropiado posponer los últimos temas y concentrar toda nuestra atención en cómo se alcanzarán las partes concluyentes del libro.

EXAMEN PREVIO DEL LIBRO

El capítulo uno, *Comprensión de la lectura*, se presenta después de este examen previo, con un esbozo muy general de la manera en que se efectúa la lectura, demostrando que lo que ocurre detrás de los ojos del lector, en su cerebro, contribuye de mejor manera a la lectura, que lo que está impreso y se presenta ante él.

El capítulo dos, *Comunicación e información*, explica algunos términos y conceptos técnicos que serán utilizados en el análisis de la lectura, enfatizando el papel activo que debe desempeñar el lector, y los tipos de influencia que pueden interferir en la "recepción de mensajes" provenientes de lo impreso.

El capítulo tres, *Entre el ojo y el cerebro*, investiga lo que está más allá de los ojos y analiza algunas de las limitaciones del cerebro para tratar la información obtenida a través de los ojos, y se muestra la importancia de lo que ya es conocido por el cerebro.

El capítulo cuatro, *Memoria*, se refiere a otra fuente principal, tanto del poder cerebral, como de sus limitaciones.

El capítulo cinco, *Conocimiento y comprensión*, intenta elucidar lo que ya existe en el cerebro, y analiza la manera en que se usa el conocimiento previo para darle sentido al mundo, ya sea a través del lenguaje o en forma más directa.

El capítulo seis, *Lenguaje hablado y escrito*, examina algunas de las exigencias especiales que todas las formas de lenguaje demandan de los escuchas o de los lectores, y también las complejas relaciones y las sutiles diferencias que existen entre el habla y lo impreso.

El capítulo siete, *Aprendizaje acerca del mundo y con respecto al lenguaje*, delinea algunos principios básicos concernientes a que los niños no tienen (ni pueden carecer de) las habilidades especiales para aprender a leer. Mejor dicho, ellos deben emplear destrezas de aprendizaje fundamentales para resolver los problemas de la lectura.

Los cuatro capítulos siguientes, del ocho al once, emprenden un análisis teórico de la lectura y de los aspectos de su aprendizaje, basado en las discusiones precedentes.

El capítulo doce, *La lectura y aprendiendo a leer*, consiste en una revisión de los aspectos más importantes de la lectura, algunas perspectivas adicionales sobre su aprendizaje, y una consideración sobre el papel de los maestros.

LOS DOS ASPECTOS DE LA LECTURA

Obviamente, la lectura no es una actividad que pueda llevarse a cabo satisfactoriamente en la oscuridad. Para leer usted necesita iluminación, tener algo impreso enfrente, mantener abiertos los ojos y posiblemente traer puestos sus anteojos. La lectura, en otras palabras, depende de que cierta información vaya de los ojos al cerebro. Permítasenos llamar *información visual* a esa información que el cerebro recibe de lo impreso. Es fácil caracterizar la naturaleza general de la información visual: desaparece cuando las luces se apagan.

El acceso a la información visual es una parte necesaria de la lectura, pero no es una condición suficiente. Usted podría tener abundancia de información visual dentro de un texto colocado enfrente de sus ojos y no ser capaz de leerlo. Por ejemplo, el texto que usted está mirando podría estar escrito en un lenguaje que no comprende. El conocimiento del lenguaje pertinente es parte de la información esencial para la lectura, pero no es una información que usted espera encontrar en la página impresa. Más bien es la información que usted ya posee, detrás de los globos oculares. Este tipo de información puede distinguirse de la información visual que entra a través de los ojos, llamándola *información no visual*.

Aparte del conocimiento del lenguaje, hay otros tipos de información no visual. El conocimiento de la materia de estudio es similarmente importante. Proporcione usted a varias personas algunos artículos de física subatómica, de cálculo diferencial o de mecánica aeronáutica y encontrará que no son capaces de leerlos —no debido a alguna inadecuación del texto, el cual puede ser leído perfectamente bien por los especialistas, ni a causa de que haya algo anómalo en los ojos de esas personas, sino porque éstas carecen de la información no visual apropiada. El conocimiento de la manera en que se debe leer es otro tipo de información no visual, y de evidente importancia para hacer posible la lectura, aunque no tenga nada que ver con la iluminación, con lo impreso, ni con el estado de nuestros ojos. La información no visual se distingue fácilmente de la información visual: todo el tiempo la trae consigo el lector y no desaparece cuando se apagan las luces.

La distinción entre información visual y no visual puede parecer obvia; sin embargo, es tan decisiva en la lectura y en el aprendizaje de ésta que me parece conveniente esquematizarla en el siguiente diagrama:

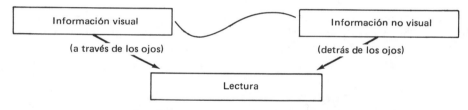

Figura 1.1. Dos fuentes de información en la lectura.

La razón por la cual la distinción entre información visual y no visual es tan importante, se puede plantear sencillamente: hay una relación recíproca entre ellas. Dentro de ciertos límites, uno puede intercambiarlas. Entre más información no visual tenga un lector, menos información visual necesita. Mientras menos información no visual esté disponible detrás de los ojos, más información visual se requiere. La relación recíproca está representada por la línea curva entre los dos tipos de información en la figura 1.1. No es difícil proporcionar demostraciones informales del intercambio entre los dos tipos de información en la lectura. Por ejemplo, es un fenómeno común el hecho de que las novelas populares y los artículos de los periódicos pueden leerse con facilidad —se pueden leer relativamente rápido, con una luz débil, a pesar de que el tipo de letra sea pequeño y de la impresión de baja calidad. Son fáciles de leer debido a lo que ya conocemos; tenemos una necesidad menor de información visual. Por otra parte, los materiales técnicos o las novelas difíciles —o incluso las mismas novelas populares y los artículos de los periódicos cuando los lee

alguien que no está familiarizado con el lenguaje ni con los formalismos de la escritura— requieren de más tiempo y esfuerzo, de una tipografía más grande, una impresión más clara y de mejores condiciones
físicas. Los nombres de pueblos o ciudades familiares en las señales de tránsito se pueden leer a una distancia mayor que los nombres
de las poblaciones desconocidas escritos con letras del mismo tamaño.
Es más fácil leer letras en una pared cuando están ordenadas en palabras y frases significativas que cuando esas letras del mismo tamaño
están ordenadas al azar en una lámina un diagrama que tiene un oculis-
ta para el examen de la vista. En cualquier caso, la diferencia no tiene
nada que ver con la calidad de la información visual disponible en lo
impreso, sino con la cantidad de información no visual que el lector
trae consigo. Entre menos información no visual pueda emplear el
lector, más difícil es la lectura.

Ahora tenemos una razón para entender por qué la lectura puede
ser tan difícil para los niños, independientemente de su habilidad real
para leer. Ellos pueden tener poca información no visual relevante.
Algunos materiales de iniciación a la lectura parecen estar expresa-
mente diseñados para evitar el uso de la información no visual. En
otras ocasiones los adultos pueden desalentar inconscientemente, o
incluso deliberadamente, el uso de la información no visual. Pero cualquiera que sea la causa, la insuficiencia de esa información hará más
difícil la lectura. Puede incluso hacer imposible la lectura, por la simple
pero inevitable razón de que hay un límite para la cantidad de información que puede manejar el cerebro en un momento determinado.
Hay una obstrucción o cuello de botella entre el ojo y el cerebro en el
sistema visual, como se indica en la siguiente figura 1.2.

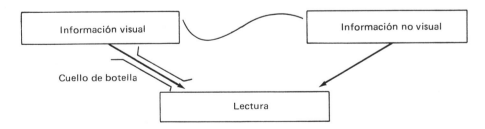

Figura 1.2. La obstrucción o cuello de botella en la lectura.

Como una consecuencia de esta obstrucción, un lector puede
convertirse fácil, o temporalmente, en un ciego funcional. Puede mirar
pero no es capaz de ver; no importa qué tan buenas sean las condiciones
físicas. Un renglón impreso que es claramente obvio para un maestro

(quien sabe de antemano lo que ahí dice) puede ser casi completamente ilegible para un niño cuya dependencia de la información visual puede limitar su percepción a sólo dos o tres letras en la mitad del renglón.

Ser incapaz de discernir las palabras impresas no constituye un obstáculo exclusivo de los niños. Los lectores fluidos pueden encontrarse exactamente en la misma situación por las mismas razones esenciales —debido a que se tiene un material difícil de leer, porque se requiere mucha concentración en cada palabra o por estar en una condición de ansiedad—, razones que incrementan la necesidad de información visual y tienen la consecuencia paradójica de hacerla más difícil de ver en el texto.

En el capítulo tres mostraré cómo se pueden evaluar las proporciones relativas de información visual y no visual que se requieren para leer, y también señalaré qué tan estrecho es el cuello de botella; tanto que al menos las tres cuartas partes de la información visual disponible en el texto habitualmente se debe ignorar. Como escribió el psicólogo Paul Kolers (1969),[1] "la lectura sólo ocasionalmente es visual". Debido a que la información no visual está en el núcleo de la lectura, una gran parte de este libro estará dedicada a analizar su naturaleza, su desarrollo y su uso.

Algunas distinciones básicas

Los libros acerca de la lectura a menudo empiezan con un intento por definir el término con alguna afirmación formal, quizá como "la lectura comprende la extracción de información de lo impreso". Pero semejante afirmación no dice realmente nada que alguien probablemente no sepa, ni indica si el autor pretende usar esa palabra de una manera diferente de todos los demás ni cómo lo hace. Las definiciones formales tienen utilidad sólo si las palabras se usan de una manera especializada, limitada, o bien impredecible, e incluso así, pueden causar más problemas que beneficios debido a que los lectores prefieren interpretar palabras conocidas de maneras familiares. El hecho es que las palabras comunes, fácilmente entendibles, tienden a tener una multiplicidad de significados —un aspecto interesante de todos los idiomas, del cual nos ocuparemos posteriormente— y lo que usualmente le da un significado ambigüo a una palabra, no es un acuerdo previo ni un decreto, sino el contexto particular en el que se encuentra.

Examinemos la cuestión de si la "lectura" necesariamente involucra

---

[1] Las referencias se señalan por el año de su publicación entre paréntesis, y se proporciona una lista completa de ellas al final del libro, comenzando en la página 252.

comprensión. Tal cuestión no plantea nada con respecto al acto de leer, sino solamente acerca de la manera como se emplea la palabra; y la única respuesta posible es que algunas veces la "lectura" ciertamente implica comprensión, como cuando le preguntamos a alguien si está disfrutando la lectura de un libro —lo que no siempre ocurre— o como cuando nos responde que ha estado leyendo durante dos horas y con trabajos ha entendido una palabra. Semejante flexibilidad no ilustra una imperfección del lenguaje sino más bien su productividad limitada. El contexto generalmente sirve (y siempre debe servir) para aclarar el significado, evitándonos la indeseable necesidad de utilizar palabras familiares de maneras no familiares, o de inventar palabras desconocidas para propósitos familiares. Frecuentemente las definiciones no son útiles.

Sin embargo, quiero señalar una distinción entre la lectura comprensiva y la lectura —o como cualquier otra persona podría llamarla— sin comprensión. Es posible, desde luego, citar una serie de palabras sin comprender nada de ellas, lo que ha sido llamado "ladrar lo impreso" (Wardhaugh, 1969). Cuando no haya posibilidad para la comprensión de un significado, y sea importante aclarar la situación, evitaré utilizar la palabra "lectura" para hablar en cambio de "identificación de palabras". Ocasionalmente —debido a que necesite hacer una comparación o señalar un contraste— me referiré a la comprensión como la "identificación del significado". Pero en general usaré los términos "lectura" y "comprensión" (de lo impreso) indistintamente. A mi modo de ver, la lectura es algo que le da sentido al lector.

Debo señalar una importante distinción entre el aprendizaje y la enseñanza. La diferencia podría parecer muy obvia, pero en algunos libros de texto y en ciertos círculos educacionales parece asumirse que los dos están completamente correlacionados. Como una consecuencia, la ejecución de los niños puede ser menospreciada. Por ejemplo, se puede dar por hecho que los padres enseñan a hablar a los niños (en vista de que la mayoría de los niños adquieren rápidamente esa destreza) o que no hay nada extraordinario en el simple hecho de saber hablar (dado que pocos padres se preocupan en enseñar a los niños a hacerlo). Ambos puntos de vista son incorrectos. Aprender a hablar es una importante proeza intelectual, igualada únicamente por la facilidad con la que los niños le dan sentido a muchos otros patrones de sonidos, visiones, olores y otros tipos de eventos en su ambiente. Es realmente una fortuna que los niños puedan aprender sin un maestro, dado que una gran parte de lo que esperamos que aprendan —incluyendo la lectura— no puede ser de hecho el tema de la instrucción formal.

Por otra parte, muy a menudo la enseñanza ocurre sin un aprendizaje; cuando la enseñanza y el aprendizaje parecen estar progresando al mismo tiempo, aquélla puede obtener un crédito inmerecido. Si usted le preguntara a muchas personas cómo aprendieron a leer por primera vez, probablemente le responderían que alguien les enseño los nombres y los sonidos de las letras. Éste tipo de romanticismo subyace a muchas de las afirmaciones que señalan que la manera de mejorar la lectura es "regresar a lo básico". Pero aparte del hecho de que pocos adultos tienen una memoria confiable con respecto a los detalles específicos de los primeros seis años de sus vidas (ni de que hayan entendido muy bien lo que sus maestros estaban haciendo con ellos en ese tiempo) sucede que nadie aprende a leer simplemente porque conoce los nombres y los sonidos de las letras. Por lo tanto, si el maestro cree merecer el crédito, debe ser por algo más significativo que haya escapado al niño y posiblemente también el maestro. En ocasiones, los maestros puede hacer lo correcto por una razón equivocada, o cuando creen que están haciendo algo más, y los niños pueden ser muy hábiles para aprovechar cualquier información útil que se presente ante ellos.

Con el fin de subrayar la distinción entre el aprendizaje y la enseñanza, las cuestiones sobre la práctica instruccional se examinan en el capítulo final de este libro. Me gustaría que no se infiriera que la instrucción formal es necesaria e incluso posible cada vez que hable acerca del aprendizaje ante el problema de la distinción antes mencionada. De hecho, usualmente mi intención será lo contrario; el tipo de aprendizaje que yo enfatizaré no se puede enseñar. Los maestros juegan un papel importante para que los niños aprendan a leer, pero raramente lo logran dictando qué y cuándo debe aprender un niño.

Aun cuando yo subrayo el posible abismo entre el aprendizaje y la enseñanza, debo rechazar otra distinción que a menudo se hace. Quisiera afirmar que no hay ninguna diferencia esencial entre aprender a leer y la lectura. No existe ningún tipo de destreza especial, que el niño deba aprender y desarrollar, que no esté involucrada en la lectura fluida; ni existe alguna parte de la lectura fluida que no constituya una parte de su aprendizaje. Tampoco hay un día mágico en la vida de los niños durante el cual logran cruzar el umbral entre el "aprendiz" y el "lector". Todos debemos leer para aprender a leer, y cada vez que leemos aprendemos más acerca de la lectura. Nunca hay un lector "completo". La principal diferencia entre comenzar a leer y la lectura fluida es que el comienzo es mucho más difícil. Hasta los lectores más capaces tendrán dificultades al leer algunos materiales, aunque siempre podrán aprender a hacerlo mejor a medida que adquieran una mayor experiencia.

Lo anterior quizá ayude a explicar porqué parece que estoy analizando demasiado la lectura fluida. No es que yo piense que el aprendizaje de la lectura sea un tópico menos interesante o importante. Mi justificación al hecho de que me concentre en lo que los lectores fluidos son capaces de hacer es que esto es precisamente lo que los lectores principiantes deben aprender a hacer. De hecho, al concentrarme en la lectura fluida, estoy tratando de que este libro sea relevante para todos aquellos que se interesan en la lectura o en su enseñanza en todas las edades y niveles.

Resumen

La parte final de cada capítulo es un breve resumen que recapitula los puntos esenciales. Los términos que en el resumen están impresos en las letras **negritas** son términos claves que se incluyen en el glosario al final del libro, comenzando en la página 248.

La lectura no sólo es una actividad visual, tampoco una simple cuestion de decodificar el sonido. Son esenciales dos fuentes de información para la lectura, la **información visual** y la **información no visual**. Aun cuando puede haber un intercambio entre las dos, hay un límite para la cantidad de información visual que puede manejar el cerebro para darle sentido a lo impreso. Por lo tanto, el uso de la información no visual es crucial en la lectura y en su aprendizaje.

Notas

En la medida de lo posible trataré de no utilizar términos técnicos en la introducción y en el desarrollo del tema de cada capítulo para que puedan entenderse mejor. Las descripciones y los detalles experimentales de la investigación básica que se ha realizado (o que quizá deba emprenderse) en las áreas específicas están contenidos en las notas de cada capítulo al final del libro, página 209. Esas notas, las cuales también pueden incluir referencias a puntos de vista alternativos, pueden ser pasadas por alto por los lectores interesados en obtener una opinión preliminar del libro o tratar de seguir los temas principales sin agobiar su información no visual. Pero deben ser examinadas cuidadosamente por los estudiantes o por todos aquellos que deseen comprobar la validez de los argumentos o pretendan ampliar sus conocimientos sobre los temas. En la conclusión de las notas de cada capítulo se proporcionan algunas sugerencias para quienes deseen consultar alguna bibliografía adicional.

Información
y comunicación

Necesitaremos un lenguaje con el cual hablar acerca de la lectura. Dado que la lectura puede ser considerada en términos muy generales como parte de un proceso de comunicación en el que la información viaja entre un trasmisor y un receptor —ya sea el lector un erudito descifrando un texto medieval o un niño identificando una sola letra en un pizarrón— comenzaremos examinando qué se puede obtener de las teorías de la comunicación y la información. Encontraremos que estas teorías ofrecen algunos conceptos básicos útiles para la construcción de una teoría de la lectura, y una terminología que puede incrementar la claridad de su expresión. Pero también encontraremos que la lectura no es reducible a una simple cuestión de lectores "decodificando" los mensajes que son trasmitidos por los escritores. En lugar de ello, este capítulo enfatizará los siguientes puntos importantes:

1. La lectura no es una actividad pasiva —los lectores deben realizar una contribución activa y sustancial si pretenden darle sentido a lo impreso.
2. Todos los aspectos de la lectura, desde la identificación de letras o palabras individuales hasta la comprensión de párrafos enteros, pueden considerarse como la reducción de la incertidumbre.
3. La lectura fluida requiere del uso de la redundancia —o de la información que esté disponible en más de una fuente— para que el conocimiento previo pueda reducir la necesidad de información visual.
4. La lectura puede ser una tarea peligrosa.

EL FUNCIONAMIENTO DE LA COMUNICACIÓN

La comunicación requiere la interacción de dos participantes, quienes, para mayor generalidad, pueden ser llamados trasmisor y receptor de la información, respectivamente. El trasmisor podría ser un orador o un escritor, y el receptor un escucha o un lector. El trasmisor envía, o produce, y el receptor trata de comprender. La afirmación inicial con respecto a la necesidad de *interacción* entre trasmisor y receptor debe considerarse como algo más que una afirmación de lo obvio —que debe haber un escucha alrededor de un orador para hacerse comprender, o que escribir no tiene sentido sin un lector. El receptor, sea escucha o lector, debe efectuar una contribución al menos tan grande como la del trasmisor para que la comunicación ocurra. De hecho, el receptor debe proporcionar más información que la cantidad realmente disponible en las ondas sonoras que pasan a través del aire, o en las marcas sobre el papel del impresor o del escritor.

En algunos sentidos, la tarea del receptor es más difícil que la del trasmisor. Los receptores no sólo deben tener habilidades de comprensión del lenguaje compatibles con las habilidades para la producción del mismo empleadas por un trasmisor, sino que también pueden tener necesidad de interpretar información que incluya elementos de estructura o de contenido bastante ajenos a su propia experiencia. Esto significa que los oradores o los escritores nunca tienen que ir más allá de su vocabulario y sintaxis propios, y generalmente se supone que saben de qué están hablando. Los trasmisores pueden darse el lujo de ser discursivos debido a que saben qué es lo que eventualmente van a lograr. Pero los receptores carecen de estas ventajas; todo lo que el trasmisor da por supuesto los receptores tienen que resolverlo por sí mismos. El receptor tiene la desventaja adicional de que mientras los trasmisores pueden hablar o escribir a su propio ritmo, el escucha rara vez puede solicitar una repetición o que se delibere más despacio, y el lector usualmente está obligado a leer en el orden en que los escritores eligen presentar sus pensamientos y, como veremos, funciona bajo limitaciones de tiempo que no siempre perturban a los escritores. Por otra parte, los receptores a menudo pueden ignorar mucho de la información que los trasmisores esperan proporcionar.

Haremos un estudio más cuidadoso del papel activo que el receptor debe asumir al escuchar y al leer cuando consideremos el lenguaje y su comprensión, y examinaremos las discrepancias entre el sonido del lenguaje (o su representación escrita) y su significado, que puede ser interpretado solamente por la contribución de la información adicional del receptor.

El canal de comunicación y el ruido

El trasmisor y el receptor pueden ser considerados como los dos extremos de un canal de comunicación, a lo largo del cual la información puede fluir de diversas formas. En un sistema telefónico, por ejemplo, el canal de comunicación entre el hablante y el escucha incluye el aparato fonador del hablante, la bocina y un hablante en cada uno de los teléfonos, el cable que conecta a los dos aparatos, y el aparato auditivo del escucha. Al pasar a través de este canal de comunicación, la información toma la forma de secuencias complejas de impulsos nerviosos que organizan el mensaje del hablante, de patrones de vibración en las moléculas del aire (ondas sonoras), de impulsos eléctricos en el cable del teléfono, y nuevamente de ondas sonoras en el camino hacia el tímpano del oído del escucha; después de lo cual, se presenta a través de una complicada serie de cambios en su proceso de ser transformada en otra serie de impulsos nerviosos dirigidos hacia el cerebro del oyente. En cada etapa inicial de este canal, la información puede ser considerada como una incorporación dentro de un patrón de señales, estructurado tanto en el espacio como en el tiempo. El problema del receptor es interpretar el patrón final, la secuencia de impulsos nerviosos y extraer un mensaje.

En cada parte del proceso de comunicación existe la posibilidad de que la información sea cambiada de alguna manera. Puede haber pérdidas debido a que ciertas secciones particulares del canal no son capaces de trasmitir todas las señales contenidas en ellas. Un canal puede ser incapaz, tal vez, de responder a algunos aspectos de la señal, tal como un megáfono puede no ser lo suficientemente sensible para reproducir con fidelidad algunos de los tonos más bajos o más altos de la música; probablemente se podrían perder partes de una señal debido a que un canal no puede recoger y pasar la información tan rápidamente como ésta llega. El límite para la cantidad de información que puede pasar a través de cualquier canal de comunicación se conoce como *capacidad del canal*. Evidentemente, la capacidad del canal puede ser independiente de la habilidad del receptor, aunque la limitación también puede ser parte del canal de comunicación interno del escucha —por ejemplo, una incapacidad para manejar más de cierta cantidad de información en un solo momento. Tal limitación, de la cual todos somos herederos, es a veces considerada como una limitación en la *capacidad de procesamiento de información* del cerebro humano.

Además, las señales extrañas llamadas *ruido* pueden tergiversar o confundir el mensaje. El concepto de ruido no se limita a eventos acústicos sino que puede aplicarse a todo aquello que haga menos clara o efectiva la comunicación, tal como una dificultad para leer la tipografía de un material impreso, una iluminación deficiente o la distracción del lector. La *estática*, que algunas veces interfiere en la recepción de la televisión, es ruido visual.

En términos más formales, el ruido se puede considerar como una señal que no comunica información, en contraste con la señal de información significativa real. El receptor debe aislar la señal informativa del ruido, y cada vez que se cometa el error de hacerlo parte de ésta, el mensaje puede perderse. Si el receptor carece de la habilidad o del conocimiento para comprender cualquier parte de un mensaje, éste se convierte obviamente en ruido. Y no se puede ignorar fácilmente al ruido; éste no es una ausencia de información sino más bien un componente de comunicación negativo que reduce la información. Como los canales de comunicación tienen capacidades limitadas, el ruido contribuye muy inútilmente a sobrecargar el sistema y puede interferir en la recepción de las señales informativas.

Puesto que cualquier cosa se puede convertir en ruido si uno carece de la habilidad o del conocimiento para entenderla, la lectura es intrínsecamente más difícil para el lector principiante que para el experimentado. Para el principiante, todo es mucho más ruidoso.

Hay otras maneras en que los conceptos de capacidad limitada del canal y ruido serán relevantes para nuestra consideración del lector fluido y del lector principiante. Por ejemplo, veremos que existe un límite en cuanto a la velocidad con la cual los ojos pueden reunir información de un texto y para la cantidad de información de los ojos que puede manejar el cerebro. Éstas son limitaciones de la capacidad del canal en el sistema de la comunicación del lector. También veremos que uno de los problemas del lector principiante es descubrir cuáles aspectos de la información visual de las letras y las palabras sirven realmente para distinguir a unas de las otras —en otras palabras, cuáles son sus "aspectos distintivos". Los aspectos no distinguibles, los cuales no contribuyen a la diferenciación de alternativas, tales como los embellecimientos ornamentales de algunas letras mayúsculas, son otros ejemplos de ruido.

La figura 2.1 resume en forma gráfica los principales conceptos que se han analizado. El lector puede notar que el diagrama completo es una forma alternativa de representar la situación del extremo izquierdo de las figuras 1.1 y 1.2 —la relación de la información visual con la lectura. Sin embargo, los extremos derechos de esas mismas figuras también indican que la figura 2.1 es inadecuada como una representación de la lectura, esta figura no representa el otro tipo de información que el receptor requiere para comprender un mensaje —la información que no proviene del canal de comunicación.

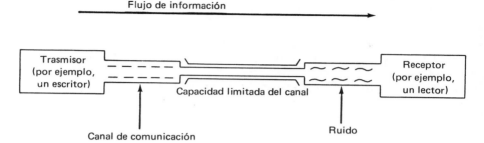

Figura 2.1. Conceptos en la comunicación.

Información e incertidumbre

Una contribución que el estudio de los sistemas de comunicación ha hecho al estudio de la conducta humana, ha sido la clarificación del concepto de comunicación, junto con una técnica por medio de la cual se puede medir realmente la información. Hemos visto que la información adopta una variedad de apariencias cuando pasa a través de diferentes segmentos de un canal de comunicación, pero no ha habido nada que indique qué es lo que permanece constante en todas estas manifestaciones distintas. ¿Qué es la "información" que fluye en forma de patrones de ondas sonoras a través del aire, de ondas luminosas a través del espacio, y de impulsos de energía a través de cables eléctricos o conductos nerviosos? La afirmación de que la *información* es la *reducción de la incertidumbre* puede parecer poco esclarecedora, a menos que contemos con una definición de la incertidumbre, sin embargo, no es difícil hallar una definición de ese concepto.

La incertidumbre se puede definir y medir en términos del número de alternativas a las que se enfrenta quien debe tomar una decisión. Si usted se enfrenta a muchas alternativas, tendrá una gran incertidumbre; hay muchas decisiones diferentes que usted podría tomar. Si usted tiene pocas alternativas, puede ser igualmente difícil decidirse por alguna, pero teóricamente su incertidumbre es menor; hay pocas decisiones alternativas que podría tomar. Esto no tiene nada que ver con la *importancia* que la decisión revista para usted, sólo alude al número del alternativas. Teóricamente, su incertidumbre es la misma cuando debe decidirse en favor o en contra de la cirugía mayor, o cuando tiene que decidirse entre desayunar huevos revueltos o cocidos. El número de alternativas en cada caso es el mismo, y, por lo tanto, su incertidumbre también es igual.

Ahora podemos definir más claramente la información: la información es la reducción de la incertidumbre mediante la eliminación de alternativas. Considerándola razonablemente, la información es cualquier cosa que le facilite tomar una decisión. Existe el problema adicional de saber si la decisión se refiere a la identificación de objetos o eventos particulares o, en su defecto, a la selección entre varias alternativas de acción.

La incertidumbre y la información se definen en términos del *número* de decisiones alternativas que podrían tomarse, sin importar *cómo* es la naturaleza de esas alternativas. Sin embargo, es más fácil lograr una comprensión de estos conceptos si tomamos algunas situaciones particulares como ejemplos.

Supóngase que el mensaje que se va a comunicar es una sola letra del alfabeto, o para plantearlo en estricto español, supóngase que a un niño se le pide que identifique una letra escrita en el pizarrón. Hay 27 alternativas disponibles para el trasmisor y el receptor —las 27 letras del alfabeto (sin contar las compuestas, como la ll y la ch). La incertidumbre del receptor comprende una decisión o elección entre 27 posibilidades. Si la situación implicase ordenar en hileras y por figuras las cartas de una baraja española, entonces la incertidumbre sería en cuanto al mayor número de cartas que tenga el jugador y el número de alternativas sería de cuatro. Al lanzar una moneda al aire el número de alternativas es dos; al arrojar un dado, hay seis alternativas. Algunas veces no se puede conocer el número exacto de alternativas, por ejemplo, si se está trasmitiendo un nombre o una palabra. Sin embargo, aún así es posible determinar cuándo se ha reducido esta cantidad indefinida de incertidumbre —por ejemplo, cuando el receptor aprende que el nombre o la palabra empieza con una letra específica o que tiene un número determinado de letras, cualquiera de las cuales reducirá el número de posibilidades alternativas.

Ahora podemos regresar a la definición de "información" como la reducción de la incertidumbre. Así como la medida de la incertidumbre se refiere al número de alternativas entre las cuales tiene que decidir el receptor, la información se refiere al número del alternativas que son eliminadas como resultado del mensaje. Si el receptor es capaz de eliminar todas las alternativas excepto una, y por lo tanto puede tomar una decisión, entonces la cantidad de información trasmitida es igual a la cantidad de incertidumbre que existía. Dos jugadores de dominó pueden deducir mutuamente cuáles fichas tiene su adversario cuando a cada uno le queda una o más fichas y no quedan más para "comer"; sólo es necesario fijarse en las que ya se han colocado en la mesa y cuáles tiene cada uno. De esa manera reducen la incertidumbre y pueden armar una estrategia para ganar el juego. Similarmente, un niño que conoce las letras lo suficientemente bien como para decidir que la letra en el pizarrón es una vocal, ha adquirido información reduciendo la incertidumbre de 27 alternativas a cinco. Si la letra es identificada correctamente, entonces la información de la letra es igual a la incertidumbre original.

Se puede considerar a la lectura de la misma manera que a otros procesos de adquisición de información, es decir, como la reducción de la incertidumbre. Hemos descubierto que las áreas convencionalmente discordes de la lectura también pueden ser consideradas de la misma manera, tales como la identificación de letras, la identificación de palabras y la "lectura de comprensión". En cada uno de estos casos, la información es adquirida visualmente para reducir cierta cantidad de posibilidades alternativas. El número exacto de alternativas se puede especificar para las letras; quizá se pueda determinar una cifra aproximada para el número de palabras, pero el número de alternativas para la comprensión, si es que pudiera estimarse, debe estar obvia e íntimamente relacionado con lo que se va a leer y con el individuo particular que va a efectuar la lectura. Sin embargo, no es necesario especificar la cantidad exacta de incertidumbre para analizar la informatividad de un mensaje —ésa es una de las ventajas de expresar la incertidumbre y la información en términos relativos. No podemos saber cuánta incertidumbre tiene una persona acerca de la identidad del monarca de Inglaterra en el año de 1900, pero sabemos que la incertidumbre puede reducirse si se lee y comprende un mensaje acerca de que el monarca era una mujer. De hecho, hay muchas maneras confiables de estimar la cantidad de información en una afirmación particular si se usa como criterio lo que se conoce de la capacidad del canal de los sistemas perceptuales humanos.

Redundancia

La redundancia es uno de los conceptos más importantes que analizaré, aunque es un concepto que no se presenta muy a menudo en la literatura sobre la psicología de la lectura. La redundancia existe cada vez que hay información disponible de más de una fuente, o, podemos decir, para utilizar la definición inicial de información, que hay redundancia cuando se pueden eliminar las mismas alternativas de más de una manera. Y una de las destrezas básicas de la lectura es la eliminación de alternativas a través del uso de la redundancia.

Una manera obvia de proporcionar redundancia es repetir todo; con este método las fuentes alternativas de información son dos oraciones sucesivas. Un método diferente de presentar el mismo mensaje dos veces sería presentar una versión al ojo y otra al oído —una aproximación audiovisual o de "medios múltiples". La repetición es una técnica eminentemente popular en la publicidad, especialmente en los mensajes comerciales de la televisión, la cual ejemplifica una de las ventajas prácticas de la redundancia que es la de reducir la probabilidad de que los receptores cometan un error, o dejen que algo pase inadvertido, al intentar comprender el mensaje. Sin embargo, hay otros aspectos de la redundancia que no siempre son obvios y que juegan un papel muy importante en la lectura.

Con frecuencia, el hecho de que algunas de las mismas alternativas estén siendo reducidas por dos fuentes de información no es claro. Considérese el siguiente par de oraciones como ejemplo de las dos fuentes sobrepuestas de información, cada una de ellas conteniendo alguna información única:

1. La letra del alfabeto que estoy pensando es una vocal.
2. La letra que estoy pensando pertenece a la primera mitad del alfabeto.

A primera vista, las dos oraciones parecen estar proporcionando piezas de información complementarias, que nos dicen que la letra es una vocal de la primera mitad del alfabeto. Sin embargo, si observamos las alternativas que cada una de las dos afirmaciones está eliminando, podemos ver que realmente contienen una buena cantidad de información sobrepuesta. La afirmación 1 nos dice que la letra no es $b, c, d, f, g, h, j, k, l, m, n, ñ, p, q, r, s, t, v, w, x, y, z$, y la afirmación 2 señala que no es $n, ñ, p, q, r, s, t, v, w, x, y, z$. Las dos afirmaciones nos dicen que la letra no es $n, ñ, p, q, r, s, t, v, w, x, y, z$, y en este sentido son (en la medida en que las series excluidas de alternativas se intersectan) afirmaciones redundantes. De hecho, la única información nueva que proporciona la afirmación 2 es que la letra no es o ni u; toda la información restante está ya proporcionada en la afirmación 1.

Hay ejemplos frecuentes de redundancia en la lectura. Como ejemplo, considérese esta oración incompleta (la cual podría aparecer al final de una página derecha de un libro):

El capitán ordenó a su subalterno soltar las an-

Consideremos cuatro maneras de reducir nuestra incertidumbre con respecto al resto de esta oración, cuatro alternativas y, por consiguiente, cuatro fuentes de información redundantes. Primero, podríamos dar vuelta a la página y ver cómo termina la última palabra —a esto podemos llamarle información visual. Pero también podemos formular algunas predicciones razonables con respecto a cómo continuará la oración sin voltear la página. Por ejemplo, podemos decir que la siguiente letra probablemente no es $b, j, k, l, m, n, ñ, p, r, w, x$, ni y porque estas letras no ocurren después del prefijo *an* en las palabras comunes del idioma

Español; por lo tanto, podemos atribuir la eliminación de estas alternativas a la información *ortográfica* (o deletreo). Hay algunas otras cosas que pueden decirse acerca de la palabra completa antes de dar vuelta a la página. Sabemos que muy probablemente se trata de un adjetivo o de un nombre, porque otros tipos de palabras tales como los artículos, las conjunciones, los verbos y las preposiciones, por ejemplo, difícilmente pueden ir después de la palabra *las*; la eliminación de todas estas alternativas adicionales se puede atribuir a la información *sintáctica* (o gramatical). Finalmente, podemos continuar eliminando alternativas si consideramos como candidatos para la última palabra únicamente a los nombres o adjetivos que comienzan con *an* más una de las letras no eliminadas por la información ortográfica ya analizada. Podemos eliminar palabras como *analogías, antigüedades* y *andaderas* porque, a pesar de que no están excluidas por nuestros criterios, nuestro conocimiento del mundo nos dice que no son esos tipos de cosas los que un capitán normalmente ordenaría soltar a su subalterno. La eliminación de estas alternativas se puede atribuir a la información *semántica*. Obviamente, las cuatro fuentes alternativas de información acerca de la palabra incompleta del ejemplo anterior, *visual, ortográfica, sintáctica* y *semantica*, en cierto grado proporcionan una información sobrepuesta. No necesitamos tanta información visual acerca de la siguiente palabra como si se presentara aislada porque las otras fuentes de información eliminan muchas alternativas. Por lo tanto, las cuatro fuentes de información son redundantes en alguna medida. El lector hábil que puede hacer uso de las otras tres fuentes necesita una cantidad mucho menor de información visual que el lector principiante. Entre más redundancia haya, menos información visual necesita el lector diestro. En los párrafos donde hay un texto continuo, suponiendo que el lenguaje es familiar y su contenido no es demasiado difícil de entender, se puede eliminar una letra y otra no en la mayoría de las palabras, o aproximadamente una palabra por cinco omitidas en conjunto, sin que resulte difícil para el lector lograr una comprensión del texto.

Una última aclaración: he estado hablando de la redundancia en la lectura como si ésta existiera en sí en las palabras escritas, lo cual en cierto sentido es efectivamente cierto. Pero en un sentido más importante, la redundancia es la información disponible en más de una fuente, sólo cuando una de las fuentes alternativas está en la propia cabeza del lector. En otras palabras, la redundancia en un texto carece de utilidad si no refleja algo de lo que el lector ya sabe, ya sea que involucre una estructura visual, ortográfica, sintáctica o semántica del lenguaje escrito. La redundancia, por decirlo de otra manera, puede ser equivalente al conocimiento previo. Al hacer uso de la redundancia, el lector emplea información no visual; utiliza algo que ya conoce para eliminar algunas alternativas y para reducir, en consecuencia, la cantidad de información visual que se necesita. La redundancia representa la información que usted no necesita porque ya 'la posee.

ÉXITOS, PÉRDIDAS Y CRITERIOS

He estado desarrollando la descripción de un lector fluido que no necesita una cantidad fija de información para identificar una letra o una palabra. Tales lectores toman sus decisiones con más o menos información visual dependiendo de su acceso a la información de otras fuentes.

Saber con exactitud cuánta información buscará un lector antes de tomar una "decisión" con respecto a una letra, palabra o significado particular, depende de la dificultad del párrafo (el cual siempre debe estar definido con respecto a un lector particular), de la habilidad del lector, y del "costo" de tomar una decisión.

Un término útil de la cantidad de información que las personas necesitan antes de llegar a una decisión es su *criterio*. Si la cantidad de información acerca de una letra, palabra o significado particular, satisface el criterio de un lector para tomar una decisión, entonces se efectuará una elección en esa dirección, pese a que el lector no tenga la información suficiente para asumir una decisión correctamente.

Una consideración importante, desde luego, es cómo decide una persona en qué nivel ha de establecer un criterio, fluctuando desde una actitud excesivamente cauta que requiere una certidumbre casi absoluta de la cantidad de información antes de decidir, hasta la buena voluntad para aventurarse y tomar una decisión con una información mínima, pese al riesgo de cometer un error. Pero para entender por qué se establece un nivel de criterio particular es necesario comprender cuál podría ser el efecto de establecer un criterio bajo o alto.

El concepto de criterio desarrollado en esta sección proviene del área de estudio conocida como *teoría de la detección de la señal*, la cual ha puesto en tela de juicio a una gran cantidad de ideas respetables acerca de la percepción humana, es tradicional pensar, por ejemplo, que uno ve un objeto o no lo ve, y que no existe un área de libertad dentro de la cual el perceptor carezca de un papel al decidir qué es lo que se puede ver. La teoría de la detección de la señal, sin embargo, demuestra que en muchas circunstancias la cuestión de si un objeto es percibido depende menos de la intensidad del objeto —de su "claridad", si lo prefiere— que de la actitud del observador. La percepción, en otras palabras, involucra una toma de decisiones, similar a muchas otras actividades del cerebro, tales como la lectura. Es también tradicional pensar que existe una relación inversa entre las respuestas correctas y los errores, que entre más respuestas correctas en cualquier tarea particular —por ejemplo, entre más grande sea la proporción de letras identificadas correctamente, menor debe ser el número de errores. La teoría de la detección de la señal, sin embargo, demuestra que la relación es lo contrario, y que en la identificación de tareas (tales como la lectura) la proporción de respuestas correctas a una cantidad determinada de información puede ser seleccionada por el perceptor dentro de ciertos límites, pero que el costo de incrementar la proporción de respuestas correctas representa un aumento en el número de errores. En otras palabras, entre más frecuentemente desee usted estar en lo correcto, más a menudo debe tolerar la aceptación de que está equivocado. La paradoja puede ser explicada analizando con mayor detalle la naturaleza de esa teoría.

La teoría de la detección de la señal se refería original y literalmente a la detección de señales —a la habilidad de los operadores de radares para distinguir entre las "señales" y el "ruido" en las pantallas del radar, cuyo objetivo militar es identificar aviones que representen un peligro factible. En lo que respecta a la situación real, hay únicamente dos posibilidades: un punto luminoso particular en la pantalla equivale a una señal o al ruido; un avión está presente o no lo está. En lo que se refiere al operador, también hay sólo dos posibilidades: una decisión de que el punto luminoso en la pantalla es un avión o una decisión de que no lo es. Incluso en un mundo ideal, la combinación de la situación real y la decisión del operador permitirían únicamente dos posibilidades: que el punto luminoso sea una señal, en cuyo caso el operador decide que hay un avión, o que el punto luminoso sea simplemente ruido, en cuyo caso la decisión es que no hay ningún avión presente. Podemos llamar *éxitos* a cada una de estas dos alternativas, en el sentido de que ambas son identificaciones correctas, sin embargo, existen otras dos posibilidades, de tipo muy diferentes que se pueden considerar como errores. El primer tipo de error ocurre cuando no está presente ningún avión pero el operador decide que si lo está —esta situación puede llamarse *falsa alarma*. Y el otro tipo de error ocurre cuando hay un avión presente pero el operador decide que no lo está, que la señal en realidad es ruido —una situación que puede denominarse como *pérdida*.

El problema del operador es que las cantidades de éxitos, falsas alarmas y pérdidas no son independientes; la cantidad de una no puede ser modificada sin un cambio en la cantidad de otra. Por ejemplo, si el operador está ansioso por evitar falsas alarmas, y quiere obtener un máximo de información antes de decidir que debe reportar un avión, entonces habrá más perdidas. Si, por otra parte, el operador desea elevar al máximo el número de éxitos, reduciendo la posibilidad de una pérdida al decidirse en favor de la presencia de un avión sin mayor información, entonces también habrá más falsas alarmas. Esta situación es muy similar a la de un centinela en servicio en una noche oscura, cuando escucha pasos que se aproximan pero que no puede revelar su propia posición haciendo preguntas. Sus alternativas son disparar o contener el disparo. Si dispara, y el instruso efectivamente es un enemigo, entonces el centinela recibirá una medalla. Si contiene el disparo, y el extraño es un amigo, su decisión también es encomiable. Pero una pérdida (dejar que escape el enemigo) o una falsa alarma (dispararle a un amigo) tendrá consecuencias desagradables. Sin embargo, la naturaleza del mundo es tal que los centinelas siempre tienen que determinar algún nivel de probabilidad de las consecuencias indeseables; en ocasiones, el centinela ansioso intercepta al enemigo que va a dispararle a un amigo, mientras que no le disparará al amigo cuando ocasionalmente éste permita que se escape el enemigo. El error es inevitable.

Desde luego, con unas mejores destrezas de discriminación, tanto el operador del radar como el centinela pueden elevar su nivel de eficiencia y mejorar su proporción de éxitos en contraste con las pérdidas, así como una mayor claridad de la situación hará más fácil la tarea. Pero en cualquier situación, la elección siempre es la misma: maximizar los éxitos y minimizar las falsas alarmas. El perceptor siempre tiene que hacer una elección, decidir cómo fijar el criterio para distinguir entre señal y ruido, al amigo del enemigo, es decir, *a* de *b*. Entre más alto sea el criterio, menor será la cantidad de falsas alarmas, pero también será menor el número de éxitos. Habrá más éxitos si se fija un criterio más bajo, si las decisiones se toman con una información menor, pero también habrá más falsas alarmas

Ahora podemos aproximarnos a la cuestión de la base sobre la cual se establece el criterio; ¿qué es lo que determina que el percepcor decida fijar un criterio alto o bajo? La respuesta reside en los costos o recompensas relativas de los éxitos, pérdidas y falsas alarmas. Un operador de radar que sea penalizado severamente por emitir falsas alarmas fijará un criterio alto, pese al riesgo ocasional de hacer una identificación equivocada. Por otra parte, un centinela que esté suficientemente motivado para eliminar a cada posible enemigo, y exento de culpa por la muerte ocasional de un amigo inocente, fijará un criterio bajo.

A los lectores no les conviene fijar un nivel de criterio demasiado alto antes de tomar decisiones. Un lector que exige demasiada información visual a menudo será incapaz de obtenerla lo suficientemente rápido como para leer con sentido. La capacidad de canal del cerebro es limitada. La aptitud para arriesgarse es un asunto crítico para los lectores principiantes que pueden verse forzados a pagar un precio muy alto por cometer "errores". El niño que permanece callado (que "se pierde") en lugar de correr el riesgo de una "falsa alarma", puede complacer al maestro, pero desarrolla el hábito de fijar un criterio demasiado alto para la lectura eficiente. Los lectores deficientes a menudo temen aventurarse; pueden estar tan preocupados por no expresar palabras equivocadas que pierden completamente el significado.

Resumen

La lectura no es un aspecto pasivo de la comunicación. Debido a las limitaciones del procesamiento de información del cerebro, los lectores deben hacer uso de todas las formas de **redundancia** disponibles en el lenguaje escrito —ortográfica, sintáctica y semántica, para reducir su dependencia en la **información visual** de lo impreso. La **información** puede ser considerada como la reducción de la **incertidumbre**, la cual es definida en términos del número de alternativas entre las cuales debe decidir un lector. Un factor importante que determina cuánta información requiere un lector para tomar decisiones es la buena voluntad que tenga para arriesgarse a cometer errores. Los lectores que establecen un **nivel de criterio** alto para tomar decisiones encontrarán más difícil la comprensión de la lectura.

Entre
el ojo y el cerebro

A los ojos se les atribuyen demasiados méritos por la visión. Los ojos no ven, en un sentido estrictamente literal. Los ojos *miran*, son mecanismos para la recopilación de información para el cerebro, ampliamente bajo su dirección, ya que es el cerebro el que determina lo que vemos y cómo lo vemos. Las decisiones perceptuales del cerebro se basan sólo parcialmente en la información que proviene de los ojos; se basan mucho más en la información que el cerebro ya posee. Ya me he referido a esta base dual de la percepción al hacer la distinción entre información visual e información no visual en la lectura.

Este capítulo no pretende ser una fisiología comprensiva del sistema visual, sino que se limitará a delinear algunas características de la función ojo-cerebro que producen diferencias críticas para la lectura. Para ser específicos, consideraremos tres aspectos particulares del sistema visual:

1. el cerebro no ve todo lo que está enfrente de los ojos;
2. el cerebro no ve todo lo que está enfrente de los ojos inmediatamente;
3. el cerebro no recibe información de los ojos contínuamente.

Estas tres consideraciones en conjunto conducen a tres implicaciones importantes para la lectura y, por consiguiente, para el aprendizaje de la misma:

1. la lectura debe ser rápida;
2. la lectura debe ser selectiva;
3. la lectura depende de la información no visual.

El resto de este capítulo examinará los seis puntos anteriores en ese orden.

LIMITACIONES DE LA VISIÓN

El cerebro no ve todo

El hecho de que los ojos estén abiertos no es una indicación de que la información visual proveniente del mundo circundante esté siendo recibida e interpretada por el cerebro. El cerebro no *ve* el mundo cuando su imagen incide en el ojo. ¿Cómo podría hacerlo si esa imagen a menudo debe ser una mancha caleidoscópica cuando los ojos se mueven de un lugar a otro en sus investigaciones caprichosas del mundo? Pero el asunto es más complejo que el hecho relativamente simple de que el mundo que vemos es estable aunque los ojos estén frecuentemente en movimiento. La escena percibida por el cerebro tiene muy poco en común con la información que los ojos reciben del mundo circundante.

Lo que entra en los ojos abiertos es un bombardeo difuso y continuo de radiaciones electromagnéticas, diminutas ondas de energía luminosa que varían únicamente en frecuencia, amplitud y en sus patrones espaciales y temporales. Los rayos de luz que inciden en el ojo no contienen en sí mismos el color, la forma, la textura y el movimiento que vemos; todos estos aspectos familiares y significativos de la percepción son creados por el cerebro mismo. La imagen que se presenta a los ojos está perdiendo realmente el momento de llegar a su fin. El área sensible a la luz del globo ocular, la *retina*, consiste en millones de células que transforman la energía luminosa en impulsos nerviosos mediante un maravilloso y complejo proceso que involucra el blanqueamiento y la regeneración de pigmentos en las células retinianas. Como resultado de esta transformación química, ciertas explosiones de energía nerviosa emprenden un complicado recorrido relativamente largo y lento a lo largo del nervio óptico —en realidad, un haz de muchas fibras nerviosas individuales— desde la parte posterior de los globos oculares hasta las áreas visuales del cerebro, a casi 15 centímetros de distancia de la nuca. Los mensajes [1] que pasan de los ojos al cerebro se someten a cierto número de análisis y transformaciones durante su recorrido. El sistema configurado de luz que incide sobre el

[1] Es difícil no hablar de estas explosiones de energía nerviosa como "mensajes" o "información" acerca del mundo y que los ojos envían al cerebro. Pero ambos términos son inapropiados, con la implicación de que algún tipo de contenido significativo se ha puesto en los mensajes de primer término. Podría ser más adecuado referirse a los impulsos nerviosos que viajan entre el ojo y el cerebro como "sugerencias" o "insinuaciones" acerca de un mundo que siempre está exento de una inspección directa. Ningún científico o filósofo puede afirmar que el mundo es "realmente como...", porque nuestra percepción del mundo, incluso cuando está mediada por microscopios o telescopios, por fotografías o por rayos X —aún depende del sentido que el cerebro pueda conferirle a los impulsos nerviosos que han atravesado el oscuro túnel existente entre el ojo y el cerebro. Así como no podemos ver la imagen del mundo que incide sobre la retina, tampoco podemos ver los impulsos nerviosos que la retina envía al cerebro. La única parte de la visión de la cual podemos estar conscientes siempre es la sensación final de ver, elaborada por el cerebro mediante sus propios procesos privados y misteriosos.

ojo y la percepción estructurada que se produce en el cerebro están vinculados por un tren de impulsos nerviosos que no mantiene en sí mismo una correspondencia simple con las presentaciones en cualquier extremo del sistema visual.

Ninguna fibra nerviosa se dirige directamente del ojo al cerebro; en lugar de ello hay al menos seis intercambios en los cuales los impulsos a lo largo de un nervio pueden causar —o pueden evitar— la propagación de un patrón ulterior de impulsos a lo largo de la sección subsiguiente de la vía. En cada una de estas estaciones de difusión nerviosa hay grandes cantidades de interconexiones, algunas de las cuales determinan que un solo impulso que atraviesa una sección pueda contraponer un patrón complejo de impulsos en la siguiente, mientras que otras pueden difundir el mensaje sólo si llega una combinación específica de señales. De hecho, cada punto de interconexión constituye un lugar en el que se realiza un análisis y una transformación complejos de las señales.

Tres capas de interconexiones se localizan en la retina de los ojos, la cual constituye, en términos de la función y el desarrollo embrionarios, una extensión del cerebro. Una considerable condensación de información se realiza en la retina misma. Cuando las fibras nerviosas eventualmente se apartan del ojo en su trayectoria hacia el cerebro (al haz de fibras nerviosas del grueso de un lápiz se le llama *nervio óptico*) la información de aproximadamente 120 millones de células sensibles a la luz en la retina, en donde se origina el mensaje nervioso, ha sido reducida más de cien veces; el nervio óptico solamente consta de un millón de vías nerviosas.

Un aspecto interesante de esta parte del sistema visual es que la retina del ojo parecería haber sido construida "de la manera esférica equivocada" —debido probablemente a los requerimientos del proceso de construcción de la retina a partir de una extensión de la similitud de la superficie cerebral de capas múltiples durante el desarrollo prenatal, comenzando desde las tres semanas después de la concepción. Las tres capas de células nerviosas del ojo y sus interconexiones, junto con los vasos sanguíneos que proporcionan a la retina un abastecimiento sustancial de sangre, se ubican *entre* la superficie sensible a la luz del ojo y el cristalino. Las células sensibles a la luz se enfrentan al mundo a través de sus propios cuerpos celulares, a través de otras dos capas de células nerviosas, millones sobre millones de sistemas nerviosos interconectados, y la cortina de sus propios procesos nerviosos cuando convergen en un punto (el "punto ciego") para atravesar la membrana del ojo en el principio del nervio óptico.

La naturaleza real del mensaje que pasa a través de este complejo cable de nervios es también muy diferente a nuestra percepción o creencia de lo que el estímulo visual realmente es. Cada nervio de nuestro cuerpo está limitado a comunicar únicamente un tipo de señal

—que emite o que no lo hace. La velocidad del impulso puede variar de nervio a nervio, pero para cualquier nervio individual es fija; la respuesta es "todo o nada". El impulso nervioso es relativamente lento; la velocidad más rápida, en algunos de los nervios más grandes y gruesos que recorren varios decímetros a lo largo del cuerpo, probablemente es de 90 metros por segundo (casi 325 kilómetros por hora), pero los nervios más pequeños, tales como los del sistema visual y el cerebro, trasmiten a sólo un décimo de esa velocidad (casi 32 kilómetros por hora, comparados con los 300 000 kilómetros por segundo a los que viaja la luz hacia el ojo). Muchos ejemplos de la manera en que el cerebro impone estabilidad sobre la perspectiva siempre cambiante de los ojos provienen de lo que los psicólogos llaman constancias visuales. Por ejemplo, siempre vemos un objeto conocido de un tamaño constante; no pensamos que una persona o un automóvil que se alejan de nosotros se hacen pequeños a medida que la distancia crece, aunque el tamaño real de la imagen sobre la retina se divida por dos cuando la distancia se duplica. No pensamos que el mundo cambia de color sólo porque el sol aparece, ni vemos el césped como pasto de dos tonos porque parte de él está en la sombra. La constancia de la impresión visual desmiente las variaciones en la información luminosa recibida por el ojo. "Vemos" redondos a los platos y a las monedas, aunque desde el ángulo en que vemos habitualmente a tales objetos la imagen que incide en el ojo casi invariablemente es de forma oval o de otra forma. Un gato que se esconde detrás de una silla es reconocido como el mismo gato cuando aparece de nuevo, aunque esa información ciertamente no esté presente en la entrada al ojo. De hecho, las formas distintivas de los gatos, las sillas y de todos los demás objetos no se organizan nítidamente para el ojo —podemos distinguirlos porque ya conocemos las formas que queremos separar. ¿Por qué debemos percibir Ch como C y h, y no como Cl y ı o cualquier otro ordenamiento de las partes?

Uno podría pensar que al menos la percepción del movimiento está determinada por el hecho de que la información que incide en la retina se está moviendo o no, pero ese no es el caso. Si nuestros ojos están fijos y una imagen móvil incide sobre ellos, normalmente vemos el movimiento efectivo. Pero si un movimiento similar ocurre en los ojos debido a que los movemos voluntariamente —cuando miramos alrededor de una habitación, por ejemplo— no vemos al mundo moviéndose. Nuestra percepción de si algo se está moviendo o no depende en mucho del conocimiento que tengamos acerca de lo que nuestros músculos oculares están haciendo cuando la información visual es recibida por el ojo. Podemos engañar fácilmente a nuestro cerebro enviándole información falsa. Si movemos "voluntariamente" un ojo de izquierda a derecha usando nuestros músculos oculares, no vemos el libro o la pared en nuestro campo visual en movimiento, pero si movemos el ojo en la misma dirección empujándolo con un dedo —moviendo el ojo sin mover los músculos oculares— entonces vemos el libro o la pared en movimiento. El cerebro "piensa" que si los músculos oculares no han estado involucrados activamente, entonces la imagen cambiante sobre el ojo debe significar movimiento externo, y construye nuestra percepción de acuerdo con ello.

Taquistoscopios y visión tubular

El análisis anterior no pretende familiarizar al lector únicamente con algunas de las dificultades del sistema visual —sobre lo cual, de todas maneras podemos hacer muy poco en el salón de clases en cualquier caso. Nuestro objetivo es ilustrar que aquello que en un momento creemos ver puede ser muy diferente de lo que realmente detecta el sistema visual acerca del mundo que nos rodea. Es importante saber que la visión no es un simple asunto de un ojo interno en el cerebro que examina imágenes instantáneas de televisión de escenas completas del mundo exterior. El cerebro puede generar un sentimiento de que somos capaces de ver la mayoría de lo que está enfrente de nuestros ojos la mayor parte del tiempo, sin embargo, eso es lo que realmente es —un sentimiento, generado por el cerebro. Mediante un análisis podemos encontrar que de hecho vemos muy poco. Los ojos no son ventanas, y el cerebro no mira a través de ellas. No sólo lo que vemos, sino nuestra convicción de ver, son una obra del cerebro.

Consideremos el caso de la lectura como un ejemplo particular. Cuando miramos una página impresa probablemente sentimos que vemos líneas completas en un momento dado. En la práctica, probablemente vemos mucho menos. Y en circunstancias extremas podemos estar casi ciegos. Paradójicamente, entre más intenso sea nuestro esfuerzo por mirar, menos será lo que realmente podamos ver. Para entender la investigación que subyace a estas afirmaciones es necesario adquirir cierta familiaridad con un venerable artefacto de la instrumentación psicológica, y con una manera más precisa de hablar con respecto a unidades muy pequeñas de tiempo. La unidad de tiempo pequeña es el *milisegundo*, comúnmente abreviado como *mseg*. Un milisegundo es la milésima parte de un segundo; 10 milisegundos constituyen una centésima de segundo; 100 mseg equivalen a una décima; 250 mseg, un cuarto; 500 mseg, medio segundo; etc. Diez milisegundos es aproximadamente la cantidad de tiempo que el obturador de una cámara debe estar abierto en condiciones normales para obtener una imagen razonable sobre una película. También puede ser el tiempo suficiente en que debe estar disponible la información para que se produzca una experiencia perceptual sencilla. Se necesita mucho más tiempo para que el cerebro obtenga un mensaje del ojo, o para que tome una decisión perceptual.

El respetable artefacto del equipo psicológico es el *taquistoscopio*, un dispositivo que presenta información a los ojos durante periodos muy breves de tiempo. En otras palabras, un taquistoscopio es un dispositivo para estudiar cuánto podemos ver en un momento determinado. No permite al lector una segunda mirada.

En su forma más simple, un taquistoscopio es un proyector de diapositivas que emite una imagen sobre una pantalla durante una cantidad de tiempo controlada, usualmente sólo durante una fracción de segundo. Uno de los primeros descubrimientos efectuados mediante el uso de este dispositivo durante la última década del siglo pasado fue que el ojo tenía que ser expuesto a la información visual durante un tiempo mucho menor del que generalmente se pensaba. Si hay la suficiente intensidad, una exposición de 50 mseg, es más que adecuada para toda la información que el cerebro puede manejar en determinado momento; esto no significa que 50 mseg sea el tiempo adecuado para identificar todo con una sola mirada; obviamente, esto no ocurre así. Usted no puede inspeccionar una página de un libro durante menos de un segundo y decir que ha visto todas las palabras. Pero 50 mseg es un tiempo de exposición suficiente para obtener toda la información visual posible en una sola fijación. No habrá ninguna diferencia si se retira la fuente de la información visual después de 50 mseg o si se deja durante 250 mseg: nada más habrá visto usted. Los ojos captan la información utilizable durante sólo una fracción del tiempo en que permanecen abiertos.

Un segundo hallazgo significativo relacionado con los estudios sobre el taquistoscopio fue que lo que podía percibirse en una sola presentación breve dependía de lo que se presentaba, y del conocimiento previo del observador. Si se presentaban las letras del alfabeto al azar —una secuencia como *KYBVOD*— entonces sólo podrían conocerse cuatro o cinco letras. Pero si se presentaban palabras, se podrían reportar dos o tres de ellas que sumaban alrededor de unas 12 letras. Y si las palabras estaban organizadas en una oración corta, entonces podían percibirse cuatro o cinco palabras, de un total de unas 25 letras aproximadamente, en una sola exposición.

El párrafo anterior menciona un hallazgo muy importante que es central para la comprensión de la lectura. Para subrayar su importancia, reiteraré los puntos principales en forma de un diagrama, fig. 3.1.

En la sección de notas al final de este libro, mostraré que el ojo y el cerebro realizan la misma cantidad de trabajo en cada una de las tres situaciones anteriores. Los ojos están enviando la misma cantidad de información visual al cerebro, y el cerebro le está dando sentido en la

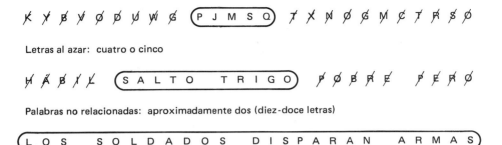

Letras al azar: cuatro o cinco

Palabras no relacionadas: aproximadamente dos (diez-doce letras)

Una frase significativa: cuatro o cinco palabras (aproximadamente 25 letras)

Figura 3.1. ¿Cuánto se puede ver en una sola mirada?

misma proporción. Pero entre más sentido tengan las letras —lo cual significa que entre mayor sea la capacidad del cerebro para utilizar la información no visual— más se puede ver. La diferencia radica en el número de alternativas que el cerebro enfrenta al tomar sus decisiones perceptuales. Cuando las letras se encuentran al azar —a pesar de lo bueno que sea el azar para la persona que está tratando de leerlas— básicamente son impredecibles y exigen una buena cantidad de información visual en cada decisión de identificación. Consecuentemente, el lector ve muy poco, y está en una condición conocida como "visión tubular" (Mackworth, 1965), muy similar a tratar de examinar el mundo a través de un tubo de papel angosto. Todos podemos tener visión tubular en algunas ocasiones; no tiene nada que ver con la salud o con la eficiencia de los ojos. La visión tubular es el resultado de tratar de procesar demasiada información visual. Los pilotos de avión pueden sufrir de visión tubular, especialmente cuando tienen que atender demasiado a tratar de aterrizar un avión de grandes proporciones. Ésta es la razón por la que se necesita más de un piloto para volar semejantes aviones. Todo los lectores pueden sentirse angustiados al experimentar una visión tubular cuando el material que están tratando de leer es desconocido, opaco o difícil —o cuando las exigencias particulares de la tarea o una ansiedad evidente los obligan a manejar demasiada información visual. Los lectores principiantes son fuertes candidatos a tener visión tubular la mayor parte del tiempo, especialmente si los libros que supuestamente han de leer tienen poco sentido para ellos. La visión tubular, en otras palabras, es causada por una sobrecarga de información.

Por otra parte, si se comprende fácilmente el texto, pueden verse renglones completos en un momento. Si un maestro señala algunas palabras en un libro y le dice a un niño, "¿puedes ver claramente lo que hay aquí?", probablemente la respuesta sea "no". El maestro, que puede ver el renglón completo, probablemente sepa que las palabras **están** en primer término. El hecho de que el maestro este señalando puede empeorar la situación, y asegurar que el niño no vea nada más allá de la punta de su dedo.

Usted no puede leer si únicamente ve algunas pocas letras a la vez: la visión tubular hace imposible la lectura. Y la situación no puede remediarse tratando de mirar las palabras más a menudo porque, como habremos de examinar, la visión toma tiempo, y existe un límite para la velocidad a la que el cerebro puede tomar sus decisiones visuales.

La visión toma tiempo

Normalmente sentimos que vemos de inmediato lo que estamos mirando; pero esa es otra ilusión generada por el cerebro. La visión toma tiempo porque el cerebro necesita tiempo para tomar sus decisiones perceptuales. Y, nuevamente, el tiempo que se necesita está directamente relacionado con el número de alternativas que el cerebro confronta. Entre más alternativas tenga el cerebro que tomar en cuenta o descartar, mayor será el tiempo que necesite para elaborar los pensamientos, por así decirlo, y para tomar decisiones.

Esta situación es muy parecida a la de qué tan rápidamente puede usted identificar su automóvil en un establecimiento. A pesar de que conozca perfectamente su vehículo, y de que se encuentre cerca de éste, el tiempo que tardará en ubicarlo y decir "ése es el mío" variará de acuerdo con el número de vehículos que estén en el estacionamiento. Si sólo hay dos autos en el estacionamiento, usted tardará una fracción de segundo para identificarlo; si hay diez carros, le llevará más tiempo ubicarlo; y si hay cien autos, usted estará bastante ocupado buscándolo.

Se puede utilizar nuevamente el taquistoscopio para hacer una demostración experimental de que el número de alternativas determina la velocidad de la percepción. Si una sola letra del alfabeto es proyectada con claridad pero brevemente, por ejemplo la letra A, el tiempo que debe transcurrir antes de que el observador acierte al decir "A" dependerá del número de letras que podrían haber ocurrido en lugar de A. Si no se le proporciona ninguna clave al observador, de tal manera que la letra podría ser una de 27, entonces el tiempo transcurrido —el "tiempo de reacción" —podría ser de 500 mseg, es decir, medio segundo. Al decirle que la letra pertenece a la primera mitad del alfabeto, o que es una vocal, el tiempo de reacción será mucho más breve. Si se le señala al observador que la letra es A o B, entonces el tiempo de reacción puede disminuir a poco menos de 220 mseg.

Cuando se presentan pocas alternativas, el cerebro del observador tiene que hacer un esfuerzo mucho menor, y la decisión fácilmente se alcanzará.

En la lectura, es imprescindible que el cerebro haga uso de cualquier cosa relevante que ya conozca — de la información no visual — para reducir el número de alternativas. Si el cerebro toma las decisiones a una velocidad muy baja, tal circunstancia puede ser muy dañina. Si el cerebro tiene que consumir demasiado tiempo para decidir entre las alternativas, la información visual que el ojo le facilita se habrá extinguido. Ésa es la explicación de la visión tubular: el cerebro pierde el acceso a la información visual antes de que haya tenido tiempo para tomar muchas decisiones con respecto a ella.

La información visual no permanece mucho tiempo disponible para el cerebro después de que ha sido captada por el ojo. Obviamente, la información visual permanece en algún lugar de las cabeza durante un corto periodo de tiempo, mientras el cerebro trabaja con la información recogida por el ojo en los primeros milisegundos de cada mirada. Los psicólogos incluso han acuñado un término para designar el sitio en donde se supone que esta información reside, entre el tiempo en que el ojo la ha enviado y el tiempo que el cerebro ha ocupado para tomar sus decisiones. Este sitio es conocido como *almacenamiento sensorial*, aunque hasta ahora ha permanecido simplemente como un constructo teórico sin ninguna ubicación real en el cerebro que sea conocida. Pero sin importar en donde esté, ni lo que pueda ser tal almacenamiento sensorial, no dura mucho tiempo. Las estimaciones de su persistencia varían de medio segundo, en condiciones óptimas, a dos segundos. Pero también se sabe que el almacenamiento sensorial persiste muy poco porque el cerebro necesita un segundo completo incluso para decidir acerca de la cantidad limitada que usualmente es capaz de percibir en una sola mirada. La información visual que se puede utilizar en una sola mirada o en una exposición taquistoscópica —produciendo la identificación de cuatro o cinco letras al azar, un par de palabras sin relación o una secuencia significativa de cuatro o cinco palabras —requiere de hecho un segundo completo de "tiempo de procesamiento". El pie de la figura 3.1 podría ser rectificado para que no sólo dijera "¿cuánto se puede ver en una sola mirada", sino también "¿cuánto se puede ver en un segundo?" Esta limitación fisiológica básica de la velocidad a la que el cerebro puede decidir entre alternativas parece fijar el límite de la velocidad a la que la mayoría de las personas puede leer en voz alta un texto significativo, la cual normalmente no es mucho mayor de 250 palabras por minuto (casi cuatro palabras por segundo). La gente que lee a una velocidad mucho más rápida que ésa, generalmente no está leyendo en voz alta, y no se está deteniendo para identificar cada palabra.

Comúnmente la información no puede permanecer en el almacenamiento sensorial hasta su término de un segundo o más; cada vez que los ojos envían otra porción de información visual al cerebro —lo cual significa que cada vez que dirigimos nuestra mirada hacia un nuevo punto focal, o al menos parpadeamos para dirigir una segunda mirada hacia el mismo lugar— la llegada de la nueva información visual borra los contenidos previos del depósito sensorial; a este fenómeno se le llama *enmascaramiento*. Mediante el uso controlado del enmascaramiento en los experimentos con taquistoscopio, los psicólogos han determinado que efectivamente el cerebro requiere de una cantidad sustancial de tiempo para tomar decisiones perceptuales. Los experimentos que he analizado para ilustrar cuánto se puede ver en una sola mirada sólo funcionan si una segunda exposición de información visual no sigue a la primera antes de que el cerebro haya tenido tiempo para darle sentido. Si una segunda exposición se presenta a menos de medio segundo después de la primera, el observador probablemente no reportará las cuatro o cinco letras al azar o las palabras que de otra manera habría percibido. Si los dos eventos ocurren demasiado cercanos —digamos a 50 mseg uno del otro— entonces el segundo desvanecerá completamente al primero. Debido a que el enmascaramiento ocurre antes de que el cerebro tenga tiempo incluso para decidir que algo ha tenido lugar, el observador estará completamente inconsciente del evento visual que de otra manera habría sido bastante claro: la visión es un proceso relativamente lento.

Por otra parte, debido a que la información en el almacenamiento sensorial no persistirá más de un segundo en condiciones óptimas, no podemos ver más con sólo mirar un punto durante un tiempo mayor. Los ojos deben estar constantemente activos para abastecer la fuente en permanente disminución de información visual en el almacenamiento sensorial. Una persona que mira con detenimiento no está viendo más, sino que tendrá problemas al decidir qué es lo que había mirado en primera instancia. Debido a que los contenidos del depósito sensorial se desvanecen rápidamente y no pueden ser abastecidos por un ojo que permanece fijo en una misma posición, los ojos alertas a la información visual de cualquier persona tienden a estar constantemente en movimiento, aunque el cerebro atienda únicamente a los primeros momentos de cada nueva mirada. Lo que el cerebro realmente ve del mundo circundante está sujeto a una constante interrupción.

La visión es episódica

Nuestros ojos están continuamente en movimiento —con nuestro conocimiento o sin él. Si nos detenemos a reflexionar en ello, sabemos que nuestros ojos están explorando una página de un texto, escudriñando una habitación o siguiendo un objeto móvil. Estos son los movimientos que podemos ver si observamos el rostro de otra persona. Dichos movimientos raramente son al azar: nos sorprenderíamos si nuestros ojos o los de otra persona comenzaran a moverse incontrolablemente; en cambio, los ojos se mueven sistemáticamente hacia donde está la mayor parte de la información que probablemente necesitamos. Los movimientos del ojo son controlados por el cerebro, y al examinar lo que el cerebro ordena al ojo que haga, podemos obtener una base para comprender qué tipo de información está buscando.

Pero antes debemos considerar un tipo diferente de movimiento ocular, uno que aparentemente no está bajo el control directo del cerebro, ni que es evidente en nosotros mismos ni en otras personas, pero que sin embargo puede ayudar a delinear un punto importante acerca de la naturaleza constructiva de la visión. A pesar de que estemos observando el ambiente, siguiendo un objeto móvil o manteniendo una simple fijación, el globo ocular está en un estado constante de movimiento acelerado. Este movimiento, o *temblor*, ocurre a una velocidad de 50 oscilaciones por segundo. No notamos el temblor, en otras personas, debido en parte a que es muy rápido, pero también porque el movimiento abarca sólo una distancia muy corta; es más una vibración en una posición central, que un movimiento de un lugar a otro. Pero aunque el movimiento normalmente no se nota, juega un papel significativo en el proceso visual: el temblor garantiza que más de un grupo de células retinianas está involucrado en una sola mirada. El temblor proporciona otra evidencia de la cuestión ahora familiar, que si la experiencia perceptual fuera una simple reproducción de lo que incide sobre la retina, entonces todos deberíamos tener siempre una visibilidad borrosa.

El temblor constante del ojo es esencial para la visión: elimínelo y su percepción del mundo desaparece casi inmediatamente. Esa eliminación se puede realizar mediante un procedimiento experimental llamado "estabilización de la imagen" en la retina (Pritchard, 1961; Heckenmueller, 1965). Para estabilizar la imagen, se hace oscilar la información proveniente del ojo a la misma velocidad y con la misma distancia que el mismo movimiento del ojo. La escena puede ser reflejada a través de un pequeño espejo montado directamente sobre el globo ocular de tal manera que la imagen siempre incida sobre la retina en la misma posición, sin importar lo que el ojo esté haciendo. La consecuencia de la estabilización de la imagen en la retina no es que el observador perciba súbitamente una imagen extremadamente nítida del mundo; por el contrario, la percepción desaparece.

La imagen no desaparece instantáneamente, ni se desvanece lentamente como una escena de una película; en lugar de ello, partes completas se esfuman de una manera claramente sistemática. Si se ha presentado el contorno de una cara, se desvanecerán partes significativas, una por una, quizá primero el pelo, luego una oreja, enseguida los ojos, después la naríz, hasta que la única cosa que permanezca pueda ser, como el gato de Cheshire, la sonrisa. Las figuras geométricas se desintegran de una manera similarmente ordenada: perdiendo primero los puntos extremos, o un lado tras otro. La palabra *BESO* podría desintegrarse por la pérdida de su letra inicial, quedando *ESO*, y luego por disolución en *SO* y *O*. Por sí misma, la letra *B* podría perder un "rizo" para convertirse en *P*, y luego perder el otro para dejar *I*. Este fenómeno no se debe interpretar como si las células de la retina en sí respondieran a (y luego perdieran) letras y palabras completas o a las formas; más bien, demuestra que el cerebro se mantiene en una imagen que desaparece de la manera más significativa posible. Supuestamente, las células retinianas sobreexcedidas de trabajo, privadas del descanso momentáneo que el temblor puede brindarles, se fatigan y envían cada vez menos información al cerebro, mientras que éste continúa elaborando una percepción hasta donde se lo permita el material en disminución que recibe.

No es necesario que nos detengamos para analizar otros tipos de movimientos oculares. Existe un tipo de desviación lenta del ojo, una tendencia a desplazarse del punto focal, que probablemente no sea muy importante porque el ojo ya ha captado toda la información útil que debe obtener durante los primeros milisegundos. Hay movimientos de "seguimiento" que el ojo realiza cuando sigue un objeto móvil. La única ocasión en que el ojo puede moverse clara y continuamente de una posición a otra es en el curso de un movimiento de seguimiento. Barrer a una persona de arriba a abajo con una sola mirada ocurre sólo en la ficción.

El movimiento ocular realmente importante para la lectura es, de hecho, un salto rápido, irregular y espasmódico, pero sorprendentemente exacto, de una posición a otra. Probablemente sea un poco inapropiado llamar salto a un movimiento tan importante; por eso, se le puede designar con la palabra francesa mucho más elegante y eufónica *saccade* (la cual traducida al Inglés significa "jerk", y al Español "sacudida").

Fijaciones y regresiones

Un salto ocular no implica una característica especial de la lectura, sino más bien la manera en que normalmente extraemos una muestra de nuestro ambiente visual de la información acerca del mundo. Somos muy diestros para efectuar movimientos de brinco ocular (movimientos sacádicos); guiado por la información recibida en su periferia, el ojo puede moverse rápidamente y con exactitud de un lado del campo visual a otro, de izquierda a derecha, de arriba a abajo, aunque podemos no estar conscientes del punto o el objeto sobre el cual enfocaremos la mirada antes de que el movimiento comience. Cada vez que el ojo se detiene en esta progresión errática, se dice que ha ocurrido una *fijación*.

En la lectura, generalmente se considera que las fijaciones proceden de izquierda a derecha de la página, aunque desde luego, nuestros movimientos oculares deben dirigirse de arriba hacia abajo de la página y de derecha a izquierda cuando leemos de un renglón al siguiente. Los lectores realmente hábiles a menudo no leen "de izquierda a derecha" —ellos pueden tener una sola fijación por renglón, y brincarse algunos renglones de la página cuando están leyendo. En un capítulo posterior consideraremos cómo es posible semejante método de lectura. Todos los lectores, buenos o deficientes, efectúan otro tipo de movimiento que es precisamente otro salto ocular pero con una denominación errónea: *regresión*. Una regresión simplemente es un salto ocular que va en dirección opuesta a la línea impresa: de derecha a izquierda a lo largo de un renglón, o de una línea impresa a la anterior. Todos los lectores producen regresiones— y para los lectores diestros una regresión puede ser exactamente tan productiva para un movimiento ocular como lo es un salto ocular en dirección contraria o progresiva.

Durante el salto ocular, mientras el ojo se mueve de una posición a otra, muy poco puede ser visto; el ojo que brinca es funcionalmente ciego. La información es captada entre brincos oculares cuando el ojo está relativamente inmóvil —durante las fijaciones. La calificación "relativamente inmovil" debe hacerse porque el ojo nunca está completamente estacionario: siempre hay temblores y desplazamientos. Pero ninguno de estos tipos de movimiento parecen interrumpir la importante función de recoger información. El único propósito de un salto ocular, en cualquier dirección, es mover el ojo de una posición a otra para recoger más información. Parece que sólo es posible captar información una vez durante una fijación —durante las pocas centésimas de segundo al principio, cuando la información es enviada al almacenamiento sensorial. Después de ese momento, las partes internas del sistema visual estarán ocupadas procesando la información, quizá durante el siguiente cuarto de segundo.

Los saltos oculares son rápidos, así como precisos. Los saltos grandes son más rápidos que los cortos, pero aún así se necesita más tiempo para mover el ojo a una distancia grande que a una corta. Un movimiento de 100 grados de los ojos, digamos desde el extremo izquierdo al extremo derecho del campo visual, toma casi 100 mseg —una décima de segundo. Un movimiento de sólo una vigésima de esa distancia, aproximadamente dos o tres palabras en una distancia de lectura normal —podría tomar 50 mseg.[2] Pero el hecho de que se pueda producir un

---

[2] Se pueden obtener ciertas analogías interesantes entre los movimientos oculares y los movimientos de la mano. La velocidad máxima del movimiento del ojo y de la mano es aproxi-

salto ocular en 50 mseg no significa que podamos asimilar nueva información moviendo el ojo 20 veces por segundo. El límite de la velocidad a la que podemos mover los ojos útilmente de una fijación a otra está determinado por el tiempo necesario para que el cerebro le confiera sentido a cada nueva entrada. Ésta es la razón de que haya poca "mejoría" en la velocidad a la que pueden producirse las fijaciones durante la lectura. Usted no puede acelerar la lectura moviendo más rápido los ojos.

El número de fijaciones varía según la destreza del lector y la dificultad intrínseca del pasaje que se está leyendo, pero no en alguna medida extraordinaria. De hecho, la velocidad de la fijación se consolida aproximadamente en el cuarto año escolar. Los lectores hábiles tienen una leve tendencia a cambiar las fijaciones más rápido que los lectores neófitos, pero la diferencia sólo es de una fijación extra en un segundo aproximadamente; los adultos pueden promediar cuatro, mientras que el niño que está empezando a leer cambia de fijación tres veces por segundo. Para cualquier lector, hábil o principiante, la velocidad de lectura más rápida tiene un límite de casi una fijación por segundo cuando se lee algún texto difícil.

Tampoco existen diferencias notables entre los niños y los adultos cuando se trata de regresiones. Los niños tienden a realizar más regresiones que los lectores fluidos, pero no demasiadas, quizá una cada cuatro fijaciones progresivas, comparadas con una de seis del adulto. Una vez más, la velocidad de ocurrencia está determinada tanto por la dificultad del texto como por la destreza del lector. Al enfrentarse con un texto moderadamente difícil, los lectores hábiles producirán tantas regresiones como los lectores principiantes con un texto que sea relativamente fácil para éstos. Los lectores que no realizan regresiones probablemente estén leyendo muy lentamente —no corren demasiados riesgos. Cuando los niños producen muchas regresiones, es una señal de que están teniendo dificultades. El número de regresiones que los lectores efectúan es una indicación de la dificultad del texto que están tratando de leer.

En resumen, la duración de las fijaciones y el número de regresiones no son parámetros confiables para distinguir entre lectores buenos y lectores deficientes. Lo que distingue al lector fluido del lector lento diestro es el número de letras o de palabras —o la cantidad de significado— que se pueden identificar en una sola fijación. Como resultado, una manera más significativa de evaluar los movimientos oculares

madamente la misma, y, como el ojo, la mano se mueve más rápido cuando se desplaza a una distancia mayor. La mano realiza el mismo tipo de actividad que el ojo. Se mueve precisa y selectivamente hacia la posición más útil, y comienza a "captar" sólo cuando ha llegado ahí. Pero aunque las manos de los niños pueden moverse casi tan rápido y tan exactamente como las de los adultos, no siempre pueden utilizarlas muy eficientemente. Los niños carecen de la experiencia del adulto y no pueden saber con precisión qué es lo que pretenden alcanzar.

de un lector deficiente y los de un lector hábil, es contar el número de fijaciones que se necesitan para leer cien palabras; los lectores hábiles necesitan una cantidad menor que los principiantes porque aquéllos son capaces de captar más información en cada fijación. Un lector en el nivel de "sexto año" podría captar información suficiente para identificar palabras a una velocidad promedio de más de una por fijación (incluyendo las regresiones), o casi 90 fijaciones por 100 palabras. El principiante podría verse obligado a mirar dos veces cada palabra, o tener 200 fijaciones por 100 palabras. El principiante tiende a tener visión tubular.

IMPLICACIONES PARA LA LECTURA

Al principiar este capítulo señalé que el análisis del sistema visual conduciría a tres implicaciones importantes para la lectura y para su aprendizaje —que la lectura debe ser rápida, selectiva, y que depende de la información no visual. Ahora, los razonamientos básicos que subyacen a estas implicaciones pueden ser muy evidentes, pero me gustaría examinarlas brevemente para hacerlas aún más claras.

La lectura debe ser rápida

He dicho, desde luego, que el cerebro siempre debe moverse rápidamente para evitar un estancamiento en el detalle visual del texto hasta el grado de que podría producirse la visión tubular. No sugiero que los ojos deban moverse aceleradamente; como dije anteriormente, no se puede mejorar la lectura moviendo a mayor velocidad los globos oculares. Existe un límite de la velocidad a la que el cerebro puede darle sentido a la información visual que proviene de los ojos, y un simple aumento en la velocidad a la que se realizan las fijaciones tendría la consecuencia de abrumar al cerebro, más que de facilitar sus decisiones. De hecho, la velocidad habitual de lectura de tres o cuatro fijaciones por segundo parecería ser la óptima. Con una velocidad menor, los contenidos del almacenamiento sensorial pueden comenzar a desvanecerse, y el lector estaría en la posición de fijar la vista en nada. A una velocidad mayor de cuatro fijaciones por segundo, el enmascaramiento puede inmiscuirse de tal manera que el lector pierda la información antes de ser analizada apropiadamente. La "lectura lenta" que se debe evitar es la atención excesiva en los detalles, la cual mantiene al lector a un paso de la visión tubular. Trata de leer textualmente unas pocas letras, o incluso una palabra completa en un momento dado, mantiene al lector funcionando al nivel de lo absurdo y elimina toda esperanza de comprensión. El objetivo debe ser leer la mayor cantidad de texto posible en cada fijación para mantener lo significativo. La recomendación escolar de trabajar más despacio en caso de dificultad, de ser cuidadosos y examinar cada palabra con minuciosidad, puede conducir fácilmente a una confusión total.

No existe una velocidad de lectura ideal; ésta depende de la dificultad del texto y de la destreza del lector. La velocidad óptima también varía según la tarea misma —ya sea que el lector esté tratando de identificar cada palabra, por ejemplo para leerla en voz alta, o que la lectura se realice únicamente por su "significado". La velocidad debe ser diferente si se está intentando una memorización amplia, porque el aprendizaje de memoria no se puede realizar rápidamente. La lectura perfecta en voz alta, y la memorización amplia premeditada, a menudo requieren que se deba leer el texto más de una vez. Probablemente un lector no comprenda al leer *más despacio* 200 palabras por minuto, porque una velocidad menor implicaría que las palabras se están leyendo como unidades aisladas más que como secuencias significativas. Como veremos en el siguiente capítulo, las limitaciones de la memoria impiden derivar algún sentido de las palabras aisladas.

Por consiguiente, mientras que la comprensión exige una lectura relativamente rápida, la memorización demanda que el lector trabaje más despacio. Como consecuencia, se puede impedir la comprensión, y en cualquier caso la memorización se vuelve insustancial. Si el cerebro ya tiene una idea clara de lo que está en la página, entonces se puede tolerar una lectura más lenta y dedicar un mayor tiempo a la memorización. Sin embargo, deben evitarse los excesos de memorización cuando se está aprendiendo a leer, o cuando no se está familiarizado con el lenguaje o con el tema.

La lectura debe ser selectiva

El cerebro carece del tiempo suficiente para atender toda la información impresa, y puede sobrecargarse fácilmente con la información visual. Tampoco la memoria es capaz de enfrentarse a toda la información que podría estar disponible en una página. El secreto de la lectura eficiente no es leer indiscriminadamente, sino *extraer una muestra* del texto. El cerebro debe ser parsimonioso, haciendo un uso máximo de lo que ya conoce y analizando un mínimo de información visual necesaria para verificar o modificar lo que ya se puede predecir acerca del texto. Todo esto puede sonar muy complicado, pero de hecho es algo que todo lector con experiencia puede hacer automáticamente, y casi con seguridad usted lo está haciendo en este momento si puede darle sentido a lo que está leyendo. Pero como muchos otros aspectos de la lectura fluida, la selectividad para captar y analizar muestras de la información visual disponible, es una destreza que se adquiere únicamente con la experiencia en la lectura. Una vez más, la iniciativa de la manera en que los ojos funcionan reside en el cerebro.

El cerebro indica a los ojos cuándo ha obtenido toda la información visual que necesita de una fijación, y los dirige con mucha precisión hacia dónde moverse a la siguiente. El salto ocular será un movimiento progresivo o regresivo dependiendo de si la información que el cerebro necesita está antes o después de la página. El cerebro siempre "sabrá" hacia dónde dirigir los ojos, tanto en la lectura como en otros aspectos de la visión, a condición de que el mismo cerebro sepa qué necesita encontrar. Tratar de controlar los movimientos oculares en la lectura puede ser como querer sujetar a un caballo por la cola. Si los ojos no se dirigen hacia lo que creemos que es un sitio apropiado en la lectura, probablemente es porque el cerebro no sabe en dónde ubicarlos, no porque el lector carezca de la agudeza suficiente para transferir la mirada al lugar correcto en el momento adecuado.

La lectura depende de la información no visual

Todo lo que he dicho hasta aquí debe subrayar este punto final. Cuando afirmo que la lectura debe ser rápida no quiero dar a entender algo imprudente. Un lector debe ser capaz de utilizar su información no visual para evitar verse abrumado por la información visual proveniente de los ojos. Cuando digo que un lector sólo debe extraer una muestra de la información visual no pretendo dar a entender que los ojos podrían moverse al azar de una parte de la página a otra. Más bien, el lector debe atender únicamente a aquellas partes del texto que contengan la información más importante. Y nuevamente esto es cuestión de hacer un uso máximo de lo que ya se conoce.

Resumiendo, la información no visual es la información que ya posee nuestro cerebro y que es relevante para el lenguaje y para el tema de la lectura que vamos a realizar, junto con algunas unidades de conocimiento adicionales acerca de cosas muy específicas de la escritura, tales como la manera en que se forman los patrones de deletreo. La información no visual es cualquier cosa que puede reducir el número de alternativas que el cerebro debe considerar cuando leemos. Si sabemos que un sustantivo no puede seguir inmediatamente a otro sin un signo de puntuación por lo menos, entonces nuestras alternativas se reducen. Si sabemos que sólo un rango limitado de términos técnicos podrían dar frutos en un contexto particular, entonces nuevamente se reduce nuestra incertidumbre.

Incluso el conocimiento de que ciertas secuencias de letras probablemente no ocurren en las palabras castellanas —por ejemplo, que la inicial *H* no irá seguida por otra consonante— capacitará al lector para eliminar muchas alternativas, y verá mucho más en cualquier momento determinado. Pero el significado es la información no visual más importante de todas.

El lector hábil no emplea más *información visual* para comprender cuatro palabras en una sola mirada que el lector principiante, el cual requiere de dos fijaciones para identificar una sola palabra. Toda la información adicional que los lectores hábiles necesitan es proporcionada por lo que ya conocen. Cuando los lectores fluidos encuentran un párrafo que es difícil de leer —porque está escrito deficientemente o porque está repleto de información nueva— el número de fijaciones (incluso de regresiones) que ellos efectúan se incrementa, y la velocidad de la lectura disminuye. Debido a la incertidumbre adicional en esa situación, se ven forzados a emplear más información visual para tratar de comprender lo que están leyendo.

La relativa habilidad para utilizar la información no visual tiene consecuencias en todos los aspectos de la visión. Los expertos —ya sea en lectura, arte, ajedrez o ingeniería— pueden ser capaces de comprender una situación entera con una sola mirada, mientras que la mayor incertidumbre de los aprendices los imposibilita con la visión tubular. Cuando en un experimento con taquistoscopio se les presenta a los lectores ciertas palabras en un idioma que no comprenden, sólo son capaces de identificar unas cuantas letras. El hecho de que las palabras tengan sentido para alguien que conoce ese idioma es completamente irrelevante; para los lectores que no lo conocen, esas letras están ordenadas esencialmente al azar, y se producirá una incapacidad para ver mucho de ellas.[3] La implicación para cualquier persona que esté involucrada en la enseñanza de la lectura debe ser obvia: cada vez que los lectores no pueden conferirle sentido a lo que esperan leer porque el material carece de relevancia para cualquier conocimiento previo que ellos podrían tener, la lectura se hará más difícil y su aprendizaje imposible.

---

[3] Existen limitaciones similares en la cantidad de información de entrada que puede ser manejada por todos los sistemas sensoriales. Por ejemplo, es posible tener una distinta pérdida de audición cuando tratamos de comprender el habla careciendo de "información no acústica" —cuyos intentos y propósitos son los mismos que los de la información no visual en la lectura. Por consiguiente, elevamos nuestras voces cuando intentamos conversar en un lenguaje no familiar —y los niños a menudo pueden parecer sordos en el salón de clases aunque no muestren tener problemas auditivos evidentes.

Resumen

La lectura no es instantánea; el cerebro no puede procesar toda la información visual de una página impresa. Los ojos se mueven mediante **saltos oculares** se detienen en **fijaciones** para seleccionar la información visual, normalmente en una dirección progresiva, pero, cuando es necesario, en **regresiones**. La lectura lenta interfiere en la comprensión. La lectura no se acelera para incrementar la velocidad de fijación, sino para reducir la dependencia en la información visual, principalmente haciendo uso del significado.

Las notas del capítulo 3 comienzan en la página 214.

Obstrucciones
de la memoria

¿Por qué la visión tubular debe ser un obstáculo para los lectores, independientemente de su experiencia y habilidad? Si un lector principiante sólo puede ver unas cuantas letras a la vez —digamos la primera mitad de una palabra como *ELEF*...— ¿por qué no se pueden recordar estas letras durante la fracción de segundo que el niño necesita para efectuar una fijación nueva y ver el resto de la palabra... *ANTE*? Desafortunadamente, la memoria tiene sus propias limitaciones y no se le puede exigir que sobrepase su propia capacidad cuando el sistema visual está trabajando en exceso. La lectura fluida no sólo exige parsimonia en el uso de la información visual, sino también un límite de la carga puesta sobre la memoria. En ambos casos existen límites para la cantidad de información de entrada que se puede manejar. Sobrecargar la memoria no facilita la lectura y puede contribuir a hacerla imposible.

Existen ciertas paradojas con respecto al papel de la memoria en la lectura. Entre más tratemos de memorizar, menos podemos recordar. Entre más tratemos de memorizar, menos podremos comprender, lo cual no sólo hace al recuerdo más difícil, sino que lo hace inútil. ¿Quién desea recordar algo sin sentido? Por otra parte, entre más comprendamos, más se ocupará la memoria de sí misma.

Una implicación de estas paradojas es que la información no visual —o lo que ya está en la memoria— es mucho más importante en la lectura que tratar de mantener en la memoria la información nueva. Quisiera repetir algo que para este momento ya debe ser familiar: el uso de la información no visual es crucial en la lectura (aunque la importancia y las funciones de la información no visual nunca se le enseñan a los lectores y rara vez se les reconoce).

Para descifrar las paradojas de la memoria se necesita emprender un análisis de la manera en que funciona. Este es tema importante que merece un breve capítulo por sí mismo.

TRES ASPECTOS DE LA MEMORIA

Para empezar, es necesario clarificar un poco los términos "memoria", "memorización" y "recordar". Usamos la palabra "memoria" de diversas maneras: algunas veces para referirnos a la manera en que podemos introducir nueva información a nuestras mentes; en ocasiones, para hablar de cómo podemos retenerla ahí; y otras veces, para designar cómo podemos extraer nuevamente la información. En este capítulo consideraremos cuatro funciones específicas o "características operativas" de la memoria: *entrada* (o cuánta información entra), *capacidad* (cuánta puede ser retenida), *persistencia* (cuánto tiempo puede ser retenida) y *recuperación* (extraerla de nuevo). También consideraremos los que parecerían ser varios tipos de memoria, puesto que la memoria no siempre parece ser el mismo proceso cuando se examina de diferentes maneras. De hecho, los psicólogos a menudo distinguen tres tipos o aspectos de la memoria, dependiendo del tiempo que transcurre entre la entrada original de información y la prueba para ver qué se puede evocar o recuperar. El primer aspecto, llamado *memoria sensorial*, está relacionado con la llegada de la información a un órgano receptor, tal como el ojo, hasta que el cerebro ha tomado su decisión perceptual, por ejemplo, la identificación de varias letras o palabras. El segundo aspecto, comúnmente denominado *memoria a corto término*, involucra el tiempo breve en que podemos mantenernos atentos a la información inmediatamente después de haberla identificado, por ejemplo, recordar un número telefónico desconocido mientras lo marcamos. Finalmente, existe la *memoria a largo término*, la cual es todo lo que sabemos acerca del mundo, nuestra cantidad total de información no visual.

A menudo estos tres aspectos de la memoria son representados en "diagramas de flujo" en los libros de texto como si fueran partes separadas del cerebro o etapas sucesivas en el proceso de memorización (obsérvese la figura 4.1). Sin embargo, este diagrama no debe consi-

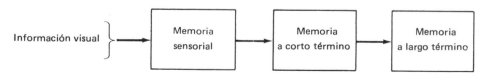

Figura 4.1. Un diagrama típico del flujo de la memoria

derarse literalmente. No estoy muy seguro de que sea más apropiado hablar de "tipos" diferentes de memoria, por lo tanto, usaré el término más neutral "aspectos". No hay evidencia de que existan diferentes memorias en distintos lugares del cerebro, ni que una memoria empiece a funcionar cuando otra deja de hacerlo, como podría sugerirlo el diagrama. Es definitivamente engañoso considerar que la información únicamente pasa de una dirección de la memoria a corto término a otra de largo término, e ignorar el hecho de que siempre hay *selectividad* con respecto a la cantidad de información entrante que se procesa y la forma de su procesamiento.

Sin embargo, un análisis debe comenzar necesariamente y seguir alguna secuencia determinada, por lo tanto, analizaré los tres aspectos de la memoria en el orden de izquierda a derecha del diagrama. Posteriormente, en este mismo capítulo, ofreceré un diagrama alternativo de la memoria.

Memoria sensorial

El primer aspecto de la memoria puede ser examinado rápidamente pues ya se ha planteado en el análisis del sistema visual en el capítulo 3. La memoria sensorial es una necesidad teórica, más que una parte conocida del cerebro. Es necesario conceptualizar alguna función o proceso para explicar la persistencia de la información visual después de que se recibe y se trasmite desde el ojo, en el comienzo de cada fijación, mientras que el cerebro está ocupado en ella. Las características operativas de la memoria sensorial son rápidamente formuladas: la entrada es muy rápida (los primeros milisegundos de una fijación), la capacidad es al menos lo suficientemente amplia para retener la información visual equivalente a 25 letras (aunque el cerebro no puede ser tan rápido para identificar todas las partes cercanas a esa cifra), la persistencia es muy breve (casi un segundo en condiciones óptimas, pero normalmente se desvanece antes del momento en que ocurre otra fijación), y la evocación depende de la velocidad con la que el cerebro procesa la información.

La memoria sensorial representa un interés teórico, pero tiene poca importancia para la instrucción de la lectura porque no hay nada que se pueda o necesite hacer con respecto a ella. No se puede sobrecargar al depósito sensorial ni se puede aumentar su capacidad a través del ejercicio. No existen evidencias de que la memoria sensorial de los niños sea menos adecuada que la de los adultos. Es necesario recordar que el cerebro debe conferirle sentido a los contenidos del depósito sensorial, pero que los contenidos no persisten mucho tiempo. Como resultado, tiene poco sentido acelerar las fijaciones (lo cual simplemente ocasionará que el depósito sensorial se desvanezca más rápido) o frenarlas (lo cual producirá que se fijen las miradas hacia la nada). Lo que hace la diferencia en la lectura es la efectividad del cerebro para usar lo que ya conoce (la información no visual), para conferirle sentido a la información de entrada (información visual) brevemente mantenida en la memoria sensorial.

Memoria a corto término

¿Puede usted repetir la oración que está leyendo en este momento sin mirarla más de un segundo? Siempre que usted pueda repetir lo que está leyendo es una demostración de la función a corto término. La memoria a corto término es una "memoria de trabajo", una "memoria intermedia", la cual retiene usted en primer plano siempre que está atendiendo en un momento particular. En lo que se refiere al lenguaje, los contenidos de la memoria a corto término habitualmente son las últimas pocas palabras que usted ha leído o escuchado, o cualquiera de los pensamientos que ha tenido en su mente. En ocasiones, la memoria a corto término está ocupada con lo que usted dice o escribe, con un domicilio que está usted buscando o con un número telefónico que desea marcar. La memoria a corto término es cualquier cosa que llame su atención, y tiene una importancia central en la lectura. Está en donde se sitúan las señales de lo que acaba de leer, mientras se ocupa de darle sentido a las siguientes palabras. Existe cuando se trata de retener los hechos que desea confinar al hábito de la memorización.

La memoria a corto término parece tener tanto fuerzas como debilidades en todas las personas, precisamente en virtud del estilo de sus funciones. En el aspecto de la credibilidad, no parece haber un retardo excesivo en la obtención de información en la memoria a corto término. De hecho, si alguien le pide a usted que llame a cierto número telefónico, su mejor estrategia es proceder a marcar el número, no detenerse a tratar de utilizar la memoria para recordarlo. Similarmente, no parece existir ningún problema particular para evocar la información de la memoria a corto término. Si la información está en la memoria a corto término, usted puede evocarla una y otra vez. Desde luego, si usted no puede recuperar la información inmediatamente, digamos el número telefónico, entonces también podría regresar y preguntarlo de nuevo. En cualquier caso, o se ha retenido el número en la memoria a corto término, el cual estará accesible sin demora, o se ha perdido. La memoria a corto término es lo que nos sucede al estar atendiendo en el momento, y si nuestra atención se aparta para dirigirse a algo más, el contenido original se pierde.

Pero si la memoria a corto término parece ser un dispositivo razonablemente eficiente en lo que se refiere a las operaciones de entrada y salida, en otros aspectos tiene sus limitaciones. La memoria a corto término no puede contener demasiada información en cualquier momento determinado —de hecho, poco más de media docena de ítems. Una secuencia de siete dígitos no relacionados es aproximadamente lo máximo que cualquier persona puede retener. Es como si un dios benévolo hubiera provisto a la humanidad con una capacidad de memoria a corto término apenas suficiente para hacer llamadas telefónicas, y luego hubiera fallado al profetizar las llamadas de larga distancia. Pero si tratamos de retener más de seis o siete ítems en la memoria de corto plazo, entonces algo se perderá. Si alguien nos distrae cuando estamos a punto de hacer esa llamada telefónica, quizá para preguntarnos la hora o la ubicación de una habitación, entonces alguna parte o todo el número telefónico se nos olvidará, y no tendrá absolutamente ningún sentido detenernos a devanarnos los sesos tratando de recordar el número. Tendremos que volver y asegurarnos del número nuevamente. Por mucho que tratemos de sobrecargar la memoria a corto término, gran parte de su contenido se perderá.

Todo esto explica por qué no se puede emplear la memoria a corto término para vencer la condición de visión tubular. El niño que sólo ha visto *ELEF* .... no puede retener esas letras en la memoria a corto término, leer otras cuatro o cinco letras, y organizarlas de tal manera que tengan sentido. Cuando la información fragmentada de una fijación llega a la memoria a corto término, la información fragmentada de la fijación previa probablemente deba ser desplazada. Este no es el mismo fenómeno del "enmascaramiento" o el desvanecimiento del depósito sensorial —es posible retener algunos ítems en la memoria a corto término en cierta cantidad de fijaciones. Pero retener tales ítems en el primer plano de nuestra atención simplemente evita que entren otros más, y tiene la consecuencia obvia de hacer la lectura mucho más difícil. No podemos leer demasiado si dirigimos la mitad de nuestra atención a las letras y palabras anteriores de las cuales aún estamos tratando de extraerles algún sentido.

La segunda limitación de la memoria a corto término se refiere a su persistencia. La información no permanece fija en la memoria a corto término por mucho tiempo. Es imposible establecer la cantidad exacta de tiempo que dura la información en la memoria de corto plazo, por la simple razón de que su duración depende de lo que se haga con ella. Ignore algo de la memoria a corto término durante menos de un segundo y se habrá ido. Para retenerlo, debemos mantener nuestra atención. Repetición es el término técnico frecuentemente empleado. Para mantener el número telefónico en su mente usted se dedica a repetirlo; no se le puede permitir que eluda nuestra atención. Teóricamente, la información puede ser mantenida en la memoria a corto término indefinidamente, pero sólo si se repite constantemente, un procedimiento que generalmente es poco práctico porque nos impide pensar en cualquier otra cosa. Dado que pocas veces podemos dedicar mucha atención a cualquier cosa aparte de lo que estamos haciendo en un momento particular, y en vista de que la vida tiende a estar llena de distracciones en todos los casos, parecería ser una afirmación razonable, en consecuencia, decir que la persistencia de la información en la memoria a corto término generalmente es muy breve, incluso si no podemos fijar un límite exacto de ella. La información retenida en la memoria a corto término debe ser procesada tan rápidamente como sea posible. Al retener la información durante más de una fijación o dos, por ejemplo, se restringe la atención necesaria para la tarea a la mano en la lectura, y se promueve una pérdida adicional de comprensión. Entre más ocupe el lector la memoria a corto término con letras no relacionadas, unidades de palabras y otros ítemes sin significado, más serán las letras y unidades de palabras que el lector se verá obligado a tratar de entender, y probablemente a querer comprobar su inutilidad.

Memoria a largo término

Desde luego, la memoria es algo más de lo que pensamos en un momento. Hay una gran cantidad de cosas que sabemos todo el tiempo, desde nombres y números telefónicos hasta todas las complejas interrelaciones que podemos percibir y predecir entre los objetos y los eventos del mundo que nos rodea, y sólo una parte mínima de toda esta información se encuentra en el foco de nuestra atención en cualquier momento. La información que persiste en nuestras mentes, independientemente del ensayo o del conocimiento consciente, es la memoria a largo término, nuestro conocimiento continuo del mundo. La memoria a largo término, tiene algunas ventajas diferentes sobre la memoria a corto término, especialmente con respecto a su capacidad relativa. Sin embargo, la memoria a largo término no puede utilizarse como un depósito para cualquier sobrante de información de la memoria a corto término, porque la primera también tiene sus limitaciones.

Comencemos con el lado positivo, donde la memoria a corto término está limitada en su capacidad apenas a media docena de ítemes, la capacidad de la memoria a largo término parece ser infinita. No se ha descubierto ningún límite para la cantidad de información que pueda ser colocada en la memoria a largo término. No es necesario remover o perder nada de la memoria a largo término para acomodar algo nuevo. Nunca tenemos que olvidar el nombre de un viejo amigo para recordar el de un compañero nuevo.

Similarmente, no existe ningún límite evidente para la persistencia de la información en la memoria a largo término. Aquí no es necesario el ensayo o la repetición. Incluso podemos estar inconscientes de nuestros propios recuerdos; por ejemplo, podemos revivir inesperadamente el recuerdo de algún incidente de nuestra infancia, quizá provocado por algunos compases nostálgicos de música, por una fotografía antigua, o incluso por cierto sabor u olor.

Pero como todo mundo sabe, el hecho de que no exista un límite último para la capacidad o persistencia de la memoria a largo término, no significa que sus contenidos estén constantemente a nuestra disposición. Es aquí cuando ciertas limitaciones de la memoria a largo término empiezan a hacerse evidentes. La evocación de la memoria a largo término de ninguna manera es tan inmediata y fácil como la evocación de la memoria a corto término.

Desde luego, los procesos de retención y evocación parecen muy diferentes. La memoria a corto término es como un conjunto de seis cajitas, cada una de las cuales contiene un ítem separado de información, por definición inmediatamente accesibles a la atención porque es ésta la que las retiene en la memoria de corto plazo en primera instancia. Pero la memoria a largo término es como un sistema organizado de conocimiento en el que cada ítem de información está relacionado de alguna manera con todos los demás. Que podamos evocar o no la información de la memoria a largo término depende de cómo está organizada la información que se desea. El secreto del recuerdo de la memoria a largo término radica en interceptar una de las interrelaciones.

En ocasiones, el esfuerzo por retener algo en la memoria a largo término puede ser muy frustrante. Sabemos que algo está ahí, pero no podemos encontrar el camino que conduce a él. Un ejemplo de esto lo proporciona el fenómeno de la "punta de la lengua" (Brown y McNeill, 1966). Sabemos que el nombre de alguien comienza con una *S* y que está formado con tres sílabas —y estamos seguros de que no es Silvestre, Sigfrido ni Salomón. Súbitamente el nombre aparece en la serie de alternativas que nuestra mente está examinando, o quizá cuando alguien lo mencione lo reconoceremos de inmediato. Todo el tiempo estuvo en la memoria a largo término, pero no inmediatamente disponible: lo teníamos en la "punta de la lengua".

El éxito para recuperar la información de la memoria a largo término depende de las señales que podamos encontrar para tener acceso a ella, y de qué tan bien esté organizada en la memoria a largo término en primer lugar. Básicamente, todo depende del sentido que la información tenga cuando la coloquemos originalmente en la memoria. Es inútil tratar de introducir demasiadas piezas de información no relacionadas de la memoria a corto término en la memoria a largo término, y el aprendizaje de memoria a menudo es improductivo. No sólo lo carente de sentido al entrar seguirá siéndolo al salir, sino que también es extremadamente difícil evocar lo que carece de sentido.

Pero existe otra razón por la cual no es factible trasladar un exceso de información desde la memoria a corto término a la memoria a largo término, la cual está relacionada con la velocidad a la que esta última puede aceptar nueva información. En contraste con la entrada prácticamente inmediata de la media docena de ítemes en la memoria a corto término, la introducción de algo en la memoria a largo término es extremada y sorprendentemente lenta. Colocar un ítem dentro de la memoria a largo término toma cinco segundos, y en esos cinco segundos se dedica muy poca atención a cualquier otra cosa. El número telefónico que exigirá un esfuerzo de la capacidad de la memoria a corto término es al menos tan rápidamente aceptado cuando se lee como cuando se escucha, pero retener el mismo número en la memoria a largo término de tal manera que podamos marcarlo al día siguiente, requiere de un buen medio minuto de concentración, cinco segundos para cada número.

Depositar información en la memoria a largo término no es algo que se pueda intentar temariamente en la lectura para superar las limitaciones del procesamiento de información visual o de la memoria a corto término; por el contrario, intentar pasar la información en la memoria a largo término tendrá el efecto de interferir en la comprensión. Los lectores principiantes con visión tubular, quienes no pueden retener en la memoria a corto término más letras que las pocas que ven en una sola fijación, se confunden aún más si tratan de colocar letras aisladas o unidades de palabras en la memoria a largo término.

La lectura puede resultar imposible para los lectores fluidos si sobrecargan la memoria a largo término, aun cuando estuvieran tratando de leer un material que sería completamente comprensible si se relajaran y estuvieran dispuestos a disfrutarlo. Este problema puede ser agudo para los estudiantes que intentan leer una novela o un drama de Shakespeare y al mismo tiempo tratan de memorizar los nombres no familiares de todos los personajes, e incluso los detalles o sucesos triviales. La memorización interfiere en la comprensión al monopolizar la atención y reducir la inteligibilidad. La mayoría de los lectores se han encontrado con que el molesto libro de texto es incomprensible un día antes del examen, cuando estamos tratando de retener cada uno de los hechos, sin embargo, será claramente comprensible al día siguiente, cuando todo lo que estemos leyendo consista en descubrir lo que nos perdimos. Si usted tiene dificultades para comprender lo que está leyendo en este momento, puede ser porque está tratando de memorizar demasiado. Por otra parte, como trataré de demostrar de distintas maneras, la comprensión se ocupa de la memorización. Si usted comprende lo que lee o escucha, entonces la memoria a largo término se reorganizará de manera tan eficiente y directa que usted no se dará cuenta de que está aprendiendo.

De hecho, la memoria a largo término es extremadamente eficiente, incluso en términos de la selección y la asimilación de la información nueva; pero únicamente si el proceso de adquisición y organización de la nueva información es dirigido por lo que ya conocemos. Una vez más encontramos que lo que inclina la balanza es lo que ya sabemos, lo que hace posible la lectura. Ahora examinemos cómo ayuda el conocimiento previo a superar las limitaciones de la memoria a corto y a largo término.

SUPERACIÓN DE LAS LIMITACIONES DE LA MEMORIA

Existen algunas paradojas por resolver. La evidencia experimental señala que no podemos retener más de media docena de letras al azar en la memoria a corto término, sin embargo, habitualmente no es difícil repetir una oración de doce palabras o más que acabamos de leer o escuchar por primera vez. Parece que no podemos depositar más de una letra o dígito cada cinco segundos en la memoria a largo término, sin embargo, comúnmente podemos recordar la mayoría de los temas y los detalles significativos de lo que hemos leído en una novela o visto en una película.

Para explicar estas discrepancias es necesario clarificar un poco más el lenguaje vago que he estado utilizando. He estado hablando de retener media docena de "cosas" o "ítemes de información" en la memoria a corto término, y de depositar sólo un "ítem de información" dentro de la memoria a largo término. ¿Qué son estas "cosas" o "ítemes"? La respuesta es aquello que depende de lo que usted ya sabe y del sentido que usted le confiera a lo que está leyendo o escuchando. Estas "cosas" o "ítemes" son unidades de lo que ya existe en la memoria a largo término.

Si usted está buscando letras —o si únicamente puede encontrar letras en lo que está mirando— entonces usted puede retener media docena de ellas en la memoria a corto término. Pero si usted está buscando palabras, entonces la memoria a corto término retendrá seis palabras, el equivalente de cuatro o cinco veces el número de letras.

Es cuestión que usted ya conoce. La memoria a corto término se llena con un número telefónico de siete dígitos, la cual también necesita medio minuto para depositarlo en la memoria a largo término. Pero esto no ocurre si el número es 123-4567, porque ésta es una secuencia que usted ya conoce. El número 1234567 ocupará sólo una parte de la memoria a corto término y entrará a la memoria a largo término en unos cuantos segundos porque, en cierto sentido, ya está ahí. ¿Puede usted retener las letras *THEELEPELTJE* en la memoria a corto término?

Sólo podrá si las reconoce como una palabra, para lo cual es necesario que usted sepa leer alemán. Para colocar la misma secuencia de letras dentro de la memoria a largo término se necesita todo un minuto de concentración —y aún así es improbable que sea usted capaz de recordarlas al día siguiente— a menos que ya conozca la palabra, en cuyo caso podrá depositarla en la memoria tan rápidamente como la palabra española *cucharita*, la cual es el equivalente de la palabra alemana antes mencionada.

Los psicólogos se refieren a este proceso de almacenar la máxima unidad significativa en la memoria a corto término como *compresión*, el cual es un término aparentemente pintoresco, pero pienso que un poco erróneo. El término sugiere que al principio atendemos a los fragmentos pequeños de información (letras o números individuales) y después los organizamos en unidades más grandes para que la memoria funcione con eficiencia (la información se "comprime"). Sin embargo, considero que todo el tiempo estamos buscando las unidades más grandes. Cuando analicemos más específicamente los procesos de la lectura, mostraré que las palabras escritas pueden ser identificadas sin ninguna referencia a las letras, e identificar el significado sin hacer referencia a palabras específicas. No es que se perciban las letras y luego —si podemos— queden reducidas a palabras, sino que podemos percibir las palabras o el significado en primera instancia sin molestar al sistema visual o a la memoria con las letras. Los "ítemes" que depositamos en la memoria son las unidades significativas más grandes que podemos encontrar. En otras palabras, lo que colocamos dentro de la memoria a corto término está determinado por las unidades más grandes que estén disponibles en nuestra memoria a largo término. Los contenidos de la memoria a corto término están determinados por lo que conocemos y por lo que estamos buscando, razón por la que quiero presentar un diagrama de la memoria alternativo al de la figura 4.1. En la figura 4.2, la memoria a corto término aparece como parte de la memoria a largo término, la parte que controla lo que estamos buscando en la información de entrada. La memoria a corto término no es la antesala de la memoria a largo término, sino la parte que utilizamos de esta última para atender a, y obtener sentido de, una situación común.

La flecha entre la memoria a corto término y la memoria sensorial es bidireccional para reconocer que el cerebro es *selectivo* con respecto a la información visual que atiende, y las flechas entre las memorias a corto y a largo término son también bidireccionales para representar su interacción contínua.

Debo hacer un comentario final: podemos retener algunas letras o unas cuantas palabras en la memoria a corto término, pero también podemos depositar dentro de ella algo mucho más enigmático —podemos retener ahí grandes encadenamientos sustanciales de significado.

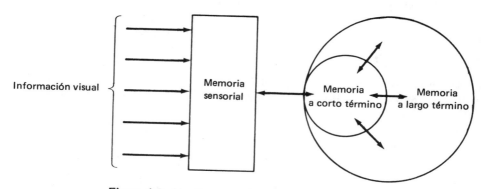

Figura 4.2. Un diagrama alternativo de la memoria.

Es imposible fijar un número a esto, ya que las unidades de significado no se pueden contar de la misma manera en que contamos las letras o las palabras. Pero así como podemos retener en la memoria las letras contenidas en las palabras de una manera más eficiente que las letras que no guardan relación entre sí, podemos retener secuencias de palabras significativas en la memoria mucho más eficientemente que como podemos retener palabras individuales sin relación. Lo mismo se aplica a la memoria a largo término; podemos depositar un "significado" completo en sólo unos pocos segundos, sin ninguna conciencia de que lo estemos haciendo, aun cuando el significado podría hallarse subyacente a una docena de palabras o más. Y, por definición, cualquier "significado" que depositemos dentro de la memoria a largo término será más fácil de retener y recuperar porque la significatividad implica que la entrada está relacionada con lo que ya sabemos y tiene sentido para nosotros.

Debemos acostumbrarnos a la noción de que el significado no depende de palabras específicas. Este punto crucial será examinado muchas veces en las secciones posteriores de este libro. Cuando retenemos una secuencia significativa de palabras en la memoria —a corto o a largo término— no estamos guardando las palabras primordialmente, sino más bien el significado que les atribuimos. El "significado" es la unidad de análisis más grande y eficiente que podemos transferir de lo que ya sabemos a lo que estamos tratando de leer (o escuchar) y entender. Por el momento, sólo ofreceré una ilustración del hecho de que no buscamos únicamente el significado, más que palabras específicas, cuando comprendemos el lenguaje hablado o escrito, sino también que esto es la cosa más natural de hacer.

Señalé que podemos retener una docena de palabras o más en la memoria a corto término si están ordenadas en una secuencia significativa, mientras que seis o siete es el límite de las palabras que no tienen sentido colectivo, digamos, la misma secuencia de palabras a la inversa. Trate usted de memorizar: *término corto a memoria la en palabras más o doce retener podemos*. Pero, de hecho, no es la secuencia de una docena o más palabras lo que estamos reteniendo en la memoria a corto término, sino más bien su significado. A menudo, si usted le pide a una persona que repita una oración, recobrará el significado correcto pero no exactamente las mismas palabras. La persona que recuerda no está recordando tanto las mismas palabras, sino reconstruyendo la oración a partir del significado que recordó. De hecho, no atendemos a las palabras; atendemos a los significados. Por consiguiente, se podría cometer un "error" sustancial al repetir palabras exactas —la palabra *automóvil* podría recordarse como la palabra *carro*, por ejemplo— pero raramente la sustitución de una palabra pequeña produce una diferencia grande de significado, tal como la palabra *no*. Entre paréntesis, veremos que "errores" de este tipo, que mantienen el significado, son cometidos por los lectores fluidos, y también por los niños que están aprendiendo a leer y en el proceso de convertirse en buenos lectores. La lectura involucra la búsqueda del significado, no de palabras específicas.

No es necesario enseñarle a los niños a utilizar eficientemente la memoria para evitar sobrecargar la memoria a corto término y abstenerse de forzar detalles inútiles dentro de la memoria a largo término. La manera en que están construidos sus cerebros les evita hacer esto. Pero la instrucción de la lectura puede hacer imposibles estas habilidades naturales. La ansiedad durante el aprendizaje de la lectura puede forzar a los niños a utilizar deficientemente la memoria. La lectura, y por lo tanto su aprendizaje, dependen de lo que usted ya conoce, de lo que usted puede extraer sentido. Los maestros de lectura ayudan a evitar una sobrecarga en las memorias de sus alumnos cuando se aseguran de que el material que los niños deberían leer tiene sentido para éstos, y que los niños no necesitan —debido al material o a la instrucción— entretenerse con una memorización ardua e inútil.

Resumen

Tanto **la memoria a corto término** como **la memoria a largo término** tienen sus limitaciones, pero sólo afectan a los lectores que logran extraer el mínimo sentido de lo que están haciendo en primera instancia. Cuando un lector puede derivar sentido del texto y no se esfuerza por memorizar, no hay conciencia incluso de las obstrucciones o dificultades de la memoria.

Las notas del capítulo 4 comienzan en la página 218.

Conocimiento
y comprensión

Este libro no está interesado en una abstracción llamada "lectura", sino en dos consideraciones muy reales y prácticas: cómo comprendemos cuando leemos y cómo aprendemos a leer en primer término. La siguiente es una definición provisional de comprensión: se relaciona con lo que atendemos del mundo que nos rodea —la información visual de lo impreso en el caso de la lectura— y con lo que ya conocemos. Y ésta es una definición provisional de aprendizaje: la modificación de lo que ya conocemos como una consecuencia de atender al mundo que nos rodea. Aprendemos a leer, y aprendemos a través de la lectura, añadiendo lo que ya sabemos. Si habremos de desarrollar y hacer uso de estas dos definiciones provisionales, y analizar después la lectura de una manera significativa, entonces debemos considerar primero lo que constituye aquello que ya conocemos.

He utilizado dos términos bastante diferentes para referirme al conocimiento que poseemos todo el tiempo. En el primer capítulo hablé de "información no visual", el conocimiento que hemos almacenado para capacitar al cerebro y así darle sentido a la información visual que proviene de los ojos durante la lectura. Y en el capítulo anterior a éste hablé acerca de la memoria a largo término, nuestra fuente de información permanente acerca del mundo. Éstas no son dos partes o aspectos distintos del cerebro. La información no visual de la cual dependemos para comprender el lenguaje escrito (como la "información no acústica" que necesitamos para entender el habla) debe ser la memoria a largo término, la cual es nuestra única fuente de conocimiento previo acerca del lenguaje y del mundo. En contextos más generales, esta fuente de conocimiento previo se denomina también en psicología con un tercer término: Estructura cognoscitiva. Éste es un término particularmente apropiado puesto que "cognoscitiva" implica conocimiento y "estructura" supone una organización, y eso es efectivamente lo que tenemos en nuestras cabezas, una organización de conocimiento.

Ciertamente sería simplista sugerir que lo que poseemos en nuestras cabezas sólo son "recuerdos". El cerebro no es un álbum de recuerdos audiovisuales lleno de fotografías instantáneas y grabaciones de fragmentos del pasado. En última instancia, tendríamos que decir que el cerebro contiene recuerdos-con-un-significado; nuestros recuerdos se relacionan con todo lo demás que conocemos. La estructura cognoscitiva es mucho más que un resumen de nuestra experiencia pasada. Yo no quiero recordar que el 16 de julio me senté en una silla, y que el 17 también, y que el 18 de julio igual; yo quiero recordar que las sillas son para sentarse, un resumen de mi experiencia. Recordamos eventos específicos únicamente cuando son excepciones de nuestras reglas resumidas, o cuando tienen cierto significado particularmente drámatico o emocionalmente poderoso. E incluso entonces nuestros recuerdos, cuando los "evocamos", resultan ser muy engañosos para nuestras intensiones y perspectivas actuales acerca del mundo (Bartlett, 1932). Los recuerdos específicos que no pueden estar relacionados con nuestro resumen, con nuestro conocimiento general actual, tendrán poco sentido, lo cual puede ser la razón de que podamos recordar tan poco de nuestra infancia. Pero sería una sobresimplificación sugerir que nuestras cabezas se llenan con una acumulación de hechos y reglas. El cerebro no es como una biblioteca o una enciclopedia en donde los procedimientos y la información útiles se encuentran archivadas bajo encabezamientos apropiados para una posible referencia futura. Y ciertamente el cerebro humano no es como un banco en el que nuestros maestros y nuestros libros de texto depositan valores de instrucción. En lugar de ello, el sistema de conocimiento está organizado dentro de un modelo de trabajo del mundo complejo e internamente consistente, construido a través de nuestras interacciones con el mundo e integrado en un todo coherente. Sabemos mucho más de lo que nos hayan enseñado siempre.

LA TEORÍA INTERNA DEL MUNDO

Lo que tenemos en nuestras cabezas es una *teoría* de cómo es el mundo, una teoría que es la base de todas nuestras percepciones y de nuestro conocimiento del mundo, la raíz de todo aprendizaje, la fuente de todas las esperanzas y temores, motivos y expectativas, razonamiento y creatividad. Y esta teoría es todo lo que tenemos. Si podemos darle sentido al mundo, es gracias a la interpretación de nuestras interacciones con el mundo a la luz de nuestra teoría. La teoría es nuestro escudo contra la confusión.

Cuando miro alrededor de mi mundo, distingo una multiplicidad de objetos significativos que mantienen relaciones complicadas de todos los tipos entre sí y conmigo. Pero ni estos objetos ni sus interrelaciones son autoevidentes. Una silla no se anuncia para mí como una silla; tengo que reconocerla como tal. Las sillas son una parte de mi teoría. Yo reconozco una silla cuando mi cerebro decide que lo que estoy mirando es una silla. Una silla no me dice que me puedo sentar en ella, o que puedo colocar mi chamarra, mis libros o mis pies sobre ella, o que me puedo subir en ella para alcanzar una repisa alta, ni que puedo recargarla contra una puerta que no deseo que se abra. Todo esto también es parte de mi teoría. Únicamente puedo darle sentido al mundo en términos de lo que ya conozco. Todo el orden y la complejidad que percibo en el mundo que me rodea deben reflejar un orden y complejidad en mi propia mente. Cualquier cosa que no pueda relacionar con la teoría del mundo en mi cabeza no tendrá sentido para mí. Estaré confundido.

El hecho de que la confusión constituya un estado poco usual para la mayoría de nosotros, a pesar de la complejidad de nuestras vidas, es una clara indicación de que nuestra teoría del mundo en la cabéza es muy eficiente. La razón de que habitualmente no estemos conscientes de la teoría es que funciona muy bien. Así como un pez da por garantizada el agua hasta que se ve privado de ella, de la misma manera nos hacemos conscientes de nuestra dependencia en la teoría hasta que resulta inadecuada, y el mundo pierde todo sentido. El hecho de que ocasionalmente podemos estar confundidos únicamente si ve para demostrar qué tan eficientemente funciona nuestra teoría por lo común. ¿Cuándo fué la última vez que usted se sintió confundido por algo que escuchó o leyó? Nuestra teoría del mundo parece apta inclusive para darle sentido a casi cualquier cosa que probablemente debamos experimentar en el lenguaje hablado y escrito —una teoría poderosa desde luego.

Sin embargo, ¿cuándo fue la última vez que usted vio a un bebé confundido? Los infantes también tienen teorías del mundo, no tan complejas como las de los adultos, pues no han tenido tiempo para hacerlas más complicadas. Sin embargo, las teorías de los niños parecen funcionar muy bien para sus necesidades. Aun los niños más pequeños parecen capaces, la mayor parte del tiempo, de darle sentido a su mundo en sus propios términos; raramente muestran estar confundidos o inseguros. La primera vez que muchos niños llegan a una situación que posiblemente no pueden relacionar con cualquier cosa que ya sepan es cuando ingresan a la escuela, una situación en la que pueden estar consistentemente confundidos, o si se les enfrenta a eventos que no tienen sentido. A menudo restamos méritos a los niños por saber demasiado; pero, de hecho, la mayor parte de nuestro conocimiento del mundo —del tipo de objetos que contienen y de la manera en que están relacionados— y la mayor parte de nuestro conocimiento del lenguaje, se encuentra dentro de nosotros antes de que ingresemos a la escuela. A los cinco o seis años de edad se organiza nuestro marco de referencia, y el resto es principalmente un asunto de rellenarlo con detalles.

Durante el resto del capítulo hablaré un poco más de cómo está organizada internamente esta teoría y luego analizaré cómo la utilizamos para comprender el mundo. En el capítulo 6 hablaré acerca de una parte más importante de la teoría de la mayoría de los seres humanos, la parte que se refiere al lenguaje, y luego consideraré la comprensión del mismo. En el capítulo 7 analizaré cómo es que la teoría del mundo es la base del aprendizaje. Después de ello podremos ocuparnos en examinar detalladamente la comprensión y el aprendizaje en la lectura.

Quizá parezca que estoy colocando estos tópicos importantes en el orden equivocado, que la comprensión es una consecuencia del aprendizaje y, por lo tanto, debe ir primero. Ciertamente, parecería que se considera que el aprendizaje ocurre antes de la comprensión; en la escuela los niños deben aprender para comprender. Pero quiero demostrar que el aprendizaje es un resultado de la comprensión, más que su causa. Cuando ocasionalmente considere a la lectura con detalle, intentaré afirmar que, para un niño, aprender a leer es literalmente un asunto de "comprender la lectura".

Pero para hacer todo esto primero debo explicar la naturaleza de la comprensión, para lo cual necesitamos realizar un breve análisis de la manera en que está organizada nuestra teoría del mundo, y efectuar una consideración detallada de cómo hacemos funcionar esa teoría.

LA ESTRUCTURA DEL CONOCIMIENTO

El sistema de conocimiento que constituye la teoría interna del mundo tiene una estructura tal como cualquier otra teoría o sistema de organización de la información, por ejemplo, una biblioteca. Los sistemas de información poseen tres componentes básicos: un conjunto de categorías, algunas reglas para especificar la afiliación de las categorías y un sistema de interrelaciones entre las categorías. En seguida examinaré brevemente cada uno de los componentes por turno.

Categorías

Categorizar significa tratar a ciertos objetos o eventos como si fueran iguales, más que considerarlos diferentes de otros objetos o eventos. Todos los seres humanos categorizan instintivamente desde el nacimiento. No hay nada notable con respecto a esta propensión innata a categorizar, puesto que los organismos vivos no podrían sobrevivir si de hecho no trataran a algunos objetos o eventos como si fueran iguales, más que como si fueran diferentes de otros objetos o eventos.

Ningún organismo vivo podría sobrevivir si tratara a toda su experiencia como si fuera lo mismo; no habría una base para la diferenciación y, por consiguiente, no habría base para el aprendizaje. No existiría la posibilidad de ser sistemáticos. Así como un bibliotecólogo no puede tratar a todos los libros como iguales cuando los ordena en los anaqueles, de la misma manera todos seres humanos deben diferenciarse completamente a través de sus vidas. Al menos en nuestra cultura, se espera que todos seamos capaces de distinguir a los perros de los gatos, a las mesas de las sillas, y a la letra A de la letra B.

Pero similarmente, ningún organismo vivo podría sobrevivir si tratara a todas las cosas de su experiencia como si fueran diferentes. Si no hay base para la similitud, tampoco hay base para el aprendizaje. Por lo tanto, el bibliotecólogo debe tratar a algunos libros como si fueran iguales en cierto sentido, de tal manera que todos los libros de química estén apilados en la misma área, aunque estos libros pueden diferir en tamaño, color y nombre del autor. De la misma manera se espera que todos, al menos en nuestra cultura, ignoremos muchas diferencias para tratar a todos los perros como si fueran iguales, a todos los gatos de la misma manera, y a muchas formas diferentes como A, $\mathcal{A}, \mathcal{Q}$, a, $\mathbf{a}$, como la letra "a".

En otras palabras, la base de la supervivencia y del aprendizaje es la habilidad para ignorar muchas diferencias potenciales de tal modo que ciertos objetos[1] serán tratados como si fueran iguales, a pesar de ser diferentes de otros objetos. Todos los objetos que pertenecen a una categoría son tratados como si fueran iguales, aunque sean diferentes de los objetos que pertenecen a otras categorías.

Las categorías que todos observamos, las cuales son parte de nuestras teorías del mundo, son visualmente muy arbitrarias; casi siempre no son impuestas sobre nosotros por el mundo en sí. El mundo no nos obliga a categorizar como animales a los perros, los gatos y los demás miembros de la fauna; podríamos dividirlos de otras maneras, por ejemplo tratando a todos los animales de ojos verdes como si fueran iguales, en contraste con los que tienen los ojos de otro color, o diferenciando a los que miden más de 40 centímetros de altura de aquellos que miden menos de esa altura. El bibliotecólogo podría organizar muy claramente los libros basándose en el color de sus pastas, o su tamaño, o en el número de páginas. Pero habitualmente no podemos inventar catego-

---

[1] A partir de este momento me abstendré de incurrir en la incómoda práctica de hablar todo el tiempo acerca de "objetos o eventos". En lugar de ello, cualquier referencia a los "objetos" también se aplicará a los "eventos" en general.

rías por nosotros mismos —de ahí la calificación de "al menos en nuestra cultura" en los párrafos anteriores. La razón de que dividamos a los animales sobre la base de un gato y un perro, y no sobre la base del tamaño o el color de los ojos, es que las categorías que tenemos son parte de nuestra cultura. En cierto sentido, compartir una cultura significa compartir la misma base categórica de la organización de la experiencia. El lenguaje refleja la manera en que una cultura organiza la experiencia, razón por la cual muchas de las palabras de nuestro lenguaje son una señal de las categorías en nuestras teorías compartidas del mundo. Tenemos las palabras "perro" y "gato", pero no contamos con una palabra para los animales de ojos verdes ni para los que miden menos de 40 centímetros de altura. Cuando tenemos que aprender nuevas categorías, la existencia de un nombre en el lenguaje a menudo tiende a ser la primera señal de que una categoría existe.

No es que las palabras sean prerrequisitos esenciales para el establecimiento de categorías. Muy por el contrario, pueden existir categorías para las cuales no tenemos nombres. Yo puedo distinguir fácilmente a ciertos pájaros moteados de color gris y café que llegan a mi jardín todas las mañanas, pero no conozco su nombre. Conocer un nombre sin una comprensión de la categoría a la que alude es irrelevante. De hecho, la existencia de una categoría es un prerrequisito para el aprendizaje del uso de las palabras, dado que las palabras aluden a categorías más que a objetos específicos. Llamamos perro a cualquier animal individual que ubiquemos en la categoría con el nombre "perro".

El sistema de categorías, que es parte de nuestra teoría interna del mundo, es esencial para darle sentido al mundo. Cualquier cosa que no podamos relacionar con una categoría carecerá de sentido; estaremos confundidos. Nuestras categorías, en otras palabras, son la base de nuestra percepción del mundo. Como he explicado, la percepción puede considerarse como un proceso de toma de decisiones. El cerebro "ve" lo que decide que está mirando, lo cual significa la categoría en la que la información visual está colocada. Si veo una silla enfrente de mí, entonces debo tener una categoría para las sillas en mi teoría del mundo, y he decidido que lo que estoy mirando es un ejemplo de esa categoría. Si puedo ver la palabra *gato* cuando leo, entonces debo tener una categoría para esa palabra, muy independiente de mi conocimiento, de su nombre o posibles significados, de la misma manera que debo tener categorías para las letras *g*, *a*, *t* y *o* si las puedo distinguir en la palabra. Es interesante saber que no podemos ver cosas de más de una categoría a la vez; no es posible ver las letras "g", "a", "t", y "o" y la palabra "gato" simultáneamente en la información visual *gato*, por lo cual los niños podrían encontrar más difícil el aprendizaje de la lectura si tienen que concentrarse en las letras individuales de las palabras. Habitualmente usted sólo ve lo que está buscando, y se mantiene inconsciente de otros posibles significados o interpretaciones. Si yo le pido que lea la dirección CALLE DEL RIO 4l0 probablemente no note que los numerales l0 en 4l0 constituyen exactamente la misma información visual que las letras l0 en RIO. Cuando usted busca la categoría de los números ve números, y cuando busca la categoría de las letras ve letras. Incluso ahora que usted está consciente de lo que estoy haciendo, no puede mirar l0 y ver tanto letras como números simultáneamente, como tampoco puede ver las caras y la copa simultáneamente en la figura 5.1. El cerebro únicamente puede tomar decisiones acerca de una categoría en un momento dado cuando procesa la misma información visual (aunque podríamos ver las caras y la copa simultáneamente si no tuvieran un contorno común). A menos que exista una categoría con la que se pueda relacionar la información entrante, el cerebro no puede tomar ninguna decisión; el mundo no tendrá sentido. El cerebro, como cualquier otro ejecutivo, necesita categorías para tomar decisiones.

Figura 5.1. Información visual ambigua.

Reglas para la afiliación de las categorías

Las categorías en sí no son suficientes. La categoría "libros de química" es inútil si un bibliotecólogo no tiene una manera de reconocer un libro de química cuando lo encuentre, de la misma manera que un niño no puede hacer uso de la información que existe en los gatos y los perros en el mundo sin alguna noción de cómo distinguir a unos de los otros. Un niño que puede recitar el alfabeto ha establecido un conjunto de 27 categorías pero puede ser incapaz de reconocer una letra individual. Para cada categoría que empleemos debe haber al menos una manera de reconocer los miembros de esa categoría. Cada categoría debe tener al menos un conjunto de reglas, una especificación, que determine si un objeto (o un evento) pertenece a esa categoría. En ocasiones, una sola categoría puede tener más de un conjunto de reglas —podemos distinguir a un objeto tal como una cebolla por su apariencia, textura, olor y sabor. Podemos reconocer a la letra "a" en una variedad de formas diferentes. Pero así como debemos tener una categoría para cada objeto que podamos distinguir en el mundo, de la misma manera debemos tener al menos un conjunto de reglas, llamado *rasgos distintivos*, para colocar a ese objeto en la categoría particular que le corresponde. Habitualmente estas reglas no pueden ser conservadas en las palabras, como tampoco podemos abrir una ventana en nuestras mentes e inspeccionar las categorías que tenemos ahí. A este tipo de conocimiento se le llama *implícito* —sabemos que contamos con las categorías o las reglas únicamente por el hecho de que podemos hacer uso de ellas.

En los siguientes capítulos dedicaremos mucha atención al problema de qué constituyen las reglas que diferencian a las distintas categorías que utilizamos en la lectura y el lenguaje —especialmente cuando veamos que la "enseñanza" se reduce a decirles a los niños que una categoría existe, dejándoles descubrir por sí mismos cuáles son sus reglas.

Interrelaciones de las categorías

Las reglas permiten que las categorías sean utilizadas en un sistema, pero no garantizan que el sistema tenga sentido. Una biblioteca no tendrá sentido simplemente porque todos los libros de química estén colocados juntos en un mismo lugar y todos los libros de poesía estén en otro. Lo que hace una biblioteca sea un sistema es la manera en que las distintas categorías están relacionadas entre sí, y esta es la manera en que el sistema de nuestros cerebros tiene sentido también.

No puedo intentar hacer una lista de todas las distintas interrelaciones existentes entre las categorías en la teoría del mundo en nuestras cabezas. Hacerlo sería como intentar documentar lo complejidad del mundo como lo percibimos. Como señalé cuando hice un análisis del contenido de nuestras mentes desde el punto de vista de la memoria, todo lo que sabemos está relacionado directa o indirectamente con todo lo demás, y cualquier intento por ilustrar estas relaciones corre el riego de hacerse interminable.

Por ejemplo, consideremos nuevamente una cebolla. Sabemos que ese objeto particular es llamado cebolla —quizá en más de un idioma— y también los nombres de varios tipos de cebollas. Todas éstas son relaciones del objeto particular con el lenguaje. También sabemos que una cebolla tiene cierta apariencia, cierta textura, huele, y sabe; nuevamente, quizá de más de una manera. Sabemos de dónde viene una cebolla, cómo crece y, probablemente, tengamos una buena idea de cómo llegar al lugar en donde se puede comprar; sabemos que casi siempre tenemos que pagar al comprarla y de qué manera se puede utilizar una cebolla en la cocina, y probablemente también otros usos de ella. Podemos conocer seis maneras diferentes de nombrar la forma como se guisan las cebollas, y seguramente conocemos varias cosas más que pueden comerse con cebolla. Conocemos distintos instrumentos que se relacionan con ellas —cuchillos, ralladores y licuadoras, por ejemplo. No solamente sabemos qué podemos hacer con las cebollas, sino sabemos también qué pueden hacer las cebollas con nosotros, tanto crudas como cocidas. Conocemos personas que les gustan las cebollas y personas que las odian; gente que puede cocinarlas y gente que no sabe cómo hacerlo; incluso podemos saber algo sobre el papel de éstas en la historia. Una gran ramificación de nuestro conocimiento de las cebollas está relacionada con el hecho de que podamos llamarlas de más de una manera. Se le puede llamar legumbre, lo cual significa que todo lo que sabemos de las legumbres en general, se aplica a las cebollas en particular. Desde luego, cada vez que relacionamos a una cebolla con algo más —con un cuchillo, una cacerola o una persona particular— descubrimos que lo que sabemos acerca de las cebollas es parte de lo que sabemos con respecto a los cuchillos, las cacerolas y las personas. No hay fin.

Muchas interrelaciones son parte del sistema del lenguaje, que es una parte importante de nuestra teoría del mundo. Al complejo conjunto de interrelaciones se le llama *sintaxis*, la cual es la manera en que los elementos del lenguaje están relacionados entre sí. A otro conjunto de interrelaciones se le llama *semántica*, la cual es la manera en que el lenguaje se relaciona con el resto de nuestra teoría del mundo. En el siguiente capítulo consideraremos estos dos temas importantes, el cual estará dedicado al lenguaje y, en particular, a la comprensión de éste.

Pero así como nuestro conocimiento del lenguaje está basado en nuestro conocimiento del mundo, de la misma manera nuestra habilidad para comprender el lenguaje está basada en nuestra habilidad para comprender el mundo. La sección final de este capítulo ilustra cómo utilizamos nuestra teoría del mundo, para comprenderlo.

PREDICCIÓN Y COMPRENSIÓN

La estructura cognoscitiva, la teoría interna del mundo, puede haber parecido hasta aquí más bien un sitio estático, no muy diferente en esencia de una enciclopedia. Sin embargo, esta teoría es *dinámica*, y no sólo en el sentido de que sea constantemente aumentada y modificada, en particular durante ese periodo vivaz de intenso aprendizaje y crecimiento que llamamos infancia. El tiempo y el cambio son una parte esencial de la manera en que percibimos el mundo —¿o de qué otra manera podríamos comprender el lenguaje, la música e incluso un juego de fútbol?— y también de la manera en que funcionamos en el mundo. Nuestras destrezas son la parte de nuestra teoría del mundo que nos capacita para interactuar con él, para tomar la iniciativa en nuestras transacciones con nuestro ambiente; cada destreza involucra una organización temporal fina. Nuestra teoría del mundo es efectivamente dinámica.

Además, con la teoría interna del mundo podemos hacer más que darle sentido al mundo e interactuar con él; podemos vivir en la propia teoría y ejercitar nuestra imaginación para inventar y crear, para probar las posibles soluciones a los problemas y examinar las consecuencias de las posibles conductas. Podemos explorar nuevos aspectos de nuestro propio mundo y ser conducidos a otro por medio de los escritores y los artistas. Pero el aspecto de la imaginación que nos interesa es más mundano, aunque a primera vista puede sonar bastante exótico. Podemos usar la teoría interna *para predecir el futuro*. Esta habilidad para predecir es penetrante y profunda, porque es la base de nuestra comprensión del mundo.

La penetrabilidad de la predicción

Todas las personas predecimos todo el tiempo, incluyendo los niños. Nuestras vidas serían imposibles, estaríamos renuentes incluso a abandonar nuestras camas por las mañanas, si no tuviéramos una expectativa de lo que el día nos deparará. Nunca atravesaríamos una puerta si no tuviéramos una idea de lo que podría haber del otro lado; todas nuestras expectativas, nuestras predicciones, pueden derivarse de una sola fuente, la teoría interna del mundo.

Generalmente no estamos conscientes de nuestro estado constante de anticipación, una vez más, por la simple razón de que nuestra teoría del mundo funciona adecuadamente. Nuestra teoría es tan eficiente que cuando nuestras predicciones fallan nos sentimos sorprendidos. No nos pasamos la vida prediciendo cualquier cosa que podría ocurrir —desde luego, eso sería contrario a la predicción, y en ese caso nada podría sorprendernos. El hecho de que algo siempre podría rinoceronte tomarnos por sorpresa —como la palabra *rinoceronte* anterior— es una evidencia de que efectivamente siempre predecimos, pero que nuestras predicciones habitualmente son exactas. Siempre es posible que nos sintamos sorprendidos, sin embargo, nuestra predicciones son por lo común tan apropiadas, que la sorpresa tiene una ocurrencia muy rara. ¿Cuándo fue la última vez que usted se sintió sorprendido?

Nos paseamos por una ciudad que nunca habíamos visitado anteriormente, y nada de lo que vemos nos sorprende. No hay nada sorprendente en los autobuses, carros y peatones en la calle principal; todo ello es predecible. Pero no predecimos que podríamos ver cualquier otra cosa —nos sorprenderíamos al ver camellos o submarinos en la calle principal. No es que exista algo muy sorprendente o impredecible en los camellos o submarinos en sí mismos —no nos sorprendería ver camellos si visitáramos un zoológico o ver submarinos en una base naval. En otras palabras, nuestras predicciones son muy específicas a las situaciones. No predecimos que cualquier cosa ocurrirá, ni predecimos que algo ocurrirá *fatalmente* si sólo es *probable* que suceda (no nos sorprendemos más por la ausencia de un autobús que por la presencia de uno), y predecimos que muchas cosas probablemente no sucederán. Nuestras predicciones son notablemente exactas —y de la misma manera son las de los niños. Es raro ver a un niño sorprendido.

La necesidad de la predicción

¿Por qué debemos predecir? ¿Por qué no podemos esperar que cualquier cosa ocurra todo el tiempo para librarnos de alguna posibilidad de sorpresa? Puedo pensar en tres razones. La primera razón es que nuestra posición en el mundo en que vivimos cambia en forma constante y por lo general estamos mucho más interesados en lo que probablemente ocurrirá en el futuro cercano y distante, que en lo que en realidad está sucediendo en este momento. Una diferencia importante entre un conductor hábil y una aprendiz, es que el primero es capaz de imaginar al carro en el futuro, mientras que la mente del aprendiz está sujeta a donde el carro se encuentra —cuando usualmente es demasiado tarde para evitar accidentes. La misma diferencia tiende a distinguir a los lectores hábiles de los principiantes, o de cualquiera que tenga dificultad con un fragmento particular de lectura. En la lectura fluida el ojo siempre encabeza a las decisiones del cerebro, contrarrestando los posibles obstáculos para una comprensión particular. Los lectores interesados en la palabra que está directamente enfrente de su nariz tendrán problemas al predecir —y tendrán problemas para comprender.

La segunda razón de la predicción es que hay demasiada ambigüedad en el mundo, demasiadas maneras de interpretar cualquier cosa que se nos presente. A menos que excluyamos algunas alternativas de antemano, probablemente estaremos agobiados con las posibilidades. De las muchas cosas que sé acerca de las cebollas, no quiero interesarme en el hecho de que se extraen de la tierra, ni que mi primo Jorge las vende, si lo único que quiero es un aderezo para una hambuguesa. Lo que veo está relacionado con lo que estoy buscando, no con todas las posibles interpretaciones. Las palabras tienen muchos significados— *tabla* puede significar varios tipos de sustantivos, pero sólo tiene un significado que me interesa, cuando hago una predicción, si alguien me dice que sobreviviré en un naufragio si me sostengo de una tabla. Todas las palabras cotidianas de nuestro lenguaje tienen muchos significados y, a menudo, varias funciones gramaticales —*tabla*, *simple*, *dama*, *palma*, *caballo*, *planta*, *canto*, *volumen*, *gustar*, *correr*— pero prediciendo el rango de posibilidades que una palabra probablemente tenga, no estaremos conscientes de las ambigüedades potenciales.

La última razón de la predicción es que de otra manera habría demasiadas alternativas para escoger. Como hemos visto, el cerebro necesita tiempo para tomar sus decisiones acerca de lo que los ojos están mirando, y el tiempo que requiere depende del número de alternativas. Tardamos más en decidir que estamos mirando la letra *A* cuando podría ser cualquiera de las 27 letras del alfabeto que cuando sabemos que es una vocal o que es *A* o *B*. Nos lleva mucho más tiempo decidir que hemos identificado una palabra aislada que cuando una palabra se encuentra en una oración significativa. Entre menos sean las alternativas, más rápido será el reconocimiento. Si hay demasiadas alternativas enfrente de los ojos, entonces es más difícil ver o comprender. La visión tubular es una consecuencia de la incapacidad de predecir.

La predicción no es una conjetura arriesgada, ni es cuestión de correr un albur apostando sobre la ocurrencia del suceso más probable. No nos pasamos la vida diciendo "cuando dé vuelta en la siguiente esquina veré un autobús" o "la siguiente palabra que lea será *rinoceronte*". Predecimos y desechamos lo improbable. Ésta es una definición formal. *La predicción es la eliminación previa de las alternativas improbables.* Utilizamos nuestra teoría del mundo para señalarnos las ocurrencias más posibles, y dejamos que el cerebro decida entre esas alternativas restantes hasta que nuestra incertidumbre se reduce a cero. Y somos tan eficaces para predecir únicamente las alternativas más probables que rara vez nos sentimos sorprendidos.

Para decirlo de una manera informal, la predicción es cuestión de formular preguntas específicas. No preguntamos ¿qué es aquel objeto que está ahí?, sino ¿podemos poner nuestros libros encima de él? o cualquier cosa que queramos hacer. No miramos una página impresa sin ninguna expectativa acerca de lo que leeremos enseguida, en cambio, preguntamos "¿qué va a hacer el héroe; en dónde se va a esconder el villano; habrá alguna explosión cuando el líquido A se mezcle con la pólvora B?" Y si la respuesta reside en el rango esperado de alternativas —lo cual habitualmente ocurre si comprendemos lo que estamos leyendo— entonces no estaremos conscientes de cualquier duda o ambigüedad. No estaremos confundidos ni sorprendidos.

La relatividad de la comprensión

Al menos ahora puedo decir lo que quiero dar a entender por "comprensión". La predicción significa formular preguntas —y la comprensión significa dar respuestas a esas preguntas. Mientras leemos, escuchamos a un orador o pasamos la vida, estamos formulando preguntas constantemente; y en la medida en que estas preguntas sean contestadas, y nuestra incertidumbre se reduzca, estaremos comprendiendo. La persona que no comprende cómo reparar un radio es aquélla que no puede responder a preguntas tales como "¿en dónde van cada uno de estos cables?" La persona que no comprende a quién habla en un idioma extraño, es la que no puede responder a preguntas como "¿qué está tratando de decirme?" Y la persona que no comprende un libro o un artículo del periódico es la que no puede encontrar respuestas a lo que podría decir en la siguiente parte impresa.

Tal definición de comprensión es muy diferente a la manera en que esa palabra es utilizada frecuentemente en la escuela. Las llamadas pruebas de comprensión en la escuela usualmente se proporcionan después de que se ha leído un libro y, como consecuencia, son más como pruebas de memoria a largo término. (Y dado que el esfuerzo por memorizar puede interferir drásticamente en la comprensión, la prueba puede terminar por destruir lo que pretende medir). La comprensión no es una cantidad, es un estado —un estado de no tener preguntas sin responder. Si digo que comprendo cierto libro, no tiene sentido hacerme una prueba y asegurar que no lo entendí. La calificación de una prueba ciertamente no me convencería de que realmente había entendido el libro o a un orador si mi sentimiento es que no fue así. Si mis ojos brillan mientras usted habla o mis cejas se fruncen profundamente mientras leo, son indicaciones razonables de que no todo marcha bien en mi comprensión. Pero la prueba última debe residir en la persona.

La misma noción de comprensión es relativa, que depende de las preguntas que una persona formule, y no es una que todos los educadores puedan fácilmente aceptar. Algunos pretenden afirmar que usted no puede haber entendido un libro aunque no tenga preguntas sin responder al final. Ellos le preguntarán "¿Pero entendió que el fracaso del espía al tratar de robar los planes secretos era realmente un símbolo de la inevitable impotencia del hombre para oponerse al destino manifiesto?" Y usted contestaría, "No, yo pienso que sólo era una historia bastante divertida", a lo cual, ellos le dirían que usted *realmente* no comprendió de qué trataba la historia. Pero básicamente lo que ellos están diciendo es que usted no preguntó el tipo de interrogante que creen que debería haber preguntado mientras leía el libro, y ésa es otra cuestión completamente aparte.

Resumen

Información no visual, memoria a largo término y conocimiento previo, son términos alternativos para describir la **estructura cognoscitiva,** la teoría del mundo en el cerebro que es la fuente de toda **comprensión**. La base de la comprensión es la predicción, o la eliminación previa de las alternativas improbables. Al minimizar la incertidumbre de antemano, la **predicción** contrarresta la sobrecarga del sistema visual y la memoria en la lectura. Las predicciones son preguntas que formulamos al mundo, la comprensión es recibir respuestas. Si no podemos predecir, estamos confundidos. Si nuestra predicción falla, nos sentiremos sorprendidos. Y si no tenemos nada que predecir porque no tenemos incertidumbre, estaremos aburridos.

Las notas del capítulo 5 comienzan en la página 221.

Lenguaje
hablado y escrito

El lenguaje constituye una parte sustancial de la teoría que del mundo tiene todo ser humano, y obviamente juega un papel central en la lectura. Este capítulo se ocupará del lenguaje considerado desde distintas perspectivas, incluyendo las relaciones entre los sonidos (y las señales impresas) del lenguaje y su significado, las relaciones entre los aspectos productivos del lenguaje (hablar y escribir) y los aspectos receptivos (escuchar y leer), y entre el lenguaje hablado y el escrito. Este capítulo también examinará brevemente la gramática, y la relación entre lenguaje y pensamiento.

Todos estos aspectos del lenguaje son relevantes para una comprensión de la lectura; sin embargo, todos son áreas de estudio complejas por derecho propio. Obviamente no será posible estudiar ningún tema con la misma profundidad teórica que el lingüista o el psicólogo profesional, pero afortunadamente no son necesarios tales detalles. El conjunto de conocimientos básicos que un estudiante de lectura debe asimilar es relativamente fácil de explicar y demostrar. Estos conocimientos, sin embargo, no siempre forman parte de la conciencia general de los educadores en el campo de la lectura; son bastante ignorados en muchos programas y materiales de instrucción en una gran cantidad de investigaciones sobre la lectura, de tal manera que pueden parecer ideas nuevas e incluso extrañas. Por ejemplo, un conocimiento básico pero desdeñado, es que los casos reales del lenguaje —las afirmaciones que la gente expresa o escribe— no comunican un significado de una manera simple. El significado no está contenido dentro de los sonidos del habla ni en las señales impresas de lo escrito, esperando a que sea descubierto o decodificado convenientemente, sino más bien debe ser proporcionado por el oyente o el lector. Como consecuencia, una comprensión de la lectura requiere de una teoría de la comprensión más compleja que aquella que de una manera simplista asume que el significado se ocupará de sí mismo si un lector puede identificar correctamente palabras individuales. La mayor parte de este capítulo se ocupará del problema fundamental de cómo comprendemos el lenguaje.

DOS ASPECTOS DEL LENGUAJE

Estructura superficial y estructura profunda

Existen dos maneras muy diferentes de hablar acerca del lenguaje hablado o escrito. Por una parte, se puede hablar acerca de su aspecto físico, de las características que pueden medirse tales como la sonoridad, duración o tono de los sonidos del habla, o el número, tamaño o contraste de las señales impresas de lo escrito. Todas estas características observables del lenguaje que existen en el mundo que nos rodea pueden ser llamadas *estructura superficial*. Son parte del lenguaje accesible al cerebro a través de los oídos y los ojos. "Estructura superficial" es un término útil porque no se limita a una forma particular de lenguaje, ya sea hablado o escrito. La estructura superficial es la "información visual" del lenguaje escrito —la fuente de información que el lector pierde cuando las luces se apagan— pero también es parte del lenguaje hablado —la parte que se pierde cuando una conexión telefónica se rompe.

Por otra parte, existe un aspecto del lenguaje que no puede ser observado ni medido directamente, y éste es el significado. En contraste con la estructura superficial, el significado del lenguaje, ya sea hablado o escrito, puede ser llamado *estructura profunda*. El término es adecuado. Los significados no se encuentran en la superficie del lenguaje, sino más profundamente en las mentes de los usuarios del lenguaje: en la mente del orador o escritor y en la mente del escucha o lector.

Estos dos aspectos diferentes del lenguaje, la estructura superficial física y la estructura profunda significativa, son de hecho completamente independientes, en el sentido de que es muy posible hablar de uno sin hacer referencia del otro. Podemos decir que alguien está hablando suavemente o en voz alta, rápida o lentamente, sin hacer mención a lo que está diciendo. Podemos decir que una línea impresa mide 12 centímetros de ancho, o que tiene ocho símbolos diferentes por pulgada, sin temer que alguien nos contradiga diciendo que no hemos comprendido el significado del texto. Pero, por el contrario, el significado no se afecta directamente por la forma de la estructura superficial. Si decimos que París será la sede de los próximos Juegos Olímpicos, no se nos puede responder que ello depende de si la fuente de información del orador era hablada o escrita. Aunque ocasionalmente puede ser inadvertida, la verdad de una expresión no se relaciona con su sonoridad ni con el número de repeticiones.

Todo esto puede parecer muy obvio, incluso trillado, pero de hecho la distinción entre la estructura superficial y la estructura profunda del lenguaje es crucial para una comprensión de la lectura por una simple razón: los dos aspectos del lenguaje están separados por un abismo. Las estructuras superficial y profunda no son los lados opuestos de la misma moneda; no son reflexiones de espejo entre sí. No están relacionadas de una manera directa y sin ambigüedad. Pongámoslo en términos técnicos, *no existe una correspondencia uno a uno entre la estructura superficial del lenguaje y el significado*. En términos más generales, el significado está más allá de los simples sonidos o de las señales impresas del lenguaje, y no se puede derivar de la estructura superficial mediante cualquier proceso simple o mecánico.

Una manera de ejemplificar esta ausencia de una relación uno a uno entre los dos aspectos del lenguaje, es demostrando que las diferencias que pueden ocurrir en la estructura superficial no difieren del significado, y que pueden existir diferencias en el significado que no están representadas en la estructura superficial (Miller, 1965). Por ejemplo, éstas son algunas estructuras superficiales radicalmente diferentes que no corresponden a las diferencias radicales en significado: (1) *El gato está cazando un pájaro*; (2) *un pájaro es cazado por el gato*; (3) *un vertebrado emplumado de sangre caliente es perseguido por el cuadrúpedo felino doméstico*; (4) *le chat chasse un oiseau*. Cuatro secuencias muy diferentes de señales sobre el papel; pero todos representan (al menos en términos generales) el mismo significado. Cuando tratamos de decir lo que las palabras significan, todo lo que podemos hacer es ofrecer otras palabras (un sinónimo o una paráfrasis) que reflejan el mismo significado. El significado real siempre yace más allá de las palabras. Tiene sentido decir que *soltero* significa (o más exactamente, comunica el mismo significado que) *hombre célibe*, pero no tiene sentido preguntar cuál es el significado que tienen en común *soltero* y *hombre célibe*. Las definiciones o descripciones verbales alternativas simplemente combinan el problema. Son estructuras superficiales adicionales.

Por otra parte, no es difícil hallar estructuras superficiales individuales que tengan al menos dos posibles significados o interpretaciones. Por ejemplo, *se solicitan jóvenes de ambos sexos* (¿mujeres y hombres y hermafroditas?); *la mujer ama a su hija porque es buena* (¿es buena la madre o la hija?); *él disfruta conversando con los ancianos y con las mujeres* (¿conversando con ellas también?); *estuvieron hablando con él acerca de sus asuntos* (¿los asuntos de quién?); *el peluquero me tomó el pelo* (¿para cortárselo o lo engañó?); *usted decide si se embaraza* (¿más hermafroditas?); *puse un huevo en la canasta* (¿complejo de gallina?).

Los ejemplos que he citado representan un tipo particular de ambigüedad, a saber, juegos de palabras. Pero a menudo los juegos de palabras son difíciles de comprender inmediatamente —usted podría no haber encontrado inmediatamente los significados alternativos de todos los ejemplos anteriores a pesar de los comentarios entre paréntesis— ahí reside un aspecto teórico importante: ¿por qué rara vez estamos conscientes de la ambigüedad potencial del lenguaje? Propongo demostrar que no sólo los juegos de palabras constituyen una fuente de malas interpretaciones potenciales, sino también cada secuencia de palabras posible en nuestro lenguaje, así como cada palabra individual de esa secuencia. Para entender porqué rara vez estamos conscientes de los múltiples significados que se podrían atribuir a las estructuras superficiales de nuestro lenguaje, debemos examinar una cuestión más básica. Si existe este abismo entre la estructura superficial y la estructura profunda, ¿cómo es posible entonces comprender el lenguaje en primera instancia? La respuesta a ello guarda una considerable importancia para la lectura, ya que si el significado no se da de una manera inmediata y sin ambigüedad en la estructura superficial del habla, entonces no tiene sentido esperar que un lector "decodifique" el lenguaje escrito al habla para que ocurra la comprensión. El habla misma necesita ser comprendida, y lo impreso no se puede leer en voz alta de una manera comprensible a menos que se comprenda en primer término. El lenguaje escrito no requiere de una decodificación del sonido para ser comprendido; la manera en que extraemos sentido o significado de lo impreso es tan directa como la manera en que comprendemos el habla. Los procesos básicos de la comprensión del lenguaje son los mismos para todas las estructuras superficiales.

Este razonamiento es tan importante que se justifica su planteamiento resumido en un diagrama. El lenguaje hablado no es comprendido mediante la "decodificación" de sonidos, sino extrayendo significado de ellos, como lo indica la flecha bidireccional de la izquierda de la figura 6.1. La lectura en voz alta no implica la decodificación de la estructura superficial de lo impreso a la estructura superficial del habla, sino que también debe ser mediada a través del significado (centro de la figura 6.1). Y en lo que respecta a la lectura en silencio (derecha de la figura 6.1) cualquier intento por comprender a través del habla subvocal es innecesario así como imposible, dado que el significado puede extraerse directamente de lo impreso. La lectura oral es más compleja y difícil que la lectura en silencio. Todos éstos son puntos que examinaré en capítulos subsecuentes acerca de la identificación de palabras y del significado en la lectura.

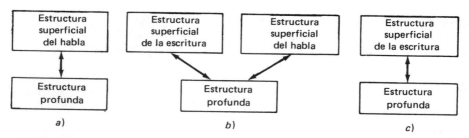

Figura 6.1. *a*) La comprensión del habla; *b*) lectura en voz alta; *c*) lectura en silencio.

El problema con las palabras

¿Cómo es posible entonces, comprender el lenguaje, ya sea hablado o escrito? La respuesta no es que juntemos el significado de palabras individuales y de ese modo comprendamos oraciones enteras. Por principio de cuentas, parece muy dudoso decir que las palabras existen por completo en el lenguaje hablado. En verdad, los instrumentos científicos no pueden aislar el principio y el final de muchos sonidos —o incluso palabras— que escuchamos separadamente. El flujo real del habla es relativamente continuo y fácilmente cambiante, y la segmentación en sonidos y palabras distintos es algo con lo que los escuchas contribuyen considerablemente. Usted puede obtener alguna indicación de esto pronunciando las dos palabras "pez sapo" y repetirlas mientras escucha cuidadosamente lo que está diciendo. Probablemente encontrará que si introduce una pausa en la expresión será entre la /e/ y la /z/ —que realmente está diciendo "pe zsapo" más que "pez sapo". Por supuesto, los hispanoparlantes nunca pensarían que realmente usted dijo "pe zsapo". Pero únicamente porque ellos hablan el idioma y son capaces de determinar y oír los sonidos que usted *piensa* que está produciendo. El hecho de que usted necesite *saber* un idioma para ser capaz de *oírlo* apropiadamente se hace evidente cuando escucha un idioma extraño. No sólo es incapaz de distinguir cuáles son los sonidos distintivos del lenguaje, sino que tampoco puede distinguir siquiera el número de palabras en una expresión. Créase o no, los hablantes de otro idioma y los niños, tienen exactamente el mismo problema con el Español. Ellos escuchan *jaiba* como *ahí va* y *varonil* como *Bar O'Neil*.

La misma existencia de las palabras puede ser un artefacto del sistema de escritura. Al menos en la escritura podemos proporcionar una definición de una palabra —como algo con un espacio en blanco del lado que sea. Los niños aprenden a hablar produciendo grupos de palabras que utilizan como una palabra larga: "tovíano". "máven", "mía-vión", o palabras individuales que usan como oraciones enteras: "leche", "pan", "no". Los lectores principiantes a menudo no pueden decir cuántas palabras hay en una oración, ya sea hablada o escrita. Necesitan ser lectores para comprender la cuestión.

Otra razón por la que es difícil afirmar que los significados de las oraciones se forman de los significados de las palabras es que parecería que con frecuencia las palabras obtienen significado en virtud de su ocurrencia en oraciones. De hecho, es muy difícil ver qué significado podría tener una palabra aislada. Incluso los sustantivos, que parecerían ser la clase de palabras más fácil de explicar, presentan dificultades. Ciertamente, está lejos de la verdad que cada objeto tiene un nombre, y cada palabra un significado. Cada objeto tiene más de un nombre; por ejemplo, la mascota de la familia puede ser llamada canino, perro, boxer, "chucho", firulais, animal y una variedad de títulos adicionales incluyendo, por supuesto, "la mascota", "gua-guá", etc. ¿Cuál es el "nombre real" del animal? Ninguno. El nombre apropiado para el uso del hablante depende del escucha y de la cantidad de incertidumbre de éste. Para que un miembro de la familia llame al animal, el nombre "Firulais" es adecuado, o simplemente "el perro"; en otras ocasiones ninguna palabra sencilla sería adecuada y el nombre tendría que ser calificado como "ese perro café que está allá" o "el boxer grande". Todo depende del conocimiento del receptor y de las alternativas entre las cuales firulais tiene que ser distinguido. El mismo animal será descrito de diferentes maneras por la misma persona, dependiendo de las características de otros perros que estén alrededor. ¿Qué significa entonces una palabra como "perro"? El diccionario lo define como "cualquier ejemplar de un grupo amplio y variado de animales domésticos relacionados con la zorra, el lobo y el chacal". Pero ése no es seguramente el significado de "perro" en la oración "cuidado con el perro", aparte de las expresiones tales como "perro caliente" (hot dog), constelación del *Can* mayor o canícula, perro viejo (persona de "colmillo retorcido"), etc.

Como señalé en el capítulo anterior, todas las palabras comunes de nuestro lenguaje tienen una multiplicidad de significados, y las palabras más comunes son las más ambiguas. Para probar esta afirmación consultemos unas cuantas palabras en el diccionario. Las palabras que nos llegan más inmediatamente a la mente —las palabras cotidianas como *mesa, silla, zapato, media, caballo, campo, fila, tomar, mirar, ir, correr, levantar, angosta*, son las que requieren más espacio para definirlas (varios renglones, e incluso columnas), mientras que las palabras menos familiares como *ósmosis, telaraña* o *tergiversación* se definen en una simple línea o dos. Las palabras más comunes de nuestro lenguaje, las preposiciones, tienen muchos sentidos diferentes y, en ocasiones, se les calumnia de tener "funciones" más que "contenido". Existe una diferencia al decir que algo está en la caja o que está dentro de ella; las preposiciones tienen significados —y en gran cantidad. El lingüista

Fries (1952), por ejemplo, descubrió en el Diccionario Oxford no menos de 39 sentidos diferentes de las preposiciones inglesas *at* y *by*, cuarenta tanto para *in* como para *with*, y 63 para *of*. Una persona que sepa inglés seguramente no tendría problemas para comprender la afirmación *I found the book by Charles Dickens by the tree by chance; I shall return it by mail by Friday* (Encontré el libro *de* Charles Dickens *en* el árbol *por* casualidad; lo regresaré *por* correo *el* viernes), pero sería muy difícil para esa persona señalar el significado (o significados) de la palabra "by" en todas o en cualquiera de sus cinco ocurrencias del ejemplo anterior. Lo mismo puede decirse de la oración en español *la blusa de seda de María procede de la China; se la dio su mamá de regalo de cumpleaños*. Las preposiciones parecen llenas de significado dentro de un contexto, pero, es imposible decir qué significado podría tener si estuvieran aisladas. Ésa es la razón por la cual es difícil traducir las preposiciones de un idioma a otro.

No es necesario persistir en el razonamiento acerca de la naturaleza de las palabras, o de su significado, cuando se acerca a un debate porque es bastante claro que las oraciones no se comprenden tratando de juntar los significados de palabras individuales. *El hombre se comió al pescado y el pescado se comió al hombre* contienen exactamente las mismas palabras, sin embargo, tienen significados muy diferentes. Un *caballo de fuerza* no es lo mismo que *fuerza de caballo*, como tampoco la afirmación clásica idealista *pienso, luego existo* significa lo mismo que *existo, luego pienso*, la afirmación materialista clásica. Una casa que es *feíta* no es exactamente fea, pero tampoco bonita. Obviamente, las palabras en todos estos ejemplos no se combinan de ninguna manera simple para formar el significado de la oración completa; de hecho, el significado de muchas de las palabras individuales en la oración parecería ser muy diferente del significado que podríamos decir que tienen cuando se presentan aisladas.

Por consiguiente, quizá el orden de las palabras es la clave —la palabra *fuerza* tiene un significado cuando va antes de *de caballo* y otro diferente cuando va después. Pero las palabras en la misma posición pueden representar diferentes significados —compare las primeras palabras de *cosas de locos* y *cosas de atrás para adelante o hilvanando*— mientras que las palabras en posiciones diferentes en una oración pueden reflejar el mismo significado. Las palabras que a menudo parecen tener un significado similar, tales como *tumbo, tiro* y *suelto*, pueden adquirir súbitamente significados muy diferentes sin ninguna variación de la posición, como en *retumbo, retiro* y *resuelto*, mientras que las palabras que parecen tener significados opuestos, tales como *alto* y *bajo*, ocasionalmente pueden perder su distintividad, como en *contralto* (la voz femenina más grave) y *contrabajo* (instrumento de cuerdas que emite sonidos graves).

Una explicación común es que la gramática hace la diferencia; efectivamente, la teoría total de Chomsky (1957, 1975) señala que la sintáxis (el orden de las palabras) es el puente entre la estructura superficial del lenguaje y su estructura profunda. Pero el problema en este punto de vista es que con frecuencia es imposible decir que se comprende la función gramatical de una palabra en la oración en que ocurre. La gramática, en otras palabras, no revela el significado, éste debe preceder al análisis gramatical. Consideremos nuevamente las palabras familiares que he venido citando como *mesa, zapato, media, caballo, fila, mirar, tomar, ir, correr, levantar, angosto*, etc.; estas palabras no sólo tienen una multiplicidad de significados, sino también varias funciones gramaticales. Pida a cualquier persona que identifique tales palabras cuando están escritas en forma aislada y notará que les parecen un tanto vagas, dado que comúnmente pueden ser tanto un sustantivo como adjetivo, o sustantivo y verbo, o adjetivo y verbo, o quizá los tres. ¿Cómo entendemos un enunciado simple como *abrir la botella vacía*? No tomando en cuenta el hecho de que *abrir* es un verbo y *vacía* un adjetivo; porque en la oración igualmente comprensible *vaciar la botella abierta*, las dos palabras cambian sus funciones gramaticales sin que cambie demasiado la estructura superficial. Esta complicada ambigüedad del lenguaje es la razón de que las computadoras no puedan traducir el lenguaje inteligentemente ni hacer abstracciones, aun cuando estén programadas con un "diccionario" y una "gramática" (Oettinger, 1969). Las computadoras carecen del conocimiento del mundo que se necesita para darle sentido al lenguaje. Por lo tanto, una computadora se confunde con más de una docena de posibles significados diferentes en una expresión simple como *el tiempo vuela*. ¿*Vuelo* es un sustantivo o un verbo como en *yo vuelo en helicóptero*, o un adjetivo, como en *te gané el volado*? Se dice que tal computadora ha interpretado *perder de vista* como *invisible*, y *salirse de sus casillas* como *demencia*.

No sólo no es posible establecer la función gramatical de las palabras individuales fuera de un contexto significativo, sino que también puede ser imposible establecer la estructura gramatical de oraciones completas sin un conocimiento previo de su significado. La mayoría de los maestros de Español automáticamente analizarían *las cebollas son plantadas por el agricultor* como una oración pasiva, dado que contiene las tres señales gramaticales de la forma pasiva —el auxiliar *son*, la terminación del participio *adas* y la preposición *por*. Mediante ciertas reglas de transformación, la oración puede convertirse en la forma activa: *el agricultor planta las cebollas*. Pero la oración *las cebollas son plantadas por el árbol* no es una oración pasiva, aunque su estructura superficial parecería contener las tres señales gramaticales apropiadas. La segunda oración no puede ser transformada en *el árbol planta las cebollas*, pero no por alguna razón gramatical, sino porque el significado determina la estructura gramatical de estas oraciones y no las señales de la estructura superficial. De hecho, *las cebollas son plantadas por el agricultor* no necesita ser una oración pasiva, dado que sólo es tan gramaticalmente ambigua como *ella fue sentada por el ministro*; la gramática depende del significado.

En otras palabras —y esto debe ser la respuesta a la pregunta del principio de esta sección— sólo hay una manera de entender el lenguaje y de comprender lo impreso, y es extrayendo el significado.

Comprensión a través de la predicción.

La afirmación de que el lenguaje puede entenderse extrayendo el significado, obviamente no puede considerarse como una implicación de que cualquier expresión u oración particular puede significar cualquier cosa. Habitualmente habría cierto consenso general amplio acerca de las principales implicaciones de las afirmaciones, al menos cuando se expresan en situaciones del mundo real. Si una persona en un elevador señala: "afuera está lloviendo", pocas personas querrían reclamar que eso podría significar que las calles están secas. Y del mismo argumento, los significados que los escuchas y los lectores extraen del lenguaje no pueden ser conjeturas descabelladas; el habitual consenso general amplio acerca de las implicaciones también hace que la atribución aventurada de significados sea improbable. Si la mayoría de la gente parece estar de acuerdo con respecto al tipo de significado que se puede atribuir a una secuencia particular de palabras, entonces se debe encontrar alguna explicación acerca de la existencia de tal acuerdo.

La explicación que se puede ofrecer no es desconocida. El lenguaje tiende a ser comprendido de la misma manera en ocasiones específicas por la misma razón que se comprende en cualquier ocasión, porque los escuchas o los lectores deben tener una idea bastante buena acerca del significado que se pretende dar a entender en primera instancia. Para ser más precisos, el significado se extrae del lenguaje a través de la predicción, que como usted recordará, significa la eliminación previa de las alternativas improbables, como señalé en el capítulo anterior. La predicción no significa apostar todo a una suposición disparatada (aunque desde luego podría correrse el riesgo de cometer errores frecuentemente), ni significa que se conoce de antemano el significado preciso (lo cual, por supuesto, haría que la atención al lenguaje fuera innecesaria en primera instancia). La predicción simplemente significa que la incertidumbre del escucha o lector está limitada a unas pocas alternativas probables, y si esa información puede encontrarse en la estructura superficial del enunciado para eliminar la incertidumbre restante, e indicar cuáles alternativas son apropiadas entre las que se predijeron, entonces ocurre la comprensión.

La predicción es la razón de que el cerebro normalmente no esté sobrecargado con la cantidad posible de alternativas en el lenguaje; realmente existen sólo muy pocas alternativas en nuestras mentes en cualquier momento dado para que comprendamos lo que se ha dicho. Y la predicción es la razón de que raramente estamos conscientes de la ambigüedad: esperamos que el escritor o el orador tal vez señale y no sólo contemple las interpretaciones alternativas. Interpretamos *los ladrones decidieron dirigirse al banco*, de una manera, si sabemos que estaban sentados en un automóvil, y de otra si estaban nadando en un río (a un *banco de arena*). Cuando se comprende el lenguaje, en otras palabras, el receptor habitualmente no está más consciente, que el productor, de la posible ambigüedad. Se supone que los oradores y los escritores al menos tienen una idea general de lo que pretenden decir y, por lo tanto, es improbable que consideren las interpretaciones alternativas del lenguaje que producen. Lo mismo puede decirse de los escuchas o los lectores. La primera interpretación que se nos ocurre es la que tiene más sentido para nosotros en el momento particular, y las alternativas e interpretaciones menos probables no serán consideradas a menos que las interpretaciones subsecuentes resulten ser inconsistentes o faltas de sentido, en cuyo caso nos daremos cuenta de nuestro probable error y trataremos de recapitular. Si una interpretación tiene sentido, normalmente quedaremos satisfechos, de tal manera que no perderemos tiempo buscando una segunda interpretación; ésta es la razón por la que los juegos de palabras son tan difíciles de comprender, y también porqué son algo molestos. No esperamos encontrar más de un significado en la misma secuencia de palabras.

Como señalé en el capítulo anterior, no hay nada muy notable o particularmente inteligente en este proceso de predicción; ocurre todo el tiempo. La predicción nos da la capacidad de extraer sentido de todos los eventos en nuestras vidas diarias. Y no estamos más conscientes de nuestras predicciones cuando leemos que cuando estamos en cualquier otra situación por la simple razón de que nuestras predicciones habitualmente son muy buenas. Rara vez nos sentimos sorprendidos porque nuestra predicciones fallan, aun cuando leemos un libro por primera vez.

¿Qué predecimos exactamente cuando leemos? La respuesta fundamental es el significado, aunque desde luego miramos las palabras o las letras (o más precisamente los *rasgos distintivos* de las palabras o las letras) que confirmarán o negarán los significados particulares. Sin embargo, es posible formular y comprobar simultáneamente cierta cantidad de predicciones más detalladas y específicas —así como modificarlas constantemente— cuando nos enfrentamos al texto real. Cada predicción específica, sin embargo se derivará de nuestras expectativas más generales acerca de hacia dónde podría conducirnos el texto como un todo, no importa lo detalladas y pasajeras que sean aquéllas.

En los siguientes capítulos explicaré cómo el significado que podríamos extraer de las secuencias de palabras modifica las predicciones que podríamos formular acerca de las palabras específicas y, de ese modo, nos capacita para identificar palabras con menos información visual, si es que la identificación de palabras se necesita. El fenómeno ya ha sido descrito y demostrado en los experimentos sobre la "visión tubular" en el capítulo tres. Usamos nuestro conocimiento previo acerca de la manera en que las letras se integran en las palabras, y éstas en secuencias gramaticales y significativas, para eliminar las alternativas improbables y, por lo tanto, para reducir nuestra dependencia en la información visual. Por supuesto, las predicciones provienen de la información no visual, nuestro conocimiento previo del tema de estudio y del lenguaje. De hecho, es a través de la predicción como nuestra información no visual puede ser desplegada para que podamos obtener una ventaja máxima de la cantidad limitada de información visual de entrada que el cerebro es capaz de enfrentar. Entre mejor sea la idea que tengamos de lo que estamos buscando, menos aspectos distintivos necesitamos discriminar.

La *estructura superficial* del lenguaje escrito es la *información visual* que intermitentemente se presenta al cerebro a través de los ojos. Los significados que extraemos del lenguaje ya se encuentran dentro del cerebro. Residen al nivel de la *estructura profunda* como parte de la *información no visual* que es la base de la comprensión. La incapacidad para darle cualquier sentido al lenguaje es el reflejo de una ausencia completa de información no visual relevante.

Algunas implicaciones prácticas

El análisis anterior debe dejar en claro que no es engañoso, sino inexacto considerar a la lectura como un asunto de "seguir el texto" o decir que un escucha "sigue" el significado de un orador. El lenguaje se comprende al mantener al tanto los detalles de entrada que el cerebro se esfuerza por manejar. Guardando alguna expectativa de lo que el orador o el escritor probablemente dirá, haciendo uso de lo que ya sabemos, nos protegemos del agobio de la información sobrecargada. Evitamos la confusión de la ambigüedad y logramos cruzar el abismo entre la estructura superficial del texto y la intención del escritor.

Es fácil demostrar cómo se mantiene al tanto el cerebro de las palabras que identificamos cuando leemos. Pídale a un amigo que apague la luz cuando usted esté leyendo en voz alta, de tal manera que se vea privado de la información visual, y encontrará que su voz es capaz de seguir "leyendo" otras cuatro o cinco palabras. Sus ojos estuvieron un segundo o más —quizá tres o cuatro fijaciones— adelante del punto que su voz había alcanzado cuando se apagó la luz. Este fenómeno es conocido como el *lapso ojo-voz*, un término que es un poco engañoso porque podría sugerir que el cerebro necesita más de un segundo para organizar en el habla los sonidos de la palabra particular que estamos mirando. Pero esto es incorrecto; el cerebro no necesita un segundo para identificar una palabra; la diferencia de tiempo no es tanto un reflejo de qué tan distante está el cerebro del ojo, sino de qué tan adelante está el cerebro de la voz. El cerebro utiliza los ojos para explorar de cerca, de tal manera que puede tomar decisiones acerca del significado y, por lo tanto, acerca de las palabras individuales, de antemano. Desde luego, el lapso ojo-voz existe únicamente cuando podemos extraer sentido de lo que leemos. Si leemos algo absurdo como *—holgazán perro el sobre salta zorra veloz la* más que *la veloz zorra café salta sobre el perro holgazán—* entonces el cerebro, el ojo y la voz tienden a convergir en el mismo punto, y el lapso ojo-voz desaparece. El lapso, de hecho, refleja muy precisamente el sentido que le damos al texto, dado que tiende a durar hasta el final de una frase significativa. El lapso de cuatro o cinco palabras simplemente es un promedio. Si las luces se apagan exactamente cuando vamos a leer... *y lo ahuyentó en la noche*, probablemente seguiremos haciéndolo en voz alta hasta *ahuyentó* o hasta *noche*, pero no nos detendremos en *en* o *la*.

Debido a que el lector debe mantenerse al tanto del texto, resulta muy difícil para los niños aprender a leer con el material que no tiene sentido para ellos, o está tan desconectado y es tan fragmentario que la predicción es imposible. Similarmente, la lectura es mucho más difícil para los niños que han sido entrenados para dirigirse directamente a las palabras en vez de tratar de extraer sentido de lo que están leyendo. No sólo "dirigirse directamente a las palabras" es mucho más difícil y lento, sino que identificarlas en forma sucesiva de una línea tras otra no proporcionará, en sí mismas, el significado, a menos que éste sea extraído del texto en primera instancia. La lectura no es cuestión de decodificar la estructura superficial del habla; los sonidos no tendrán sentido espontáneamente.

La dificultad de muchos "lectores problema" de secundaria, no es que ellos no hayan tratado a través de los años de aprender a pronunciar las palabras correctamente, ni que sean negligentes para dirigirse directamente a cada palabra, sino más bien que ellos leen una palabra en un momento dado como si el significado debiera tener la última importancia. Ellos tratan de leer bajo la suposición de que si se dirigen directamente a las palabras, entonces el significado se ocupará de sí mismo, en tanto que, de hecho, esto es lo contrario de la manera en que el sentido se extrae de la lectura.

LENGUAJE ESCRITO Y
LENGUAJE HABLADO

Obviamente, el lenguaje escrito y el lenguaje hablado no son lo mismo. No es difícil detectar cuándo un orador lee un texto preparado para hacerlo público o cuándo un pasaje que leemos es la transcripción inédita de una conferencia espontánea. El habla y lo impreso no son *lenguajes* diferentes que comparten un vocabulario común y las mismas formas gramaticales, sino que, probablemente, contienen diferentes distribuciones de cada uno de éstos. No se debe considerar como sorprendente o anómalo que existan diferencias entre el lenguaje hablado y el escrito; generalmente se utilizan para propósitos muy diferentes y se dirigen a públicos muy distintos. La gramática y el vocabulario del lenguaje hablado en sí mismos probablemente varían, dependiendo del propósito para el cual se utiliza el habla y de las relaciones entre la gente que lo usa.

Es curioso que a menudo se tomen las diferencias entre el lenguaje escrito y el habla para reflejar un defecto en la escritura. La mayoría de la gente parece asumir —y probablemente con mucha razón— que el Inglés hablado es un sistema razonablemente eficiente. Ellos pueden quejarse de la manera en que ciertas personas *utilizan* el lenguaje, pero éste en sí parece exento de críticas. Rara vez escuchamos insinuaciones de que el Inglés sería un mejor idioma hablado si hubiera en él unos pocos sonidos más o menos, o si una o dos estructuras gramaticales se añadieran o eliminaran. Desde luego, las señales de que el lenguaje está cambiando puede ser la señal para una violación considerable en los periódicos.

El lenguaje escrito, por otra parte, frecuentemente es un tema que demanda mejoría, desde reformar la ortografía hasta su total abolición en los textos introductorios a la lectura en favor del habla descriptiva. Deseo sugerir, sin embargo, que el lenguaje escrito es diferente del lenguaje hablado debido a que éste se ha adaptado para ser oído mientras que el lenguaje escrito es más apropiado para leer.

Para comprender por qué semejante adaptación especializada pudo haber ocurrido, es necesario examinar las diferentes exigencias que las dos formas de lenguaje demandan de sus receptores. Existe, por ejemplo, el hecho obvio de que la palabra hablada muere en el momento de ser pronunciada, y sólo puede ser recapturada si es retenida en la memoria falible del escucha o como resultado de una gran inconveniencia mutua cuando éste le pide al orador que la repita. Incluso las grabaciones, en mi opinión, logran mitigar poco la transitoriedad esencial del habla, en contraste con la manera fácil en que el ojo puede moverse hacia adelante o hacia atrás a través de un texto escrito. El lector atiende a varias palabras a la vez, selecciona lo que esas palabras serán, el orden en que estarán distribuidas, y el tiempo que les dedicará a cada una de ellas. En otras palabras, el lenguaje hablado puede realizar exigencias considerables de la memoria a corto término, lo que el lenguaje escrito no hace.

Por otra parte, el lenguaje escrito podría parecer que coloca una carga mucho mayor en la memoria a largo término —en lo que ya sabemos acerca del lenguaje y el mundo— que la que deposita nuestra habla cotidiana. Para darle sentido al lenguaje hablado, muy a menudo todo lo que necesitamos hacer es considerar las circunstancias en las que una expresión es pronunciada. Gran parte de nuestro lenguaje hablado cotidiano está directamente relacionado con la situación inmediata en la que es expresado. Podemos dedicar muy poca atención a las palabras reales que el orador está utilizando, para cualquier cosa que sucedió ayer o a cualquier cosa que podría ocurrir mañana. La relevancia de la expresión es tan efímera como las palabras mismas, "pásame la mermelada por favor" —y se requiere de depositar la información dentro de la memoria a largo término de una manera tan insignificante como extraer la información de ella. El lenguaje escrito, en contraste, generalmente depende de lo que podemos recordar. Rara vez podemos mirar alrededor de la habitación para darle sentido a lo que acabamos de leer.

Esta cuestión de claves para el significado se debe desarrollar para considerar un tipo diferente de exigencia que el lenguaje escrito demanda del lector, relacionado, esta vez, no con la memoria sino con la cuestión más importante de cómo extraemos sentido del lenguaje en primera instancia.

La cuestión es ¿cómo se verifica el lenguaje?; ¿cómo podemos confirmar que la información que estamos recibiendo probablemente sea la verdadera, que tiene sentido, o que efectivamente la estamos comprendiendo correctamente?; ¿cuál es la fuente de las predicciones que podemos formular a través de toda la ambigüedad inherente al lenguaje de tal manera que hagamos la interpretación más razonable y confiable? Para el tipo cotidiano de lenguaje hablado del que he estado hablando la respuesta es simple: observando. Aunque el tema de interés no esté completamente claro por lo que nuestros sentidos puedan decirnos de las circunstancias presentes, cualquier incertidumbre que tengamos probablemente puede ser eliminada por lo que ya sabemos de la naturaleza, intereses y probablemente intenciones del orador. Pero el lenguaje de los textos no ofrece tales métodos abreviados. Sólo hay un recurso final si no estamos seguros de lo que hemos leído: regresar al texto mismo. Se necesita un tipo de destreza difícil y posiblemente única para la verificación, la eliminación de lo ambiguo y para evitar los errores: la destreza para evaluar un argumento, para buscar consistencias internas del pensamiento abstracto complejo. Como dije anteriormente, tanto el origen como la comprobación de muchas de las predicciones cambiantes que se necesitan para la comprensión del lenguaje escrito deben encontrarse en el texto mismo, modeladas por las expectativas más generales que los lectores recogen de su conocimiento previo. El texto determina cuáles podrían ser las alternativas reales y si han sido predichas exitosamente.

Los requerimientos particulares del lenguaje escrito tienen tan impresionados a algunos teóricos (Havelock, 1976; Goody y Watts, 1972; Olson, 1977) que han afirmado que la escritura ha introducido una modalidad totalmente nueva de pensamiento a nuestro repertorio básico de destrezas intelectuales humanas. Podría objetarse que no todo nuestro lenguaje hablado es "cotidiano", del tipo situacionalmente verificable que he estado analizando. Cierta parte de nuestro lenguaje hablado puede ser tan abstracto, argumentativo y desvinculado de las circunstancias en las que es comprendido, como un artículo de una revista científica. Pero Olson (1977) afirma que nuestra habilidad para producir y comprender tal lenguaje hablado es, de hecho, un derivado de nuestra esencia literaria. Es sólo debido a nuestra experiencia en la lectura que podemos darle sentido a este tipo de lenguaje hablado, el cual, en su forma, es más como escritura que como habla cotidiana.

Si la predicción es la base para la comprensión del lenguaje escrito, entonces una parte importante de la información no visual de los lectores obviamente debe ser la familiaridad con los formalismos y las características únicas de las diferentes formas que el lenguaje escrito asume. Entre más sepa uno acerca del lenguaje escrito, más fácil será leer, y, por lo tanto, aprender a leer. Todo esto es parte de mi razonamiento de que la lectura no sólo se aprende a través de ella misma, sino que aprender a leer comienza al estar leyendo.

Resumen

Los sonidos del habla y la información visual de lo impreso son **estructuras superficiales** del lenguaje y no representan directamente un significado. El significado es parte de la **estructura profunda** del lenguaje y debe ser proporcionado por los escuchas y los lectores. La lectura no es la "decodificación del sonido". El lenguaje escrito y el lenguaje hablado no son lo mismo, aunque el mismo proceso de predicción subyace a la comprensión de ambos.

Las notas del capítulo 6 comienzan en la página 222.

Aprendizaje acerca del mundo y del lenguaje

Este capítulo, que introduce el tema del aprendizaje, es el último de los capítulos "generales" que examinaremos antes de involucrarnos con aspectos específicos en un análisis detallado de la lectura. Este capítulo no se interesará especialmente en el aprendizaje de la lectura; este tema se pospondrá hasta después de la consideración detallada de la misma. Sin embargo, el capítulo se ocupará del *proceso* a través del cual los niños aprenden a leer, ya que éste es el mismo con el que los niños desarrollan su habilidad para el lenguaje hablado un tiempo atrás, e incluso antes, comienzan su aprendizaje acerca del mundo en general a través de sus primeras elaboraciones de una teoría del mundo.

De hecho, este capítulo proporciona un eslabón apropiado entre los capítulos generales anteriores acerca de la comprensión y los capítulos específicos siguientes acerca de la lectura, porque intentará demostrar que la base de todo aprendizaje, incluyendo el de la lectura, es la comprensión. Los niños aprenden relacionando su comprensión de lo nuevo con lo que ya conocen, y en el proceso modifican o elaboran su conocimiento previo. También trataré de demostrar que el aprendizaje es un proceso continuo y completamente natural, tanto que no es necesario proponer procesos separados de motivación y reforzamiento para sostener y consolidar el aprendizaje (ni debería ser necesario para los maestros considerar a la motivación y al reforzamiento como entidades separadas que pueden injertarse dentro de la instrucción de la lectura). Los niños no siempre encuentran fácil o incluso necesario aprender lo que tratamos de enseñarles, pero consideran la ausencia de aprendizaje totalmente intolerable.

CONSTRUYENDO UNA TEORÍA
DEL MUNDO

En el capítulo 5 analicé la compleja pero precisa teoría del mundo que todos tenemos alojada dentro de nuestros cerebros. Obviamente, no nacimos con esa teoría. La habilidad para construir una teoría del mundo y predecir a partir de ella puede ser innata, pero los contenidos reales de la teoría, los detalles específicos que subyacen al orden y a la estructura que vamos a percibir en el mundo, no forman parte de nuestra naturalidad. Pero de una manera igualmente obvia, poco de nuestra teoría puede atribuirse a la instrucción. Sólo una pequeña parte de lo que sabemos es realmente *enseñada* por otras personas. A los maestros y a otros adultos se les da demasiado crédito por lo que aprendemos cuando somos niños.

Considérese por ejemplo cuál es el conocimiento que nos capacita para señalar la diferencia entre gatos y perros. ¿Qué se nos enseñó para poder hacer uso de esta destreza? Es imposible decirlo. Simplemente tratemos de hacer una descripción de los gatos y los perros como si fuéramos seres del espacio exterior, o incluso un niño que nunca antes ha visto gatos ni perros, para señalar la diferencia. Cualquier cosa que usted podría decir acerca de los perros, que tienen colas largas, orejas paradas o están cubiertos de piel, se aplicará a algunos gatos y no a otros perros. El hecho es que la diferencia entre gatos y perros se encuentra *implícita* en nuestras cabezas, un conocimiento que no puede expresarse en palabras. Ni podemos comunicar este conocimiento señalando una parte particular de los gatos y de los perros diciendo, "allí es donde radica la diferencia". Obviamente existen diferencias entre gatos y perros, pero usted puede prescindir del lenguaje para distinguirlas. Los niños que carecen del lenguaje pueden señalar la diferencia entre gatos y perros. Los gatos y los perros pueden indicar o notar la diferencia entre gatos y perros. Pero si no podemos decir lo que es esta diferencia, ¿cómo podemos enseñársela a los niños? Lo que hacemos, por supuesto, es indicarles algunos ejemplos de los dos tipos de animales. Decimos, "ése es un gato" o "allá va un perro". Pero darles ejemplos a los niños no implica ninguna enseñanza; meramente los enfrenta al problema. De hecho, decimos "hay algo a lo que yo le llamo gato; ahora tu descubre porqué". El "maestro" plantea el problema y deja que el niño averigüe la solución.

El mismo argumento se aplica a todo lo que podemos distinguir en el mundo: a todas las letras del alfabeto, a los números, a las sillas y las mesas, casas, comestibles, flores, árboles, utensilios y juguetes, a cada tipo de animal, a cada rostro, automóvil, avión y barco, y miles y miles de objetos que podemos reconocer no sólo a través de la vista, sino también por medio de los otros sentidos. ¿Y cuándo se nos dijeron las reglas? ¿Cómo es que a menudo alguien nos dijo "las sillas se pueden reconocer porque tienen cuatro patas y un asiento, y posiblemente un respaldo y brazos"? (Usted podría notar lo inadecuada que sería tal descripción). En cambio, alguien nos ha dicho alguna vez, "ahí hay una silla", y nos deja decidir no sólo cómo reconocer las sillas en otras ocasiones, sino también descubir qué significa exactamente la palabra "silla", cómo se relacionan las sillas con todo lo demás que hay en el mundo.

En la lectura no necesitamos incluso que alguien plantee el problema en primer término. La lectura presenta al mismo tiempo el problema como la posibilidad de solucionarlo. Unicamente en virtud de ser lectores, todos hemos adquirido un vocabulario visual de por lo menos cincuenta mil palabras, palabras que podemos identificar a la vista de la misma manera en que reconocemos caras, árboles y casas familiares. ¿Cómo adquirimos este enorme talento? ¿Cincuenta mil instantáneas? ¿Cincuenta mil veces escribe un maestro una palabra en el pizarrón y le dice a un niño lo que significa? ¿Cincuenta mil veces se combinó el sonido de una palabra a través de la fónica? Hemos aprendido a reconocer las palabras leyendo.

No sólo podemos reconocer cincuenta mil palabras visualmente —y, por supuesto, también por el sonido— sino que habitualmente podemos darles sentido a todas estas palabras. ¿De dónde provienen todos los significados? ¿Cincuenta mil consultas al diccionario? ¿Cincuenta mil lecciones? Hemos aprendido el lenguaje a través de su uso, hablándolo, leyéndolo y dándole sentido. Lo que sabemos acerca del lenguaje es principalmente implícito, tal como nuestro conocimiento de los gatos y los perros. Muy poco de nuestro conocimiento del lenguaje se nos ha enseñado realmente, subestimamos mucho del lenguaje que hemos aprendido.

Nuestro lenguaje está lleno de reglas que nunca se nos enseñaron. A usted le parecería raro que yo escribiera *tengo un botecito de madera azul* o *tengo un bote de madera azulita*. Sólo hay una manera de decir lo que quiero decir —*tengo un botecito azul de madera*— y cualquier hispanoparlante de más de cinco años de edad estaría de acuerdo. Existe una regla para hacer esto, pero no es una regla que la mayoría de nosotros podamos expresar en palabras. No es una regla que se nos enseñe.

No estoy diciendo que no existe nada que se nos enseñe. Se nos pueden haber enseñado las reglas de ciertos juegos como mover las piezas del ajedrez (aunque la mayoría de nuestras destrezas provienen de la práctica más que de la instrucción). Ciertamente se nos ha enseñado que dos veces dos es cuatro y que París es la capital de Francia. Pero todo lo que se nos enseña debe estar relacionado con lo que ya sabemos si queremos darle sentido. Y la mayor parte de nuestra teoría del mundo, incluyendo la mayor parte de nuestro conocimiento del lenguaje, ya sea hablado o escrito, no es el tipo de conocimiento que podamos expresar en palabras; es más como el tipo de conocimiento implícito del gato y el perro. El conocimiento que no podemos expresar en palabras no es el conocimiento que se pueda comunicar a través de la instrucción directa.

¿Cómo adquirimos y desarrollamos entonces la teoría del mundo? ¿Cómo se vuelve tan compleja, precisa y eficiente? Parece que sólo hay una respuesta: *realizando experimentos.*

Aprendizaje a través de experimentos

Los niños aprenden verificando hipótesis y evaluando la retroalimentación. Por ejemplo, un niño podría plantear la hipótesis de que la diferencia entre gatos y perros es que los primeros tienen las orejas paradas. Entonces el niño puede comprobar esta hipótesis en experimentos diciendo, "ahí hay un gato", " ¡qué bonito gato!" o "hola gato" cuando cualquier animal de orejas paradas pase, y "ahí está un perro" o "ése no es un gato" cuando pase cualquier animal que no lleve las orejas paradas. La retroalimentación relevante es cualquier reacción que le dice al niño si la hipótesis se verifica o no. Si alguien dice algo como, "sí, allí está un gato bonito" o acepta la afirmación del niño sin emitir ninguna respuesta explícita, entonces el niño ha recibido la retroalimentación de que la hipótesis es correcta, al menos en esta ocasión. La teoría del niño puede modificar tentativamente para incluir la regla de que los gatos son animales con orejas paradas. Pero si la retroalimentación es negativa, si alguien le dice al niño, "no, ése es un perro" o incluso algo tan agresivo como "fíjate bien, estúpido", entonces el niño se da cuenta que la hipótesis es falsa. Se debe seleccionar y someter a prueba otra hipótesis. Es claro que se necesitará más de un experimento; tendrá que vivir muchas experiencias con los gatos y los perros antes de que el niño pueda estar razonablemente seguro de haber descubierto las verdaderas diferencias entre ellos (cualesquiera que sean). Pero el principio siempre es el mismo: mantén tu teoría todo el tiempo que funcione; modifica tu teoría, busca otra hipótesis, cada vez que falle.

Nótese que es esencial que el niño comprenda el problema en primera instancia. Los niños no aprenderán a reconocer a los gatos simplemente porque se los muestren; no sabrán qué buscar. Tanto los gatos como los perros deben ser vistos para que surjan hipótesis acerca de sus diferencias relevantes. Los niños aprenden cada una de las letras del alfabeto viéndolas en conjunto; deben ver cuáles son las alternativas.

Existe una íntima relación entre la comprensión y el aprendizaje. Los experimentos de los niños nunca van más allá de sus teorías; deben comprender lo que están haciendo todo el tiempo que están aprendiendo. Cualquier cosa que confunda a un niño será ignorada; no hay nada que se pueda aprender ahí. No es lo absurdo lo que estimula a los niños a aprender, sino la posibilidad de extraer sentido; ésa es la razón de que los niños crezcan hablando el lenguaje y no imitando el ruido de su acondicionador de aire. Los niños no aprenden si se les niega el acceso a los problemas. Un niño que aprende a hablar debe estar inmerso en el lenguaje hablado, y es mucho mejor ayudar a un lector principiante que tiene dificultades para leer que privarlo de la lectura.

Este proceso de verificación de hipótesis funciona instintivamente por debajo del nivel de la conciencia. Si estamos conscientes de las hipótesis que sometemos a prueba, entonces podemos decir que eso es lo que nos da la capacidad de señalar la diferencia entre gatos y perros. No estamos más conscientes de las hipótesis que subyacen al aprendizaje que de las predicciones que subyacen a la comprensión o de la teoría del mundo en sí. Desde luego, no existe ninguna diferencia básica entre la comprensión y el aprendizaje; las hipótesis simplemente son predicciones tentativas.

APRENDIZAJE ACERCA DEL LENGUAJE

¿Cuándo ocurre toda esta experimentación? Pienso que para los niños pequeños sólo hay una respuesta: se la pasan verificando hipótesis todo el tiempo. Sus predicciones siempre son tentativas. Esta afirmación estará mejor ilustrada con respecto al tema con el que estaremos ocupados, a saber, el lenguaje.

Adscripción del significado en el habla

Considérense, por ejemplo, los procedimientos relativamente bien investigados a través de los cuales los niños gradualmente aprenden las reglas que les darán la capacidad de producir enunciados gramaticales en el lenguaje hablado que los rodea (Brown, 1973; McNeill, 1970). Nadie podría señalar estas reglas con la precisión suficiente para intentar enseñárselas a un niño, ni existe alguna evidencia de que los niños podrían producir expresiones comprensibles como resultado de haber recibido instrucción en estas reglas. En lugar de ello, los niños "inventan la gramática". Ellos formulan hipótesis de las reglas para la formación de enunciados, cómo y cuándo las necesitan, y verifican la adecuación de estas hipótesis dándole el uso de representar un significado. Y los niños progresivamente modifican estas reglas hipotéticas a la luz de la retroalimentación que reciben de los hablantes del lenguaje a quienes dirigen sus enunciados. Los adultos no sólo corrigen el lenguaje de los niños; les proporcionan modelos relevantes en un lenguaje adulto, para la elaboración del significado que los niños tratan de expresar en su propia manera tentativa. El punto crítico de esta interacción está en el significado que se comparte; el adulto debe ser capaz de comprender lo que el niño está diciendo. Los adultos no conocen las reglas a través de las cuales los niños forman sus primeras expresiones, pero pueden extraerles el sentido mediante su conocimiento previo de los niños y de las situaciones en las que se emiten los enunciados. Como consecuencia, los niños pueden ocuparse del problema de determinar cómo se relacionan la estructura superficial y la estructura profunda.

Los niños que están comenzando a hablar frecuentemente producen enunciados que son completamente obvios. Un niño que esté con usted mirando a través de una ventana dirá algo como "mira avión", aunque usted pudo incluso haber señalado hacia el avión en primera instancia. ¿Por qué debe el niño entonces molestarse en producir el enunciado? La respuesta es porque el niño está aprendiendo, realizando un experimento. De hecho, un niño podría estar conduciendo no menos de tres diferentes experimentos al mismo tiempo en una sola situación.

El niño podría estar sometiendo a prueba la hipótesis de que el objeto que ambos están viendo claramente en el cielo *es* un avión, que no es un pájaro, nube ni cualquier otro objeto más que no se pueda identificar. Cuando usted dice, "sí, ya lo ví", usted está confirmando que el objeto es un avión: retroalimentación positiva. Incluso el silencio se interpreta como retroalimentación positiva, dado que el niño podría esperar que usted lo corrigiera si la hipótesis fuera incorrecta. La segunda hipótesis que el niño podría estar comprobando, en cuanto a los sonidos del lenguaje, es que el nombre "avión" es el nombre correcto del objeto, más que "apión", "amión" o cualquier otro que el niño pudiera decir. Una vez más el niño puede suponer que si usted no aprovecha la oportunidad para hacer una corrección, entonces es que no hay nada que corregir. Una prueba que ha sido confirmada exitosamente. La tercera hipótesis que el niño puede estar verificando es lingüística, si "mira avión" es una oración significativa y gramaticalmente aceptable en el lenguaje adulto. La retroalimentación llega cuando el adulto dice "Sí puedo ver el avión". El niño aprende a producir oraciones en su lenguaje utilizando oraciones tentativas de las cuales ambos ya saben el significado, *en una situación que los dos comprenden.*

El mismo principio de extraer sentido del lenguaje comprendiendo la situación en la cual se usa, se aplica en otra dirección cuando el niño aprende a *comprender* el habla de los adultos. Al principio del aprendizaje del lenguaje, los niños deben ser capaces de comprender lo que los adultos dicen antes de que puedan comprender el lenguaje adulto. ¿Suena paradójica esa afirmación? Lo que quiero decir es que los niños no van a comprender oraciones como "¿te gustaría un refresco o un jugo", o incluso el significado de palabras sencillas como "jugo", descifrando el lenguaje o teniendo a alguien que les explique las reglas. Los niños aprenden porque inicialmente pueden hipotetizar el significado de un enunciado a partir de la situación en la cual se produce. Habitualmente un adulto sostiene o señala un vaso con refresco o jugo al mismo tiempo que pronuncia "¿te gustaría un refresco o un juego?". A partir de tales situaciones un niño podría hipotetizar lo que sucedería la próxima vez que alguien mencione la palabra "jugo". La situación proporciona el significado y la expresión señala la evidencia; eso es todo lo que un niño necesita para construir hipótesis que se puedan comprobar en futuras ocasiones. Los niños no aprenden el lenguaje para darle sentido a las palabras y a las oraciones; ellos le dan sentido a las palabras y a las oraciones para aprender el lenguaje (MacNamara, 1972).

Los ojos desempeñan un papel interesante en estos primeros experimentos con el lenguaje. Newson y Newson (1975) han señalado que la comunión de significado se facilita a través de una convergencia de miradas. Cuando un padre le ofrece a un niño un vaso con jugo, probablemente no se miren entre sí, sino que mirarán hacia el vaso que el padre está ofreciendo. Cuando un padre dice, " ¡ah!, allí está el seguro del pañal", a un bebé que no comprende una palabra del habla, las miradas del padre y del bebé probablemente se dirijan hacia el seguro del pañal. Extrayendo un posible significado del enunciado, el niño puede hipotetizar una relación entre los dos, y por lo tanto comprobar, confirmar o modificar las reglas provisionales acerca de esta relación un procedimiento muy eficiente que funcionará sólo si el niño puede darle sentido a la intención del lenguaje adulto.

No conozco ninguna investigación sobre la cantidad de lenguaje que los niños podrían aprender simplemente por observación. Pero si un bebé puede hipotetizar y comprobar un significado potencial cuando se le ofrece un vaso con jugo, no veo razón para que el niño no pueda comprobar una hipótesis similar oyendo por casualidad que un adulto le ofrece a otro una taza de café, a condición de que el incidente completo también pueda ser visto. Nuevamente el niño podría comparar el significado probable de la expresión. Existen límites obvios del número de intercambios del lenguaje en los que los niños están involucrados directamente, y en cualquier caso pueden estar en la seudo "habla infantil" de los adultos, lo cual no puede ser de mucha utilidad para los niños que están tratando de aprender el lenguaje adulto. Al menos podría parecer posible que la mayoría de los niños escuchan por casualidad más lenguaje del que realmente se les dirige, aunque nuevamente no existe investigación sobre el tema; por lo que, de manera general, mucho de este lenguaje doméstico escuchado por casualidad sería significativo; tendría funciones y resultados que son predecibles y comprobables.

Adscripción del significado a lo impreso

Expresado de otra manera, el conocimiento básico que debe capacitar a un niño para darle sentido al habla, es que sus sonidos no están ordenados al azar, que no son arbitrariamente sustituibles. Con esto quiero dar a entender que los sonidos del habla hacen una diferencia. Un adulto no puede producir los sonidos "¡ahí está el camión!" cuando el supuesto significado debería ser "vámonos a pasear".

Un conocimiento similar es que las diferencias tienen un propósito, que son significativas y no arbitrarias, y que también deben ser la base para el aprendizaje de la comprensión de lo escrito. Los niños deben tener el conocimiento de que lo impreso es significativo, ya que eso es lo que constituye la lectura: darle un sentido a lo impreso. Siempre que los niños vean algo sin sentido en lo impreso, mientras lo ven como arbitrario o absurdo, no encontrarán ninguna razón para atenderlo. Ellos no aprenderán tratando de relacionar las letras con los sonidos, en parte porque el lenguaje escrito no funciona de esa manera, y en parte porque no es algo que tenga sentido para ellos.

Nuevamente, la investigación tiene poco que ofrecer hasta aquí mediante datos relevantes, pero parecería ser una hipótesis razonable decir que la mayoría de los niños están tan inmersos en el lenguaje escrito como en el habla. No me estoy refiriendo a la escuela, ni a los libros sobreestimados que supuestamente circundan e inspiran un poco a ciertos niños privilegiados para leer y escribir. En vez de ello, me refiero a la abundancia de cosas impresas que se encuentran en todos los productos en el baño, o en cada frasco o paquete de la cocina, en las revistas (y en los comerciales de la televisión), en los catálogos, folletos, anuncios publicitarios, directorios telefónicos, en las señales viales, en los escaparates, estaciones de gasolina, carteleras, en los envases desechables, supermercados y tiendas de departamentos. No esperamos encontrar un cereal en un paquete que dice *detergente*, ni buscamos dulces en un establecimiento que dice *lavandería*, ni un concierto en un programa de televisión anunciado como *fútbol*.

Para quienes no desconocen esto (los lectores expertos se inclinan a serlo), nuestro mundo visual frecuentemente está adornado con lo impreso, la mayor parte de él (compruébelo en un supermercado) literalmente está enfrente de nuestros ojos. La cuestión es si los niños todavía no pueden poner mucha atención en ello. He oído hablar de un niño de tres años y medio que obviamente no podía leer las palabras *equipaje* y *calzado* en las señales de una tienda de departamentos (porque las entendía equivocadamente) pero que sin embargo afirmó que la primera decía "cajones" y la segunda "zapatos" (Smith, 1976). Éste era un niño que podía extraer el significado de lo impreso mucho antes de que pudiera leer realmente, y quien, por lo tanto, había adquirido el conocimiento de que las diferencias en lo impreso son significativas.

Sólo hay una manera posible de alcanzar tal conocimiento, y esa es cuando un niño que va a leer o a observar lo impreso recibe una respuesta significativa. En este punto, no me estoy refiriendo a la lectura de libros o de historietas, sino a las ocasiones en que se le dice a un niño "esa señal dice 'alto' ", "esa palabra que está en la puerta dice 'niños' ", o "ésta es la caja de las galletas". Los comerciales de la televisión pueden ser lo mismo para un niño —no sólo anuncian el nombre del producto, su conveniencia y exclusividad con un lenguaje hablado y escrito, sino que incluso demuestran el producto funcionando. La cuestión en todos estos casos es que no puede realizarse ninguna sustitución; la variedad de lo impreso no es tan arbitraria como el patrón del papel tapiz, sin embargo, se relaciona íntimamente con las situaciones en las cuales aparece, y así como el lenguaje hablado de la casa, existe una gran cantidad de cosas que un niño podría aprender a través de la observación —hipotetizando un significado probable y viendo si la hipótesis se confirma. Los niños pueden someter a prueba sus hipótesis acerca del significado de la palabra impresa *juguetes* en un almacén, no porque alguien se las lea, sino sobre la base de si la señal indica de hecho la ubicación del departamento de juguetes. Hay una consistencia entre lo impreso y su ambiente. Lo impreso que normalmente circunda a los niños es potencialmente significativo y, por lo tanto, proporciona una base efectiva para el aprendizaje. Normalmente es posible hipotetizar y comprobar lo que esas palabras impresas significan —o al menos lo que probablemente significan— mediante el contexto en el cual ocurren.

Texto continuo

Cuando consideramos el texto continuo, el lenguaje escrito de los libros y de otros materiales amplios tales como cartas y artículos del periódico, encontramos que los mismos principios de consistencia e insustituibilidad pueden aplicarse, pero ahora las restricciones residen en el lenguaje del texto en sí, más que en el contexto físico de la situación circundante. Nadie —ni siquiera el autor— puede sustituir arbitrariamente una palabra por otra en un texto ya que la elección de palabras está limitada estrictamente por lo que el autor está tratando de decir y el lenguaje que utiliza para decirlo. Cada palabra que escribo en este momento debe ser consistente con el significado que estoy tratando de expresar.

Estas restricciones que limitan la variedad de palabras del autor son guías para el lector o para el niño que está aprendiendo a leer. Cada palabra en un texto significativo es bastante predecible a partir de las palabras que la rodean. De hecho, se puede eliminar una de cada dos palabras de un texto razonablemente inteligible sin afectar seriamente la comprensión (Miller, 1956). Esto es otro ejemplo de la *redundancia* en el lenguaje escrito; la comprensión del todo por parte de un lector puede contribuir a la comprensión de las partes, e incluso al aprendizaje de las palabras que son desconocidas. No sólo aprendemos a leer leyendo; de manera simultánea construimos nuestra competencia generalmente en el lenguaje. Un niño puede hipotetizar tan fácilmente la identidad e incluso el significado supuesto de la palabra *juguetes* cuando se presenta en un párrafo como cuando está impresa en una señal sobre uno de los departamentos de un almacén, excepto que las señales ahora se encuentran en el texto mismo.

Pero como expliqué en el capítulo anterior, el lenguaje escrito de los textos no es el mismo que el lenguaje hablado del ambiente no escolar del niño. Para que un niño comprenda y aprenda a partir del lenguaje escrito —para que la predicción y la hipótesis demuestren su factibilidad— el niño debe estar familiarizado con el lenguaje escrito. Un conocimiento de la forma particular del lenguaje escrito debe formar parte de la información no visual del niño.

No importa que no podamos decir con precisión cuáles son exactamente las diferencias entre los lenguajes hablado y escrito. No podemos señalar cuál es la naturaleza de las reglas del lenguaje hablado, no obstante que los niños aprenden a darle sentido al habla. Suponiendo que los niños puedan darle sentido al lenguaje escrito, no hay una evidencia convincente de que deban fracasar al aprender las reglas de lo que sea. Los requisitos generales de inmersión en el problema, la posibilidad de darle sentido, y la oportunidad de recibir retroalimentación al comprobar hipótesis parecerían ser tan fácilmente satisfechos por el lenguaje escrito como por el habla. De hecho, el lenguaje escrito parece tener varias ventajas en lo que se refiere a la comprobación de hipótesis, a condición de que el niño pueda darle sentido en primera instancia, dado un número de pruebas que pueden ser conducidas en el mismo material —se intenta una segunda hipótesis si la primera falla. Y en virtud de su consistencia interna, el texto en sí puede proporcionar retroalimentación relevante acerca de la exactitud de las hipótesis. Cuando se lee algo se comprende, normalmente se puede decir si comete un error y cuál es la diferencia que introduce el error. Es probable que en cierto punto el texto no tenga sentido, y se podrá regresar y hallar el motivo.

Sin embargo, nada de esto tendrá valor para los niños que aprenden a leer si el lenguaje a partir del cual esperan leer no es, de hecho, "lenguaje escrito", o si no están familiarizados con los formalismos particulares del lenguaje escrito, o carecen del conocimiento fundamental de que el lenguaje escrito y el habla en ningún caso son lo mismo. Éstos son problemas que tendremos que examinar más detalladamente cuando consideremos la instrucción de la lectura.

TRES ASPECTOS DEL APRENDIZAJE

El aprendizaje, he dicho, es la modificación o elaboración de lo que ya se conoce, de la estructura cognoscitiva, la teoría interna del mundo. ¿Qué es exactamente lo que se modifica o elabora? Puede ser cualquiera de los tres componentes de la teoría: el sistema de categorías, las reglas para relacionar los objetos o los eventos con las categorías (series de aspectos distintivos), o el sistema complejo de interrelaciones entre las categorías.

Es necesario que los niños establezcan constantemente nuevas categorías en su estructura cognoscitiva y descubran las reglas que limitan la adscripción de eventos a esa categoría. Tienen que aprender que no todos los animales son gatos y perros, sino que sólo algunos animales lo son. Los niños que aprenden a reconocer visualmente la palabra impresa *gato* tienen que establecer una categoría visual de esa palabra, así como deben tener una categoría para los gatos reales, que se distinga de otras categorías para los perros, etc. Los lectores diestros desarrollan categorías para cada letra del alfabeto y también para cada palabra que se puede identificar visualmente junto con, posiblemente, las listas de letras o grupos silábicos de las letras que ocurren frecuentemente. Este proceso de aprender a establecer categorías involucra hipotetizar lo que son las diferencias significativas —la única razón para establecer una nueva categoría es hacer otra diferenciación en nuestra experiencia, y el problema del aprendizaje es encontrar las diferencias significativas que deben definir la categoría.

Cada categoría que distinguimos debe ser específica al menos para una serie de rasgos distintivos. Cada vez que los niños aciertan al aprender a reconocer algo nuevo, deben haber establecido un nuevo conjunto de rasgos distintivos. Pero habitualmente van más alla y establecen series *alternativas* de aspectos para la especificación de las mismas categorías. Ellos aprenden que una *a*, *a*, o incluso una *A* se debe categorizar como una letra "a", tal como muchos animales de apariencia diferente deben ser categorizados como un gato. Denomino conjunto crítico a cualquier grupo de rasgos que sirven para categorizar un objeto, y me referiré a los conjuntos alternativos de la misma categoría como *funcionalmente equivalentes*. Cuando los niños aprenden, descubren más y más maneras de tomar la decisión de que un objeto o evento particular debe ser categorizado de cierta manera. El número de conjuntos críticos funcionalmente equivalentes se hace más grande. El aprendizaje también está involucrado con la habilidad para hacer un uso cada vez menor de la información de los aspectos para comprender un texto. Examinaremos muchos ejemplos del uso de las series de criterios funcionalmente equivalentes en nuestro análisis de los procesos de la lectura. Encontraremos que la mayoría de los lectores hábiles pueden identificar palabras que tienen grandes partes (muchos rasgos) tachadas, tales como FELICIDAD, y pueden darle sentido a un texto que tiene aún más rasgos tachados o borrosos. Todo esto es posible porque hemos aprendido a hacer un uso óptimo de la información disponible, tanto visualmente como a partir de nuestro conocimiento adquirido del lenguaje.

Finalmente, los niños constantemente aprenden nuevas interrelaciones entre las categorías, desarrollando su habilidad para darle sentido al lenguaje y al mundo. La comprensión de la manera en que se integran las palabras en el lenguaje significativo hace posible la predicción y, por lo tanto, la comprensión. Como he tratado de demostrar, estas interrelaciones, las reglas sintácticas y semánticas del lenguaje, tampoco son enseñadas. Pero un niño puede aprender nuevas interrelaciones mediante el mismo proceso de prueba de hipótesis. La comprensión es la base para que un niño aprenda a leer, pero la lectura, en cambio, contribuye al desarrollo de la habilidad de comprensión de un niño permitiendo la elaboración de la compleja estructura de categorías, listas de rasgos y las interrelaciones que constituyen la teoría del mundo de cada niño.

APRENDER TODO EL TIEMPO

El aprendizaje es un proceso continuo y fácil, tan natural como respirar. Un niño no tiene que estar especialmente motivado o recompensado para aprender; de hecho, el impulso es tan natural que estar privado de la oportunidad de aprender es aversivo. Los niños se esforzarán por evadir las situaciones en donde no haya nada que aprender, de la misma manera que lucharán por escapar de las situaciones en donde sea difícil respirar. La incapacidad para aprender es sofocante.

No hay necesidad de preocuparse por los niños que no son estimulados y adulados constantemente, que "tomarán el camino fácil" y no aprenderán. Los niños pequeños que leen el mismo libro veinte veces, aunque se sepan las palabras de memoria, no evitarán más material "desafiante" para escapar del aprendizaje; todavía están aprendiendo. Puede ser hasta que no sepan con precisión cada palabra del libro que puedan ocuparse de algunos de los aspectos más complejos de la lectura, tales como la prueba de hipótesis acerca del significado y aprender a hacer uso de tan poca información visual como sea posible.

Los niños no permanecen en ninguna situación en la que no hay nada que puedan aprender. Todos están equipados con un dispositivo muy eficiente que les evita perder el tiempo en las situaciones en donde no hay nada por aprender. Ese dispositivo se llama *tedio*, es algo de lo que todos los niños quieren escapar. Un niño que está aburrido en la clase no está demostrando renuencia, incapacidad ni malicia en contra de sus compañeros; el tedio debe comunicar sólo un mensaje bastante claro al maestro: no hay nada en la situación particular para que el niño aprenda.

Desafortunadamente, existen dos razones por las que podría no haber nada para que un niño aprenda en una situación particular y, por lo tanto, dos razones del tedio, que surgen de fuentes muy diferentes. Una razón por la que los niños podrían no tener nada que aprender es muy simple —ya lo saben. Los niños no atenderán a cualquier cosa que ya conozcan. La naturaleza lo ha capacitado para no perder su tiempo de esta manera. Pero los niños también sufrirán y exhibirán los mismos síntomas de tedio, no sólo porque ya conocen algo, sino porque no pueden darle sentido a lo que se espera que lean. Los maestros verían muy claramente que cierto ejercicio mejorará el conocimiento o las destrezas útiles de un niño, pero a menos que el niño pueda notar cierto sentido en el ejercicio, la instrucción es una pérdida de tiempo.

El riesgo y las recompensas del aprendizaje

Existe otra razón por la que los niños podrían rehusar el aprendizaje, y ésa es su riesgo. Para aprender, usted debe correr un riesgo. Cuando usted comprueba una hipótesis, debe haber una posibilidad de estar equivocado. Si está seguro de estar en lo correcto, puede no haber nada que aprender porque ya lo sabe. Y si hay una posibilidad de estar equivocado, usted aprende si está en lo correcto o no. Si usted tiene una hipótesis acerca de lo que constituye un gato, no habrá diferencia entonces si usted dice "gato" y está en lo correcto o dice "perro" y está equivocado. De hecho, a menudo usted obtiene la información más útil cuando está equivocado porque puede estar en lo correcto por la razón equivocada, pero cuando usted está equivocado sabe que ha cometido un error.

Muchos niños se vuelven renuentes a aprender porque temen cometer un error. Si la afirmación anterior parece incluso ligeramente improbable, considérese el crédito relativo que se les da a los niños dentro y fuera de la escuela por estar "en lo correcto" y por estar "equivocados".

No debería haber necesidad de persuasiones especiales para motivar a un niño a aprender. Los niños están motivados para aprender siempre que hay algo que no comprenden, a condición de que sientan que existe la oportunidad de que pueden aprender. Ellos aprenden el lenguaje, básicamente, porque es parte del mundo que los rodea; porque ven a otra gente que lo usa, que le da sentido. Las persuasiones irrelevantes

—algunas veces llamadas refuerzo extrínseco— se hacen necesarias sólo cuando un niño se enfrenta a algo que no tiene o no puede darle sentido. Y forzar a un niño a atender lo absurdo es algo inútil en cualquier caso. La confusión es aversiva.

Tampoco es necesario recompensar extrínsecamente el aprendizaje. La exquisita virtud final del aprendizaje es que proporciona su propia recompensa. Aprender es satisfactorio, como todos saben. La privación a las oportunidades de aprendizaje es tediosa, y el fracaso al aprender es frustrante. Si un niño necesita "reforzamiento" para aprender, entonces sólo hay una conclusión que puede derivarse: ese niño no ve ningún sentido al intentar el aprendizaje en primera instancia.

Resumen

La mayor parte de lo que sabemos acerca del lenguaje y del mundo no se enseña formalmente. En cambio, los niños desarrollan su teoría del mundo y su competencia en el lenguaje mediante la comprobación de **hipótesis**, experimentando con modificaciones y elaboraciones tentativas lo que ya conocen. Por consiguiente, la base del aprendizaje es la comprensión. Los niños son capaces de aprender a darle sentido a lo impreso cuando la situación física en la cual ocurre, o el texto en sí, proporcionan las claves del significado. Para darle sentido al texto, sin embargo, los niños también necesitan estar familiarizados con las diferencias entre los lenguajes hablado y escrito.

Las notas del capítulo 7 comienzan en la página 230.

Identificación
de letras

La ruta más fácil a través de un terreno complicado puede no ser la más directa. Ahora que estamos comenzando un análisis de la lectura, se adoptará una aproximación indirecta. El punto al que nos dirigimos es que la lectura fluida normalmente no requiere de la identificación de letras o palabras individuales, pero la ruta más conveniente para llegar a ese punto comienza con un análisis de la identificación de ellas. La identificación de letras se centra en un aspecto de la lectura en donde se puede especificar y establecer concisamente el problema: ¿cuál es el proceso mediante el cual las personas que conocen el alfabeto pueden discriminar y nombrar cada una de las 27 alternativas que realmente se les presentan?

A diferencia de la lectura de palabras, la cuestión no surge de si las letras se leen una por una o todas a la vez. Las letras individuales no pueden ser "entonadas" como las palabras; su apariencia guarda una relación puramente arbitraria con la manera en que se pronuncian. Y puede haber poco que decir acerca de su significado; "comprendemos" una letra cuando podemos decir su nombre, y no hay más que hablar.

No obstante esta simplificación, la identificación de letras y la de palabras se parecen en un aspecto importante: ambas involucran la discriminación y la categorización de la información visual. Posteriormente veremos que el proceso mediante el cual se identifican las letras puede ser de especial relevancia para una comprensión de la identificación de palabras.

Antes de continuar, podemos desviarnos un poco para explicar el uso arbitrario de los términos "identificación" y "reconocimiento" como rótulos del proceso mediante el cual se discrimina una letra o palabra (o significado) y se coloca en una categoría cognoscitiva particular. Las definiciones de diccionario de las dos palabras son complicadas, pero es claro, estrictamente hablando, que no son sinónimos. "Identificación" involucra una decisión de que un objeto al que ahora se enfrenta uno debe ser ubicado dentro de una categoría particular. No existe la implicación de que el objeto que se va a identificar deba haberse conocido anteriormente. "Reconocimiento", por otra parte, significa literalmente que el objeto al que nos enfrentamos ahora ha sido visto antes, aunque la identificación puede no estar involucrada. *Reconocemos* a la gente cuando sabemos que la hemos visto antes, ya sea que les demos un nombre o no. *Identificamos* a las personas cuando les damos un nombre, ya sea que las hayamos conocido anteriormente o no.

Los psicólogos experimentales y los especialistas en la lectura habitualmente hablan acerca del *reconocimiento* de letras y de palabras, pero el uso del término parece doblemente inapropiado. Primero, difícilmente considerarían que se ha reconocido una palabra a menos que se proporcione su nombre; no considerarían que un niño reconoció una palabra si todo lo que el niño pudo decir acerca de ella fue "ése es el mismo garabato que no pude leer ayer". Segundo, el lector hábil a menudo puede asignar un nombre a la información visual que nunca ha visto con anterioridad. Como un caso muy extremo. ¿"Reconoce" o "identifica" usted la información visual *lEcTuRa* como la palabra "lectura"? Es casi seguro que nunca ha visto la palabra escrita de esa manera anteriormente. El peso de la evidencia parecería favorecer a la "identificación" y, por lo tanto, el término se utiliza con propósitos formales tales como las cabezas capitulares. Pero habiendo hecho la distinción, necesitamos no ser dogmáticos con respecto a ella; "identificar", "reconocer", "categorizar", "nombrar", e incluso "leer", continuarán, en general, siendo usadas intercambiablemente; es el proceso en el que estamos interesados hasta el momento, no la manera flexible en que el lenguaje es utilizado.

De hecho, no es estrictamente correcto referirse a la información visual que el cerebro se esfuerza en identificar como "letras" en ocasiones particulares; esto implica que la decisión perceptual ya ha sido asumida. Si una señal particular en la página debe ser caracterizada como una letra depende de la intención del receptor (ya sea el lector o el escritor). Como hemos visto, *10* puede ser identificado como dos letras o como dos números. Previa a una decisión de identificación, la información visual que es *10* simplemente es un patrón de marcas de tinta contrastantes en el papel, más precisamente referida como *configuración visual*, *sistema visual*, o incluso *estímulo visual*.

TEORÍAS DEL RECONOCIMIENTO DE PATRONES

La identificación de letras es un problema especial dentro de la amplica área teórica del "reconocimiento de patrones" —el proceso mediante el cual cualquiera de dos configuraciones visuales se "conocen" como iguales. El proceso de reconocimiento es de interés filosófico clásico, ya que se ha afirmado durante más de dos mil años que no existen dos eventos exactamente iguales; el mundo siempre está en flujo, y nunca vemos un objeto dos veces exactamente de la misma forma, desde el mismo ángulo, en la misma luz, ni con el mismo ojo. Un tema de interés muy general para la psicología es saber lo que determina exactamente que dos objetos o eventos sean considerados como equivalentes. La decisión de equivalencia reside claramente en el receptor y no en alguna propiedad del sistema visual. ¿Son lo mismo J y $\mathcal{J}$? Muchos dirían que sí, pero un impresor diría que no. ¿Son idénticos dos automóviles del mismo año, modelo y color? Posiblemente sí para todos, excepto para sus propietarios. *Es el receptor, y no el objeto, lo que determina la equivalencia.* Organizamos nuestras vidas y nuestro conocimiento decidiendo que algunas cosas deben ser tratadas como equivalentes —son las cosas que colocamos dentro de la misma categoría— y algunas como diferentes. Esas diferencias entre objetos o eventos que nos ayudan a ubicarlos en sistemas de categorías pueden llamarse de distintas maneras, tales como "atributos de definición", "atributos críticos," o "propiedades críticas"; en esencia, son las diferencias que elegimos para hacerlas significativas. Las diferencias que preferimos ignorar, las que no influyen en nuestra decisión, a menudo no se notan. Obviamente es más eficiente prestar atención únicamente en las diferencias significativas, particularmente en vista de la capacidad limitada para procesar la información del cerebro humano. Por lo tanto, es difícilmente sorprendente que podamos soslayar las diferencias que no estamos buscando en primera instancia, como la súbita ausencia de la barba de nuestro amigo, o el dibujo de su corbata, o un error en el encabezado de un periódico. Los seres humanos deben su posición prominente en la jerarquía intelectual de los organismos vivos no tanto a su habilidad para percibir el mundo de muchas maneras diferentes, sino a su capacidad para percibir las cosas de la misma manera de acuerdo con los criterios que ellos mismos establecen, ignorando selectivamente lo que podrían llamarse "las diferencias que no hacen una diferencia". El gigante intelectual no es el que reconoce cada animal individual en los jardines zoológicos, sino el que puede observar los antecedentes de las diferencias individuales y agruparlas en especies y familias "equivalentes" sobre una base más abstracta y sistemática.

El proceso que determina la manera en que las letras o palabras son tratadas como equivalente, se ha convertido en un foco de atención teórico debido a su aplicación particular a la tecnología de las computadoras. Existe un obvio interés teórico y económico en diseñar computadoras que sean capaces de leer. La construcción de una computadora con cualquier grado de habilidad de lectura fluida es actualmente imposible por varias razones, una de las cuales es que el lenguaje no es lo suficientemente conocido como para proporcionarle a una computadora la información básica necesaria. El lenguaje puede ser comprendido únicamente si existe una comprensión subyacente del tema al que se refiere el lenguaje, y efectivamente la habilidad de las computadoras para "comprender" cualquier tópico es muy limitada. Pero no se ha probado que sea imposible proporcionar a una computadora las reglas para la identificación de letras, dejando aparte a las palabras o significados, al menos no de una manera tan parecida a la facilidad con la que los seres humanos pueden identificarlas. Si consideramos los problemas del reconocimiento de patrones desde el punto de vista de la computadora, podemos obtener algunos conocimientos acerca de lo que debe estar involucrado en la destreza humana.

Existen dos maneras básicas en que una computadora podría ser construida para reconocer patrones, ya sean números, letras, palabras, textos, fotografías, huellas digitales, grabaciones, rúbricas, diagramas, mapas u objetos reales. Las dos maneras son esencialmente aquellas que parecen ser teóricamente abiertas para explicar el reconocimiento de patrones por los humanos. Las alternativas pueden llamarse *igualación al modelo* (o a la muestra) y *análisis de rasgos*; y la mejor manera de describirlas es tratando de imaginar la construcción de una computadora capaz de leer las 27 letras del alfabeto.

Para nuestros dos modelos, para la igualación a la muestra y los dispositivos analíticos de los rasgos, las reglas básicas tienen que ser las mismas. Consideraremos que la computadora está equipada exactamente con los mismos mecanismos de entrada y salida. En el extremo de entrada es un sistema óptico, un "ojo" electrónico sensible a la luz para examinar la información visual y "formular preguntas" acerca del ordenamiento de la luz y de la sombra, y en el extremo de salida es una serie de 27 respuestas, a saber, la posibilidad de imprimir (o incluso "hablar" con equipo auxiliar) cada una de las letras del alfabeto. El objetivo, por supuesto, es construir un sistema entre los mecanismos de entrada y salida para asegurar que cuando el sistema visual E se presente en el extremo de entrada, "E" será señalado por la salida.

Igualación a la muestra

Para un dispositivo de igualación a la muestra, debe construirse una serie de representaciones internas para ser, de hecho, una biblioteca de consulta de las letras que se requiere que el dispositivo identifique. Podríamos comenzar con una representación interna, o "modelo", de cada letra del alfabeto. Cada modelo está conectado directamente con la respuesta apropiada, mientras que entre el ojo y los modelos colocaremos un "comparador" o mecanismo de igualación capaz de comparar cualquier letra de entrada con todas las de la serie de modelos. Cualquier letra que llegue al campo visual de la computadora será internalizada y comparada con cada uno de los modelos, al menos hasta que se realice una igualación. Cuando la "igualación" de la entrada con un modelo ocurre, la computadora ejecutará la respuesta asociada con ese modelo particular y la identificación se completará.

Existen limitaciones obvias para tal sistema. Si a la computadora se le proporciona un modelo para la representación A, ¿qué hará si se enfrenta con A o A por no mencionar A o incluso A o A? Por supuesto, cierta flexibilidad puede ser construida dentro del sistema. Las entradas pueden ser "normalizadas" para emparejar algo de la variabilidad; se pueden graduar según escala a un tamaño estándar, ajustadas hacia una orientación particular, tener rectas las líneas encorvadas, llenar los huecos pequeños, y remover las excrecencias menores; en resumen, se pueden realizar varias cosas para incrementar la probabilidad de que la computadora no responderá "no sé", sino que en lugar de ello igualará la entrada con un modelo. Pero, desafortunadamente, entre mayor sea la probabilidad de que la computadora hará una igualación, mayor será la probabilidad de que cometa un error. Este es el problema de la "detección de señales" del capítulo dos. Una computadora que puede "normalizar" A para hacer que se vea como A hará probablemente lo mismo con A y A. El único remedio será seguir añadiendo modelos para tratar de acomodar todos los tipos y estilos diferentes de letras que el dispositivo podría encontrar. Aun así, tal computadora será incapaz de hacer uso de todo el conocimiento básico que los seres humanos poseen; será muy capaz de leer la palabra HOTEL como AOTEL pues carece del "sentido común" para aplicarlo en la eliminación de alternativas.

Las limitaciones críticas de los sistemas de igualación a la muestra, tanto de la computadora como del ser humano, residen en su ineficiencia relativa y en sus altos costos. Una serie sencilla de modelos, uno para cada categoría, está muy limitada en el número de entradas que puede igualar, pero cada incremento en el número de modelos aumenta considerablemente el tamaño, costo y complejidad del sistema. El modelo de igualación a la muestra funciona; de hecho, el único sistema práctico existente para el reconocimiento de caracteres por las computadoras está basado en esta técnica —pero el sistema se enfrenta a la diversidad de representaciones de entrada dándole vuelta al problema, en vez de proporcionar a la computadora ciertos modelos para enfrentarse a muchos estilos diferentes de caracteres. Se asegura que la computadora se enfrente únicamente a un estilo, como los números "bancarios" 5″2⌷04 que están impresos en los cheques.

Análisis de rasgos

El método alternativo de la percepción de patrones, el análisis de rasgos, prescinde completamente de las representaciones internas. No es cuestión de intentar igualar la entrada con cualquier cosa, sino en lugar de ello se realiza una serie de pruebas de la entrada. Los resultados de cada prueba eliminan un número de alternativas hasta que, finalmente, toda la incertidumbre se reduce y la identificación es realizada. Los "rasgos" son propiedades del sistema visual que están sujetos a las pruebas para determinar cuáles respuestas alternativas deben ser eliminadas. Las decisiones con respecto a qué alternativas de cada prueba se eliminarán son tomadas por los receptores (o los programadores de las computadoras) mismos.

Para clarificar la explicación, imaginemos nuevamente la construcción de una computadora que identifique las letras, esta vez utilizando el análisis de aspectos. Recuerde que el problema esencialmente es el de utilizar las reglas para decidir en cuál de un número limitado de categorías podría colocarse un gran número de eventos alternativos. En otras palabras, esto es asunto de establecer equivalencias.

En el extremo receptor del sistema, en donde la computadora tiene su explorador óptico sensible a la luz, estableceremos una serie de "analizadores de rasgos". Un analizador de rasgos es un tipo de detector especializado que busca —es sensible a— únicamente un tipo de rasgo en la información visual, y que pasa sólo un tipo de informe de salida. Como ejemplo, podríamos imaginar que cada analizador busca un "rasgo distintivo" particular formulando una pregunta: un analizador pregunta "¿la configuración es curva?" (como *C* u *O*); otro pregunta "¿es cerrada?" (como *O* y *P*); un tercero pregunta "¿es simétrica?" (como *A* o *W*), y un cuarto pregunta "¿hay una intersección?" (como en *T* o *K*). Cada analizador es, de hecho, una prueba, y el mensaje que se envía de regreso es binario —"sí" o "no", señal o no señal. Sin aproximarnos demasiado a la cuestión de qué constituye un rasgo distintivo, podemos decir que es una propiedad de la información visual que se puede usar para diferenciar algunas configuraciones visuales de otras. Por definición, un rasgo distintivo debe ser común a más de un objeto o evento, de otra manera no podría ser usado para colocar más de uno dentro de la misma categoría. Pero, por otra parte, si el aspecto estuviera presente en todos los objetos o eventos, entonces no podríamos emplearlo para separarlos en categorías diferentes; no sería "distintivo". En otras palabras, un rasgo, si se detecta, permite la eliminación de algunas de las categorías alternativas en las que se podría colocar un estímulo.

Como un ejemplo, una respuesta "no" a la prueba "¿la configuración es curva?" eliminaría las letras redondeadas tales como a, b, c, d, pero no a otras letras tales como i, k, l, v, w, x, z. Una respuesta "sí" a "¿es cerrada?" eliminaría a las letras abiertas tales como c, f, w, pero no b, d, u o. La cuestión de la simetría distinguiría letras como m, o, w, y v, de d, f, k, r. Diferentes preguntas eliminan diferentes alternativas, y relativamente pocas pruebas se requerirían para distinguir entre las 27 letras alternativas del alfabeto. De hecho, si todas las pruebas eliminaran casi la mitad de las alternativas, y no hubiera ninguna prueba que se sobrepusiera sobre cualquier otra, sólo se necesitarían cinco preguntas para identificar cada una de las letras. (La lógica de la afirmación anterior está establecida en el análisis de la teoría de la información en la sección de notas.) Nadie sugeriría realmente que tan pocas pruebas (5) se emplean para distinguir entre 27 letras, pero es razonable asumir que no habrá necesidad de un número mayor de pruebas que el de las categorías —ésa es una de las grandes ventajas económicas de un sistema analítico de rasgos.

Con un banco de entrada, digamos de diez o doce analizadores de rasgos construidos dentro del dispositivo de identificación de letras, se tiene que proporcionar un eslabón para las 27 respuestas o categorías de salida; se deben inventar "reglas de decisión" para que los resultados de las pruebas individuales se integren y asocien con los nombres de las letras apropiadas. La manera más conveniente de constituir las reglas es establecer una lista de rasgos de cada categoría, esto es, para cada una de las 27 letras. La construcción de las listas de rasgos es la misma para cada categoría, a saber, una lista de los analizadores que fueron constituidos para examinar la configuración visual. La lista de rasgos de cada categoría también indica si cada analizador particular debe enviar de regreso una señal de "sí" o "no" para esa categoría. Para la categoría c, por ejemplo, la lista de rasgos debe especificar un "sí" para el analizador "¿curva?", un "no" para el analizador "¿cerrada?", un "no" para el analizador "¿simétrica?", etc. Las listas de rasgos de un par de categorías podrían ser conceptualizadas como se ilustra en la figura 8.1. (El signo "+" indica "sí".) Obviamente, cada categoría estaría asociada con un patrón de listas de rasgos diferente, cada patrón proporciona una especificación de una categoría individual.

El ensamblaje real del dispositivo de identificación de letras no presenta problemas, el analizador de rasgos está conectado a cada categoría que alista una señal de "sí" a partir de él, y convenimos que una decisión de categorización (una "identificación") es tomada únicamente cuando las señales "sí" son recibidas por todos los analizadores

Tabla 1 Listas de rasgos de las letras

Categoría "A"		Categoría "B"	
Prueba 1	—	Prueba 1	+
2	+	2	+
3	+	3	—
4	+	4	+
5	—	5	+
6	+	6	—
7	—	7	—
8	—	8	—
9	+	9	+
10	—	10	+

Figura 8.1. Listas de rasgos de las letras.

inscritos positivamente en una lista de aspectos de la categoría. En una forma simplificada y esquemática, es un dispositivo analítico de aspectos de identificación de letras. El sistema es poderoso, en el sentido de que realizará mucho trabajo con un mínimo de esfuerzo. A diferencia del modelo de igualación, el cual para ser versátil requiere de muchos modelos para cada decisión que podría tomar junto con ciertos dispositivos complejos de normalización, el dispositivo analítico de rasgos exige sólo una cantidad muy pequeña de analizadores comparada con el número de decisiones que toma. Teóricamente, tal dispositivo podría decidir entre más de un millón de alternativas con sólo "20 preguntas".

Equivalencia funcional y conjuntos críticos

Una ventaja considerable del modelo analítico de rasgos sobre la igualación a la muestra es que el primero tiene muchos menos problemas para ajustarse a las entradas que deben ser colocadas en la misma categoría pero que varían en tamaño, orientación o detalles, por ejemplo A, A, A, A, y A. Los tipos de pruebas que los analizadores de rasgos aplican son mucho más capaces de superar la distorsión y el "ruido" que cualquier dispositivo que requiere una igualación aproximada. Pero es mucho más importante señalar que se agrega muy poco de complejidad o costo al proporcionar una o más listas alternativas de rasgos para cada categoría. Con semejante flexibilidad, el sistema puede colocar fácilmente no sólo los ejemplos ya proporcionados, sino también las formas tan divergentes como a y a a la categoría "A". La serie de listas alternativas de rasgos de una letra sencilla o una respuesta a esa letra podría entonces verse como la figura 8.2. El único ajuste que se necesita hacer a la batería de analizadores es en la instalación ·de conexiones adicionales entre ellos y las categorías en donde las listas de aspectos necesitan pruebas positivas, de tal modo que se efectuará una identificación en cualquier ocasión en que las especificaciones de cada una de las listas alternativas sean satisfechas.

Llamaré *conjunto crítico* a cualquier grupo de aspectos que satisfaga las especificaciones de una categoría particular. Al delinear el tipo de dispositivo analítico de rasgos, más de una serie de criterios de rasgos puede existir para cualquier categoría. Obviamente, entre más series críticas existan para un dispositivo dado, más eficiente será ese dispositivo para realizar identificaciones exactas.

Tabla 2 **Listas de rasgos funcionalmente equivalentes**

Categoría "A"

Prueba			
1	—	+	+
2	+	+	+
3	+	—	—
4	+	—	+
5	—	+	—
6	+	—	+
7	—	—	+
8	—	+	—
9	+	+	—
10	—	—	+

Figura 8.2. Listas de rasgos funcionalmente equivalentes.

También será útil dar un nombre especial a las series alternativas de criterios de los aspectos que especifican la misma categoría, diremos que son *funcionalmente equivalentes. A, α* y **a** son funcionalmente equivalentes para nuestro dispositivo imaginario porque todas son tratadas como si fueran iguales en lo que se refiere a la categoría "A". Por supuesto, las configuraciones no son funcionalmente equivalentes si se distinguen sobre una base que no sea su afiliación al alfabeto; un impresor, por ejemplo, desearía que estuvieran categorizadas en estilos tipográficos. Pero como **señalé** anteriormente, es prerrogativa del receptor, no una característica de la información visual, decidir cuáles diferencias serán significativas —cuáles series de rasgos serán criterios— para el establecimiento de equivalencias. La equivalencia funcional puede determinarse mediante cualquier método sistemático o arbitrario que siga al reconocedor de patrones. Todo lo que se necesita para establecer equivalencia funcional de las configuraciones visuales muy desiguales es tener listas alternativas de aspectos para la misma categoría.

Otro aspecto poderoso del modelo analítico de rasgos del reconocimiento de patrones es que puede funcionar sobre una base flexible y probabilística. Si una lista de rasgos sencilla especifica las salidas de diez pruebas del analizador de la identificación categórica de una letra del alfabeto, entonces una considerable cantidad de información redundante debe estar involucrada. La redundancia, como he señalado en el capítulo 2, existe cuando la misma información de más de una fuente está disponible, o cuando hay más información disponible de la que se requiere para reducir la cantidad real de incertidumbre. Diez pruebas del analizador proporcionarían información suficiente para seleccionar entre más de mil alternativas igualmente probables, y si sólo hay 27, la información de cinco de esas pruebas podría ser pasada por alto, y todavía habrían suficientes datos para realizar la identificación apropiada. Aunque la información del analizador fuera insuficiente para hacer una selección absolutamente segura entre dos o tres alternativas restantes, todavía sería posible decidir cuál de las alternativas es más probable, dado el patrón particular de rasgos que es discriminado. Sin exigir que *todas* las especificaciones de una lista de rasgos particular se satisfagan antes de que una identificación de categorías sea realizada, el sistema puede aumentar ampliamente su repertorio de conjuntos críticos de los rasgos funcionalmente equivalentes. Tal incremento amplía significativamente la eficiencia del dispositivo a costa de una poca complejidad extra.

El hecho de que se puedan establecer conjuntos críticos diferentes dentro de una lista de rasgos sencilla proporciona una ventaja a la que nos referimos en el párrafo anterior —un sistema analítico de rasgos puede hacer uso de la *redundancia*. Digamos que el sistema ya "sabe" a partir de alguna otra fuente de información que la configuración que se presenta es una vocal; probablemente ya ha identificado las letras *ARB...* y ha sido programado con cierto conocimiento básico de los patrones del deletreo del español. El dispositivo puede entonces excluir, a partir de la consideración de la cuarta letra, todas aquellas listas de rasgos que especifican las categorías de las consonantes, dejando considerablemente reducidos los conjuntos críticos para la selección entre las alternativas restantes. (Tres pruebas distinguirían fácilmente entre cinco o seis vocales.)

Una poderosa ventaja final del modelo analítico de rasgos también ya ha sido implicada; es un dispositivo que fácilmente puede *aprender*. Cada vez que se establece una nueva lista de rasgos o un cojunto crítico, ocurre un ejemplo de aprendizaje; todo lo que el dispositivo necesita para aprender es *retroalimentación* del ambiente. Esto establece, o rechaza, una nueva lista, una categoría particular (o una categoría de una lista de rasgos particular) "hipotetizando" una relación entre una lista de rasgos y una categoría, y comprobando si esa relación es, de hecho, apropiada.

Probablemente habrá notado que tan pronto como se analizan los procesos de aprendizaje, la descripción analítica de los rasgos se introduce fácilmente en tal lenguaje del procesamiento de información como lo es "pensamiento" y "aprendizaje". Es evidente que entre más eficiente y sofisticado construyamos nuestro dispositivo imaginario de identificación de letras, probablemente hablaremos acerca de su realización en una forma humana, más que computarizada. Es momento de que descartemos la analogía y adoptemos una postura más específica sobre el reconocedor humano de patrones.

El identificador humano de letras

La analogía es descartada; pretendo utilizar el análisis de rasgos como un modelo del proceso mediante el cual el lector identifica las letras. Aprendemos a identificar las letras del alfabeto estableciendo listas de aspectos de las 27 categorías requeridas, cada una de las cuales se interrelaciona con un nombre individual "A", "B", "C", etc. El sistema visual está equipado con analizadores que responden a esos rasgos del ambiente visual que son distintivos para las discriminaciones alfabéticas (y muchas otras discriminaciones visuales también). Los resultados de las pruebas del analizador son integradas y dirigidas hacia las listas de rasgos apropiadas, de tal manera que la identificación de letras pueda ocurrir. El sistema perceptual visual de los seres humanos es biológicamente apto para demostrar todos los rasgos más poderosos del modelo analítico de rasgos descrito en la sección anterior —para establecer múltiples conjuntos críticos de los rasgos con equivalencia funcional, y para aprender comprobando hipótesis y recibiendo retroalimentación.

Se pueden distinguir dos aspectos de la identificación de letras. El primer aspecto es la colocación de las configuraciones visuales a varias categorías cognoscitivas —la discriminación de que varias configuraciones son diferentes, de que no son funcionalmente equivalentes. La mayor parte del aprendizaje perceptual involucra hallar cuáles son exactamente los rasgos distintivos a través de los cuales se deben categorizar varias configuraciones que son diferentes entre sí, y cuáles son los conjuntos de rasgos que son los criterios de las categorías particulares. El segundo aspecto de la identificación de letras es el establecimiento de las categorías mismas y especialmente la colocación de sus nombres, tales como "A", "B", "C". Éstos son precisamente los dos aspectos del aprendizaje de objetos o conceptos que se analizó con referencia al problema "del gato y el perro" en el capítulo 7.

Para distinguir los dos aspectos de la identificación de letras, debemos preguntarnos cómo se podrían establecer y asociar nuevas categorías con una respuesta particular, tal como el nombre de una letra del alfabeto. Lo primero que debe hacerse es señalar que la asociación de un nombre con una categoría no es necesaria ni primaria en el proceso de discriminación. Es muy posible separar configuraciones visuales en categorías diferentes sin tener un nombre para ellas. Podemos ver que A y $\&$ son diferentes, y sabemos que deben ser tratados diferentemente, aunque podemos no tener un nombre de la categoría, o incluso una categoría específica para $\&$. De hecho, no podemos asignar un nombre a $\&$ a menos que primero se tengan algunas reglas para discriminarla de A y de cualquier otra configuración visual con la que no podría dársele equivalencia funcional. No aprenderemos un nombre para $\&$ si no podemos distinguir la configuración visual particular de A. La motivación para el establecimiento de una nueva categoría puede provenir de cualquier dirección: cualquier configuración tal como $\&$ no se puede relacionar con ninguna categoría existente, o un nuevo nombre tal como "amplitrón" tampoco puede ralacionarse con ninguna categoría existente. Los pasos intermedios que integran el sistema completo constituyen el establecimiento de las primeras listas de rasgos y conjuntos críticos de la categoría de tal manera que las pruebas de los rasgos apropiadas y el nombre de la categoría pueden relacionarse.

No sólo no es primaria la relación de un nombre con una categoría; tampoco es difícil. La parte complicada del aprendizaje para hacer una identificación no está en recordar el nombre de una categoría particular, sino en descubrir los conjuntos críticos de los rasgos de esa categoría. Como señalé en el capítulo 7, los niños a la edad en que a menudo aprenden a leer, también están aprendiendo cientos de nombres nuevos de los objetos cada año —nombres de amigos y personajes públicos, automóviles y animales— así como los nombres de las letras y las palabras. Y recuerde usted el método mediante el cual los niños aciertan en aprender los nombres. El instructor habitualmente señala un objeto y dice "eso es un 'X' ", dejando al niño con el problema. El instructor rara vez trata de explicar las reglas de equivalencia para ubicar a varios objetos en la categoría que se ha llamado "X"; le deja al niño el trabajo de investigar lo que deben ser las diferencias significativas. La parte complicada del aprendizaje es el establecimiento de equivalencias funcionales de las categorías con los nombres con los que se asocian.

La razón por la que frecuentemente se piensa que el "aprendizaje de nombres" es difícil, es que los pasos intermedios se ignoran, y se asume que un nombre es aplicado directamente a una configuración visual particular. Por supuesto, los niños pueden encontrar difícil responder con el nombre correcto de las letras *b* o *d* (o de las palabras *raíz* y *maíz*, o de un perro y un gato) pero esto no es porque ellos no puedan asignar el nombre a la configuración —esa no es la manera en que el sistema visual trabaja. Su problema básico es encontrar de qué manera dos alternativas son significativamente diferentes. Una vez que puedan hacer la discriminación, de tal manera que se observen las equivalencias funcionales apropiadas, la colocación de la clasificación verbal correcta es un problema relativamente fácil porque aquélla está relacionada directamente con la categoría.

El identificador de letras en acción

Hemos llegado a la cuestión final de este capítulo: ¿existe evidencia que apoye al modelo analítico de rasgos del sistema visual humano? Cierta parte de la evidencia fisiológica ya se ha señalado. No existe una correspondencia uno a uno entre la información visual que incide en el ojo y cualquier cosa que ocurra detrás del globo ocular. El ojo no envía "imágenes" de regreso al cerebro; el patrón intermitente de los impulsos nerviosos es una representación de los rasgos discretos detectados por el ojo, no la transferencia de una "figura". En el mismo cerebro, no hay manera de almacenar un conjunto de modelos, ni siquiera de adquirirlos en primera instancia. El cerebro no se ocupa de representaciones verídicas; organiza el conocimiento y la conducta derivando información abstracta a través de sus sistemas nerviosos complejos. Es verdad que un aspecto de la salida del cerebro, nuestra experiencia subjetiva del mundo, se genera en forma de "percepciones", que podrían considerarse como imágenes, pero esta experiencia es la consecuencia de la actividad del cerebro, no algo que el cerebro "almacene" y compare con las entradas. Nuestra experiencia visual es el producto del sistema perceptual, no parte del proceso.

Ahora examinaremos la evidencia del modelo analítico de rasgos a partir de dos tipos de experimentos sobre identificación de letras. (Los detalles se proporcionan en la sección de notas al final del libro). La suposición básica que debe someterse a prueba es que las letras realmente son conglomerados de rasgos, de los cuales quizá exista una docena de tipos diferentes. La única manera en que las letras pueden diferir físicamente entre sí es la presencia o la ausencia de cada uno de estos rasgos. Las letras que tienen varios rasgos en común serán muy similares, mientras que las letras construidas con combinaciones muy diferentes de rasgos serán bastante distintas en su apariencia. ¿Cómo evaluamos la "similitud"? Las letras son similares —se supone que comparten muchos rasgos— si frecuentemente se les confunde entre sí. Y las letras que rara vez son confundidas entre sí se supone que tienen muy pocos aspectos en común.

Por supuesto, no confundimos tan frecuentemente las letras, y cuando lo hacemos el carácter del error habitualmente se encuentra bajo la influencia de factores no visuales. Podríamos pensar, por ejemplo, que la cuarta letra en la secuencia *REQF* ... es una *U*, no porque *F* y *U* sean visualmente similares, sino porque normalmente esperamos que una *U* siga a la *Q*. Sin embargo, se pueden generar grandes cantidades de confusiones visuales de las letras mediante técnicas experimentales en las que la letra estímulo está tan "empobrecida" que los observadores no pueden verla con claridad, aunque se les obliga a formular una conjetura sobre cuál es probablemente esa letra. En otras palabras, los sujetos experimentales deben tomar decisiones de identificación de letras con una información visual mínima. La suposición experimental es que los observadores que no pueden ver el estímulo con claridad deben carecer de cierta información vital y, por consiguiente, son incapaces de realizar algunas pruebas de rasgos. Y si son incapaces de realizarlas, entonces las pruebas pueden hacer que no se reduzca toda la incertidumbre acerca de las 27 respuestas alternativas. Los observadores se quedarán con la duda sobre las pocas posibilidades que pueden ser diferenciadas únicamente a través de las pruebas que han sido incapaces de ejecutar.

El método real de empobrecimiento del estímulo no es importante. La presentación puede ser una breve exposición taquistoscópica, o puede involucrar un estímulo que tiene muy poco contraste con sus alrededores, proyectado por una lámpara a una intensidad muy baja, o impreso en una página bajo varias capas de papel de China, u oculto detrás de mucho ruido visual, por ejemplo: /d/. Tan pronto como los observadores empiezan a cometer "errores", se puede asumir que no están obteniendo toda la información que necesitan para hacer una identificación. Están decidiendo con algo menos que un conjunto crítico de los rasgos.

Por lo que se ve, hay sólo dos posibilidades si los observadores son obligados a identificar una letra con información insuficiente; que sus conjeturas están completamente al azar, o que responderán de alguna manera sistemática. Si las conjeturas son al azar, no habrá ninguna predicción de cuál será la respuesta; será muy probable responder con cualquiera de las 27 letras del alfabeto, cualquiera que sea la letra presentada. Si examinamos el registro de "confusiones", las ocasiones en que una letra se reporta incorrectamente, debemos encontrar que cada una de las otras 26 letras a menudo están representadas casi de la misma manera. Pero si las respuestas son sistemáticas, existen dos posibilidades, las cuales limitan considerablemente el número de confusiones que probablemente pueden ocurrir. Una posibilidad, la cual no es muy interesante, es que los observadores siempre dirán lo mismo si no pueden distinguir una letra; uno podría decir "ésa es una 'k' ", por ejemplo, siempre que hay incertidumbre. Afortunadamente, tal propensión es fácil de detectar. La otra y más interesante posibilidad, es que los observadores seleccionarán únicamente aquellas respuestas alternativas que permanecen después de que los aspectos que se pueden discriminar en la presentación han sido tomados en cuenta. En tal circunstancia, se espera que las confusiones se "agruparán"; en vez de 26 tipos de confusión, uno para cada respuesta errónea posible, habrán sólo unos pocos tipos.

La evidencia puede ser resumida en unas cuantas palabras: las confusiones de letras caen dentro de agrupaciones fuertemente compactas, y más de dos tercios de las confusiones de la mayoría de las letras pueden ser explicadas por los tres o cuatro tipos de confusiones. Si un sujeto comete un error al identificar una letra, la naturaleza de la respuesta errónea es bastante predecible. Las agrupaciones de confusiones típicas pueden ser muy sugestivas acerca del tipo de información que el ojo debe buscar en la discriminación de las letras. Algunas agrupaciones de confusiones típicas son (a, e, n, o, u), $(t, f, i,)$ y $(h, m, n,)$ (Dunn-Rankin, 1968).

La conclusión específica que se puede derivar del tipo de experimento antes descrito es que las letras efectivamente están compuestas de una cantidad relativamente pequeña de aspectos. Las letras que son fácilmente confundidas, como la a y la e, o la t y la f, deben tener un número de aspectos en común, mientras que las que rara vez son confundidas, como la o y la w, o la d y la y, deben tener pocos aspectos en común, si es que los tienen. La conclusión general que se puede sacar es que el sistema visual efectivamente es analítico de rasgos. La identificación de letras es realizada por el ojo, examinando el ambiente visual de la información de los rasgos que eliminarán todas las alternativas excepto una, permitiendo que se realice una identificación exacta.

Hay una segunda línea de evidencia experimental que apoya el punto de vista de que las letras son ordenamientos de elementos pequeños, y está relacionada con el hecho de que el reconocimiento es más rápido o fácil cuando hay pocas alternativas de cuál podría ser cada letra. El ejemplo clásico de tal evidencia ha sido descrito anteriormente en el análisis de la "visión tubular" en el capítulo 3, donde se demostró que la información no visual se puede emplear para reducir la cantidad de información visual —o rasgo distintivo— que se necesita para identificar las letras. Se proporcionarán otros ejemplos cuando consideremos la identificación de palabras en el siguiente capítulo.

¿QUÉ ES UN RASGO?

Toda la discusión de la identificación de letras mediante el análisis de aspectos ha sido conducida sin especificar realmente qué es un rasgo.

La omisión ha sido deliberada, ya que nadie sabe lo que son los rasgos distintivos de las letras. No es suficiente conocer la estructura del sistema visual humano para decir exactamente qué es la información de los rasgos que el sistema busca.

Por supuesto, se pueden hacer afirmaciones generales acerca de los rasgos. Ha habido ciertos intentos de hacer esto, con afirmaciones como "la única diferencia entre *c* y *o* es que *o* está 'cerrada'; por lo tanto, el cierre debe ser un rasgo distintivo" o "la única diferencia entre *h* y *n* es la 'línea ascendente' de la parte superior de la *h*; por consiguiente, una línea ascendente debe ser un rasgo distintivo". Este tipo de razonamiento deductivo es bastante esclarecedor, y es cierto que uno puede hacer predicciones acerca de cuál par de letras podrían confundirse sobre la base de tal análisis. Pero esos aspectos se proponen sobre la base de la lógica, no de la evidencia, porque realmente no sabemos si, o cómo, el ojo podría buscar el "cierre" o las "líneas ascendentes". Se puede afirmar que estos rasgos hipotéticos son realmente propiedades de todas las letras —realmente no podemos decir si algo está cerrado o tiene una línea ascendente hasta que vemos la letra como un todo, y hasta que se hace claro cómo una propiedad del todo también podría ser un elemento fuera del cual se construye el todo. Una afirmación obviamente razonable es que la diferencia significativa entre *h* y *n* tiene algo que ver con la línea ascendente, pero es una sobresimplificación decir que la línea ascendente es el aspecto real.

Otra buena razón para evitar la cuestión específica de qué son los rasgos, es que uno siempre tiene que hacer la calificación "dependiendo". La diferencia significativa entre *A* y *B* no es la misma que la diferencia significativa entre *a* y *b*. De hecho, uno no puede predecir cuáles letras serán confundidas en un experimento de identificación a menos que sepamos cuál es la tipografía que se va a utilizar y si se trata de letras mayúsculas o minúsculas.

Afortunadamente, no es necesario saber exactamente qué son los rasgos para aprender algo sobre el proceso de identificación o para ayudar a un niño en la discriminación de letras. Podemos confiar en que el niño localizará la información necesaria si tiene a su disposición el ambiente con la información apropiada. El ambiente con la información apropiada es la oportunidad para hacer comparaciones y descubrir lo que son las diferencias significativas. Hay que recordar que el principal problema de la identificación es distinguir la configuración presentada de todas aquellas con las que podría ser equivalente pero no lo es; la configuración tiene que estar sujeta al análisis de rasgos y ubicada en la categoría apropiada. Si se les presenta una *h* 50 veces a los niños y se les dice es "h" porque tiene una línea ascendente, no se les ayudará a discriminar la letra. La presentación de *h* y otras letras en pares y grupos, junto con la retroalimentación de que *no* son funcionalmente equivalentes, es el tipo de información requerida por el sistema visual y el cerebro para encontrar rápidamente lo que son realmente los rasgos distintivos.

Resumen

Se propone un modelo de identificación de rasgos para la identificación de letras. Se han establecido **listas de rasgos** para permitir la colocación de la información visual dentro de categorías cognoscitivas específicas, en el caso de las letras presentes. Los nombres de las letras (y sus relaciones con los sonidos) son parte de las interrelaciones entre las categorías; no están asociados directamente con configuraciones visuales particulares. Para permitir la identificación de la misma letra cuando tiene configuraciones diferentes, por ejemplo, A, *a* y **a** , se establecen listas de rasgos **funcionalmente equivalentes**. Para cada lista de rasgos habrá un número de **conjuntos críticos** alternativos para permitir decisiones de identificación con un mínimo de información visual, dependiendo del número y naturaleza de las alternativas.

*Las notas del capítulo 8 comienzan en la página **234.***

Identificación
de palabras

Ya dediqué el primer capítulo específico de la "lectura" a la identificación de letras. Ahora quiero demostrar que la identificación de palabras no requiere de la previa identificación de las letras. Este capítulo se limitará a considerar las palabras aisladas, donde no hay ninguna señal extrínseca de su identidad. Pero el capítulo será otro paso hacia la demostración de que los procedimientos que permiten la identificación de palabras sin la previa identificación de las letras también permiten la comprensión sin la previa identificación de las palabras.

TRES TEORÍAS DE LA IDENTIFICACIÓN
DE PALABRAS

Tradicionalmente se ha afirmado que existen tres teorías de la identificación de palabras: la identificación de la palabra completa, la identificación letra por letra, y una posición intermedia que involucra la identificación de agrupaciones de letras, usualmente "patrones de deletreo". En efecto, estos tres puntos de vista representan los tres intentos por describir el mecanismo mediante el cual el lector hábil es capaz de identificar visualmente las palabras. Son indicaciones de lo que un lector necesita saber y hacer para poder decir lo que es una palabra. Uno u otro de los tres puntos de vista aparecen manifiestos en prácticamente toda aproximación actual a la instrucción de la lectura.

Afirmaré que cada una de estas teorías tradicionales del reconocimiento de palabras deja más preguntas sin contestar que las que resuelve. Sin embargo, cada una de las teorías contiene una semilla de verdad acerca de la lectura, de otra manera no habrían sobrevivido para alcanzar un lugar en la literatura sobre el tema. En los siguientes párrafos examinaré más de cerca en cuáles aspectos de la lectura cada teoría parece particularmente competente para aclarar y cuáles aspectos deja en la oscuridad.

El punto de vista de la *palabra completa* se basa en la premisa de que los lectores no se detienen para identificar letras individuales (o grupos de letras) en la identificación de una palabra. Afirma que el conocimiento del alfabeto y de los "sonidos de las letras" son irrelevantes para la lectura (aunque frecuentemente se fracasa al indicar si esta crítica se aplica sólo a la lectura fluida o también a su aprendizaje). Una fuente incontrovertible de apoyo para el punto de vista de la palabra completa ya ha sido mencionada —el hecho de que un observador puede reportar a partir de una sola presentación taquistoscópica sencilla cuatro o cinco letras al azar o un número similar de palabras. Seguramente si una palabra puede ser identificada tan fácilmente como una letra, entonces debe ser tan considerada como una unidad tanto a la letra como a la palabra; debe ser reconocible como un todo, más que como una secuencia de letras. Otra intachable pieza de evidencia de apoyo es que las palabras pueden ser identificadas cuando ninguna de **sus letras componentes es claramente discriminable.** Por ejemplo, un nombre puede ser identificable en una señal distante en la carretera, o en una luz difusa, bajo condiciones que harían a cada letra individual **de esa palabra bastante ilegible si se presentara por separado.** Si las palabras pueden ser leídas cuando las letras son ilegibles, ¿cómo puede depender el reconocimiento de palabras de la identificación de letras? Finalmente, hay una buena cantidad de evidencia de que las palabras se pueden identificar tan rápidamente como las letras. Se ha demostrado que la percepción está lejos de ser instantánea, y que las letras sucesivamente presentadas al azar —o las palabras— no pueden ser identificadas más rápido que cinco o seis por segundo (Newman, 1966; Kolers y Katzman, 1966). Y si las palabras completas se pueden identificar tan rápidamente como las letras, ¿cómo es posible que su identificación incluya leerlas letra por letra?

Eso basta en cuanto a algunos de los argumentos que apoyan el punto de vista de la palabra completa; ahora podemos dedicar igual espacio a la contraposición que, como teoría, es muy inadecuada. "Una objeción fundamental es que el punto de vista no es una teoría cabal; **no tiene 'poder explicativo' sino simplemente reformula la pregunta que pretende contestar. Si las palabras son reconocidas 'como un todo', ¿cómo es reconocido el todo?** ¿Qué buscan los lectores, y de qué manera es su conocimiento previo, parecido al de una palabra **almacenada?"** La respuesta no es decir que ya saben o han aprendido cómo se ve cada palabra, porque ésa es la pregunta básica: ¿qué es exactamente lo que los lectores conocen si ellos saben cómo se ve una palabra? La calificación de que las palabras se identifican "por sus formas" simplemente cambia el nombre del problema de "identificación de palabras" a "identificación de formas". Los lectores hábiles pueden ser capaces de reconocer casi 50 000 palabras diferentes por medio de la visión —a lo que llamaré *identificación inmediata de palabras.* ¿Significa eso que los lectores tienen imágenes de 50 000 formas diferentes almacenadas en sus mentes, y que cada vez que ellos se encuentran con una palabra en la lectura la contrastan con un paquete de 50 000 modelos para encontrar cuál es? ¿Pero de qué manera clasificarían 50 000 alternativas? Seguramente no empiezan por el principio y examinan cada representación interna hasta encontrar una igual. Si estamos buscando un libro en una biblioteca, no empezamos en la entrada y examinamos cada volumen hasta que nos topamos con un título que es igual al que estamos buscando. En lugar de eso, hacemos uso del hecho de que los libros están catalogados y ordenados de una manera sistemática; hay "reglas" para conseguir el libro que queremos. Parecería razonable sugerir que la identificación de palabras también es sistemática, y que hacemos uso de las reglas que nos capacitan para tomar nuestra decisión rápidamente. Habitualmente podemos encontrar alguna explicación para cualquier error que cometemos. Podemos equivocarnos al leer *dijo* como "hijo" o "fijo" (o incluso como "declaró" en las circunstancias en que la sustitución tendría sentido), pero nunca como "elefante", "clavija" o "predisposición". En otras palabras, obviamente no seleccionamos una palabra de 50 000 alternativas, sino más bien de un número mucho menor. Un punto de vista de la palabra completa no elaborado no puede explicar esta eliminación previa de alternativas.

Además, ya hemos descubierto que 50 000 representaciones internas de las formas no serían adecuadas para que pudiéramos identificar 50 000 palabras diferentes. Aunque podríamos identificar *SOMBRERO* buscando una representación interna, ¿cómo podría la misma representación capacitarnos para identificar *sombrero* o *sombrero* o cualquiera de las muchas otras maneras en que la palabra puede ser escrita?

La teoría de la letra por letra, que el punto de vista de la palabra completa supuestamente derrumba, parece tener en sí bastante evidencia sustancial en su favor. Parece que somos sensibles a las letras individuales en la identificación de palabras. El punto de vista de la palabra completa sugeriría que si a los observadores se les presentara el estímulo *natacixn* taquistoscópicamente, identificarían "la palabra completa" sin notar la *x*, o fallarían al reconocer la palabra porque no sería "igual" a ninguna representación interna. En lugar de ello, los observadores típicamente identifican la palabra sin reportar que hay algo equivocado en ella, no necesariamente reportando que hay una *x* en lugar de una *o*, sino ofreciendo explicaciones tales como "hay un cabello encima de la palabra" (Pillsbury, 1897).

Además, los lectores son muy sensibles a la *predicitibilidad* de las secuencias de letras. Las letras no ocurren azarosamente en ningún idioma; en Español, por ejemplo, las combinaciones como *tr*, *al*, *br* y casi cualquier par de consonante y vocal ocurren con más probabilidad que las combinaciones como *tf*, *sr*, *bm*, *oa*, o *ei*. El conocimiento de que los lectores adquieren estas probabilidades diferentes de las combinaciones de las letras se demuestra cuando las palabras que contienen secuencias de letras comunes son identificadas más fácilmente que las que tienen secuencias no comunes. Los lectores pueden identificar secuencias de letras que no son palabras castellanas tan fácilmente como algunas palabras en español, a condición de que las secuencias sean "aproximaciones cercanas" al español —lo cual significa que son combinaciones de letras altamente probables (Miller, Bruner, y Postman, 1954). El lector promedio, por ejemplo, difícilmente titubea cuando se le presentan secuencias como *garage*, *boiler*, *sandwich*, *ring*, *manager*, *dribling* —no obstante, ¿podrían ser identificadas "como un todo" cuando nunca han sido vistas anteriormente? Un punto de vista del reconocimiento letra por letra también parecería ser más económico; en lugar de aprender a reconocer 50 000 palabras, uno aprende a reconocer 27 letras y a aplicar unas cuantas reglas de deletreo, decodificando cada palabra en el acto.

A veces se propone un argumento muy ilógico para apoyar el punto de vista letra por letra. En su forma más extrema, este punto de vista parece implicar que en vista de que las letras de alguna manera deletrean el sonido de una palabra, la identificación de palabras *debe* ser realizada pronunciando las letras individuales. Sería casi como una obligación sugerir que debemos reconocer los carros leyendo el nombre del fabricante en algún lugar del carro, simplemente porque el nombre siempre está ahí para ser leído. Además, hay fuertes controversias acerca de que el deletreo de las palabras no es una guía confiable de su sonido. Esta cuestión es tan compleja que el método "fónico" se examinará en un capítulo aparte. Por el momento no estamos interesados en saber si el conocimiento de las letras puede ser utilizado para identificar palabras, sino más bien en saber si los lectores hábiles normal y necesariamente identifican las palabras "que ya conocen" mediante un análisis letra por letra.

La posición intermedia —de que las palabras son identificadas a través del reconocimiento de agrupaciones de letras— tiene la ventaja de ser capaz de explicar la identificabilidad relativamente fácil de palabras sin sentido tales como *vernalita*. Afirma que los lectores se familiarizan con patrones de deletreo tales como *ve* y *rn* e incluso *vern*, que son reconocidos e integrados para formar palabras. Entre más grandes sean los patrones de deletreo que podamos reconocer, más fácil es la identificación de palabras, según este punto de vista. Esto es compatible con nuestra experiencia normal de que cuando una palabra nueva como *cigótico* u *holónomo* interrumpe nuestra lectura temporalmente, no la descomponemos en letras individuales antes de tratar de integrar el sonido que debe tener. Pero muchos de los argumentos que favorecen a la posición de la palabra completa sobre el análisis de letras también se aplican en contra del punto de vista de las agrupaciones de letras. Ocasionalmente puede ser útil determinar lo que una palabra es mediante un análisis de las letras o las sílabas, pero la lectura normal no parece ocurrir sobre esta base; de hecho, parecería imposible. No hay tiempo para "determinar" qué palabras son, sintetizando, las posibles combinaciones de sonidos. Además, como el argumento de las agrupaciones de letras es llevado a su extremo, se convierte en una aproximación de la palabra completa dado que los patrones de deletreo más grandes y confiables son palabras por sí mismos.

El hecho de que las tres teorías tradicionales del reconocimiento de palabras siguen disfrutando de una amplia aceptación, obviamente indica que se apoyan en una fuente de datos totalmente sólida, a pesar de sus defectos. Nadie puede demostrar concluyentemente que son erróneas. Cada aproximación, sin embargo, tiene insuficiencias que son parcialmente satisfechas por un punto de vista alternativo, el cual sugeriría que no son mutuamente excluyentes y que ninguna de ellas puede alegar ser la representación más cercana a la verdad. En su lugar, necesitamos encontrar una teoría de la lectura que no sea incompatible con ninguno de los datos, sino que también ofrezca una explicación de los aspectos inadecuados de los tres puntos de vista tradicionales. En resumen, cualquier intento serio por comprender la lectura debe ser capaz de explicar por qué a veces parecería que las palabras son identificadas como todo y en otras ocasiones a través de la identificación de las letras componentes o de grupos de letras.

Una alternativa analítica de rasgos

Existe otro punto de vista que parecería superar las mayores debilidades de las tres teorías tradicionales sin ser incompatible con cualquier evidencia en favor de éstas. Esa teoría propone que las palabras se identifican efectivamente "como un todo", pero que la manera de su identificación involucra precisamente los mismos procedimientos que la identificación de letras y, de hecho, hace uso del mismo tipo de información visual.

En el capítulo anterior se examinaron dos modelos de la identificación de letras, el análisis de rasgos y la igualación a la muestra. La teoría tradicional de la palabra global de que las palabras se identifican debido a la familiaridad de su "forma" es, esencialmente, un modelo de igualación a la muestra, y los argumentos de su insuficiencia ya han sido presentados. El resto de este capítulo considerará la alternativa, un modelo analítico de rasgos de la identificación de las palabras. Se debe reiterar que el presente capítulo está interesado únicamente en la *identificación de palabras individuales,* de las palabras realmente aisladas o porque efectivamente se ignora el contexto. La identificación de palabras en secuencias significativas —la cual es por supuesto más representativa de la mayoría de las situaciones de lecturas— será considerada en el capítulo 11.

Básicamente, el modelo analítico de rasgos propone que la única diferencia entre la manera en que las letras y las palabras son identificadas reside en las categorías y en las listas de rasgos que el receptor emplea en el análisis de la información visual. En resumen, la diferencia depende de si el lector está buscando letras o palabras; el proceso de mirar y decidir es el mismo. Si el objetivo del lector es identificar letras, entonces el análisis de la configuración visual es llevado a cabo con respecto a las listas de rasgos asociadas con las 27 categorías de las letras, una para cada letra del alfabeto. Si el objetivo es identificar palabras, entonces existe un análisis similar de rasgos en la configuración visual con respecto a las listas de rasgos de un número mayor de categorías de las palabras.

¿Qué son los rasgos de las palabras? Obviamente deben incluir los rasgos de las letras, ya que las palabras se forman con letras. Los sistemas de señales, que se pueden leer como palabras en la página impresa, también se pueden distinguir como secuencias de letras, de tal manera que los "rasgos distintivos" de las letras que constituyen una diferencia significativa entre una configuración y otra, también deben ser rasgos distintivos de las palabras. Por ejemplo, cualquiera que sea la información visual que permita al cerebro distinguir entre *h* y *n* también debe permitirle distinguir entre *hacer* y *nacer.* Y precisamente los mismos procedimientos que distinguen entre *h* y *n* efectuarán la discriminación entre *hacer* y *nacer.* A primera vista, muchas más discriminaciones y análisis de los aspectos distintivos parecerían ser necesarios para distinguir entre decenas de miles de palabras alternativas comparadas con las 27 letras alternativas únicamente, pero veremos que la diferencia no es tan grande. De hecho, no se necesita más información —más pruebas de rasgos— para identificar una palabra en un texto significativo que para identificar una letra individual aislada.

Si los rasgos distintivos de las configuraciones visuales de las letras son los mismos que los de las configuraciones visuales de las palabras, podría esperarse que las listas de rasgos de las categorías de las letras y de las palabras fueran similares, sin embargo, las listas de rasgos de las categorías de las palabras requieren de una dimensión adicional que las de las letras, y que el análisis de las configuraciones de las palabras involucra la *posición de los aspectos en una secuencia*. Los siguientes ejemplos, imaginarios y muy arbitrarios, comparan cuatro listas de aspectos —dos listas funcionalmente equivalentes de *H* y *h* en la categoría de la letra "h" y dos listas funcionalmente equivalentes de las formas alternativas *HACER* y *hacer* en la categoría de la palabra "hacer". Cada "prueba" representa la información que podría ser recibida por un analizador en el sistema visual acerca de si un aspecto particular está presente o no en la configuración que se está examinando, y cada + o − indica si un aspecto debe estar presente o no si la configuración se ha de colocar a esa categoría particular (véase figura 9.1).

	Categoría de la letra "H"		Categoría de la palabra "Hacer"									
	Lista de rasgos H	Lista de rasgos h	Lista de rasgos de HACER Posición					Lista de rasgos de hacer Posición				
			1	2	3	4	5	1	2	3	4	5
Prueba 1	+	−	+	+	−	+	−	−	+	−	−	+
2	+	+	+	−	−	+	+	+	−	+	+	−
3	−	−	−	+	−	+	−	−	−	+	−	+
4	+	−	+	−	+	+	+	−	+	−	−	−
5	−	+	−	+	+	−	−	+	+	−	+	+
6	−	+	−	+	−	+	+	+	−	+	+	−
7	+	+	+	−	−	−	+	+	−	−	+	+
8	−	−	−	+	−	+	+	−	+	−	−	+
9	−	+	−	−	+	+	−	+	−	+	−	−
10	+	+	+	+	+	−	+	+	+	−	−	+

Figura 9.1. Listas de rasgos de las letras y de las palabras.

El número de "posiciones" en la lista de rasgos de una palabra indica el número de veces que un rasgo particular podría ocurrir en la secuencia de letras que constituye la palabra, y obviamente corresponde al número de letras. Similarmente, una prueba de rasgos que será aplicada únicamente una vez para la identificación de una letra, puede ser empleada varias veces en la identificación de una palabra, el número máximo de pruebas depende del número de letras en la palabra. Una lista de rasgos de una palabra, por lo tanto, también podría ser considerada como una serie de especificaciones de sus letras componentes, como en la figura 9.1, donde los aspectos de la primera posición de *hacer* son los mismos que los aspectos de la letra *h*. Esta congruencia entre las listas de "posición" y de "letras" es inevitable porque los rasgos distintivos de las letras también lo son de las palabras, pero no se sigue que las letras deban ser identificadas en orden para que las palabras puedan ser identificadas. El término "posición" se emplea en vez de "letra" para evitar cualquier implicación de que una palabra se identifica por sus letras, más que por la distribución de los rasgos a lo largo de su configuración entera. Ciertos argumentos serán presentados para demostrar que el hecho de que las especificaciones de prueba de los aspectos de las posiciones y las letras sean idénticas es irrelevante para la identificación de palabras.

(Debería añadirse que podría haber unos pocos aspectos distintivos de las palabras que no son rasgos de las letras —por ejemplo, la altura relativa de partes diferentes de la configuración o su longitud. Como ya se señaló, el sistema visual no es lo suficientemente conocido para afirmar lo que realmente son los rasgos distintivos. El presente análisis está limitado a presentar el punto de vista de que las palabras pueden ser identificadas sin la identificación interpuesta de las letras, y no pretende hacer afirmaciones precisas acerca de los rasgos reales de las letras o las palabras.)

El punto de vista analítico de rasgos de la identificación de *letras* afirma que debido a que hay redundancia en la estructura de las letras —puesto que hay más que suficiente información de los aspectos para distinguir entre 27 alternativas— no todos los aspectos de una letra necesitan ser discriminados para que ésta sea identificada. Por lo tanto, un número de *conjuntos críticos* de los rasgos puede existir en cada lista de rasgos, la información acerca de éstos en cualquier conjunto crítico, es suficiente para que se pueda realizar una identificación. Por ejemplo, las pruebas 1, 3, 4, 5, 7, y 8, o las pruebas 1, 2, 4, 5, 7, 9, o las pruebas 2, 3, 4, 6, 7, 9, 10 podrían constituir un conjunto crítico de la lista de rasgos *H* de "*h*". La información acerca de cualquiera de estas combinaciones de rasgos sería suficiente para eliminar las otras 26 alternativas (letras) y permitir la categorización —la identificación— de una configuración particular como "*h*". Conjuntos críticos similares existirían en la lista de rasgos *h* de la misma categoría.

Se esperaría que también existan conjuntos críticos para la identificación de *palabras*, excepto que ahora cubrirían la segunda dimensión y tomarían en cuenta las combinaciones de rasgos que se extienden a lo largo de la palabra entera. Las series de criterios en la lista de rasgos de *HACER*, por ejemplo, incluirían las pruebas 3, 4, 6 y 9 para la posición 1; las pruebas 3, 7, 9 para la posición 3; las pruebas 4, 6, 7 y 8 para la posición 4; y las pruebas 4, 6, 7 y 10 para la posición 5. Se deben señalar tres aspectos significativos de tal conjunto crítico de los rasgos.

Primero, en ninguna posición se someten a prueba suficientes rasgos para permitir la identificación de una letra si ésta se encuentra aislada. Por ejemplo, las pruebas de rasgos 3, 4, 5 y 9, en la posición 1, no constituirían un conjunto crítico para la identificación de *H* en ubicación aislada, aunque son suficientes para la primera posición de

HACER (a condición de que ciertos rasgos sean probados en otras posiciones). La explicación, por supuesto, es que un conjunto crítico de *H* sola tendría que contener suficiente información para eliminar las otras 26 letras del alfabeto, mientras que no hubiera muchas alternativas que pudieran ocurrir en frente de la secuencia *ACER*. La diferencia entre un conjunto crítico de la primera posición de *Hacer* y de la letra *H* aislada ilustra el punto de que las "posiciones" en las palabras no se deben considerar como letras; las configuraciones de las palabras son probadas por la información de los rasgos, la cual conduce directamente a las categorías de las palabras y no a categorías intermedias. Se citará una evidencia experimental para demostrar que las palabras pueden ser identificadas antes de que cualquiera de sus letras componentes sea discriminable.

Segundo, el ilustrativo conjunto crítico de los aspectos de *HACER* no incluye ningún rasgo de la segunda posición. La omisión indica que todo lo de esa parte particular de la palabra (la letra *A*) podría ser desvanecida y la palabra todavía sería identificable porque sólo una letra sencilla puede aparecer en esa posición. La fácil identificación de la secuencia H-CER es un ejemplo de la *redundancia* que existe en las palabras, permitiendo al lector hábil identificar palabras con menos información visual de la que puede estar disponible en sus configuraciones.

Tercero, el número total de aspectos que se requieren para identificar "hacer" en el conjunto crítico particular dado como ejemplo, es mucho menor del que se requeriría para identificar las letras *H*, *A*, *C*, *E* y *R* si se presentaran aisladas, o mezcladas, o para un lector principiante o un hablante de un idioma extranjero quienes no podrían reconocer la palabra global. Nuevamente, esta economía es una consecuencia de la redundancia en las palabras.

Si reconoce que la primera letra de una palabra castellana es *B* y la segunda letra *R*, usted no obtiene —o al menos no necesita— tanta información de la segunda letra como de la primera. Conociendo la primera letra de una palabra se puede obtener información acerca de la segunda. La primera letra contiene suficiente información visual para capacitarlo y así descartar 26 de las 27 alternativas (asumiendo en favor del argumento que es igualmente probable que una palabra empiece con cualquiera de las letras del alfabeto). La segunda letra también contiene suficiente información visual, o rasgos distintivos, para distinguir entre 27 alternativas, porque obviamente puede distinguirla de las otras letras del alfabeto cuando se encuentra aislada. Pero no se necesita información de los rasgos para distinguir la segunda letra de entre 27 alternativas porque no son 27 letras las que podrían ser. Si la primera letra de una palabra castellana es *B*, entonces hay un alto grado de probabilidad de que la segunda letra sea *R*, *L* o una de las vocales; el número de alternativas posibles de la segunda letra es de menos de ocho. De hecho, entre más letras se conozcan de una palabra, menos alternativas habrá en el promedio de lo que podría ser cada letra adicional. Y puesto que hay menos incertidumbre acerca de cada letra, cada vez se necesita menos información de los aspectos para su identificación.

El conocimiento de la manera en que las letras se agrupan en palabras puede ser llamado *información ortográfica*. Esta información, que está localizada en el cerebro del lector hábil, es una fuente alternativa de información no visual de la *información visual o de los rasgos* que los ojos recogen de la página. En la medida en que estas dos fuentes de información reducen el número de alternativas que una letra particular podría tener, hay redundancia. Tal duplicación de la información es también llamada *redundancia secuencial*, porque su origen reside en el hecho de que las partes diferentes de una palabra no son independientes; la ocurrencia de alternativas particulares en una parte de una secuencia limita el rango de alternativas que pueden ocurrir en cualquier otra parte de la secuencia.

La redundancia ortográfica del Español es enorme. Si las 27 letras del alfabeto podrían ocurrir sin ninguna restricción en cada posición de una palabra de cinco letras, casi podría haber doce millones de palabras de cinco letras diferentes, comparadas con quizá diez mil que realmente existen.

Redundancia entre rasgos distintivos

He estado hablando hasta aquí acerca de las restricciones que una letra opone sobre la ocurrencia de *letras* en otras partes de una palabra. Pero precisamente el mismo argumento puede aplicarse a los *rasgos*. Obviamente, si podemos decir que la ocurrencia de la letra *T* en la primera posición de una palabra restringe las posibilidades de la segunda posición a *L, R, A, E, I, O, U*; entonces también podemos decir que la ocurrencia de los *rasgos* de la letra *T* en la primera posición limita los posibles *rasgos* que pueden ocurrir en la segunda posición. De hecho, podemos eliminar la mención de las letras y de las posiciones específicas y decir que cuando ciertos rasgos ocurren en una parte de la palabra, hay límites de los tipos de combinaciones de aspectos que pueden ocurrir en otras partes de la palabra. Un lector implícitamente consciente de tales limitaciones es capaz de hacer uso de la *redundancia secuencial entre rasgos*, las fuentes de información sobrepuestas constituyen la información visual que podría eliminar todas las series posibles de combinaciones de rasgos alternativos, y el conocimiento del lector de que muchas de las series alternativas posibles de hecho no ocurren.

En virtud de la redundancia secuencial, el lector hábil puede identificar palabras con mucho menos información visual, tanto que la identificación de letras es completamente ignorada. No es necesario identificar letras en ninguna parte de una palabra para identificar la palabra completa. Las palabras pueden ser identificadas antes de que haya suficiente información de los rasgos en cualquier posición para permitir la identificación de una letra que se encuentra sola.

Éste es un ejemplo simple de cómo la redundancia de los aspectos permitiría la identificación de una palabra de dos letras antes de que cualquiera de ellas pueda ser identificada individualmente. Imagine que se pueden discriminar los aspectos suficientes en la primera posición de la palabra de tal manera que si estuviéramos mirando hacia esa posición únicamente, nuestras alternativas se reducirían a *a* o *e* —pero no podríamos tomar una decisión final entre las dos. Suponga también que en la segunda posición de la palabra podríamos detectar suficientes aspectos para reducir las alternativas a *f* o *n*, pero no para hacer una elección final. De las cuatro posibilidades que podrían construirse, *af*, *an*, *ef*, *en*, sólo una construcción sería aceptable como palabra. Debido a que no existen categorías de las palabras de las otras tres posibilidades, la configuración sería colocada en la categoría "en", identificada como "en", y así percibida. Si también hubiera una palabra (una categoría) "ef" en el idioma, entonces no se podría tomar una decisión, y si "ef" existe pero no "en", entonces *ef* es lo que sería visto.

Deben señalarse dos características con respecto al ejemplo anterior. Las dos han sido señaladas anteriormente pero requieren ser reiteradas. La primera es que no sabemos lo que realmente son los aspectos de las letras o las palabras, por lo tanto, no se sugiere que la situación particular *af*, *an*, *ef*, *en* podría surgir realmente, aunque haya muchas maneras de demostrar que a menudo vemos lo que pensamos que debe estar presente, más que lo que realmente está presente. La segunda limitación es que no se sugiere que los lectores están *conscientes* de su conocimiento de la redundancia secuencial, aunque estén conscientes del proceso de toma de decisiones que está involucrado en la lectura o en cualquier otra forma de percepción. Sin embargo, en la sección de notas proporcionaré algunos ejemplos para demostrar que el lector fluido debe ser considerado efectivamente como poseedor de tal conocimiento del lenguaje.

Equivalencia funcional de las palabras

Todavía quedan algunas observaciones que deben plantearse con respecto a la equivalencia funcional de las configuraciones de las palabras. La noción de series de criterios permite bastante flexibilidad en la operación de un proceso analítico de rasgos. En las letras, por ejemplo, la habilidad para hacer una identificación, aunque la información acerca de uno o dos rasgos puede estar ausente de (o incluso contraria a) la especificación total de una lista de rasgos, no necesariamente evita la categorización de una configuración. Como resultado, tales configuraciones diversas como A, *A* , A , *A* y tales formas empobrecidas como *A* % *A*% podrían satisfacer las especificaciones de uno u otro de los subconjuntos críticos de la lista de rasgos de *A*, y serían descritos en la categoría "a".

Sin embargo cuando las formas alternativas alcanzan un nivel particular de diferencias de los rasgos, tales como *a* y *A*, existe la posibilidad adicional disponible de establecer listas de aspectos "funcionalmente equivalentes" de la misma categoría. En cada lista de aspectos de esa naturaleza podría existir un número de conjuntos críticos alternativos.

Así como puede haber listas de rasgos funcionalmente equivalentes para varias formas de la misma letra, de la misma manera podrían esperarse listas de rasgos alternativos para las versiones funcionalmente equivalentes de la misma palabra. Se han proporcionado ejemplos inventados de una lista de rasgos de *HACER* y otra de *hacer*. Sin embargo, no se propone que estas dos (y otras) listas de rasgos de la misma palabra existirían de manera completamente independiente, sino más bien que una configuración visual sería colocada en una categoría particular si las pruebas de sus partes satisficieron las especificaciones posicionales en cualquier serie de listas de rasgos funcionalmente equivalentes. Como un ejemplo sobresimplificado, no se propone que deba haber necesariamente una lista de rasgos especial de la configuración visual *Hacer*, porque la primera posición de esa configuración es congruente con el principio de *HACER* (y de muchas otras palabras) mientras que el resto es congruente con parte de *hacer* (y algunas otras palabras). Mientras que las pruebas de la configuración *Hacer* no satisfacen una serie de criterios en la lista de rasgos de *HACER* o *hacer* o cualquier otra palabra, es únicamente en las dos listas de rasgos funcionalmente equivalentes de la categoría "hacer" que la configuración satisface los requerimientos de los criterios tanto al principio como al final. En otras palabras, una configuración puede ser identificada si es congruente con las partes que no se sobreponen de los dos conjuntos críticos de los rasgos, a condición de que los conjuntos críticos incompletos sean funcionalmente equivalentes para la misma categoría. Tal punto de vista sugeriría que una configuración muy desconocida como *HaCeR* todavía sería identificable si se satisfacen los requerimientos de los criterios de las posiciones 1, 3, 5 de *HACER* y las posiciones 2 y 4 de *hacer* —y hay evidencia de que esto es cierto (Smith, Lott, y Cronnell, 1969).

Se debe enfatizar que todavía no estamos hablando acerca de las letras —no estoy diciendo que *H*, *C* y *R* son identificadas a partir de una lista de rasgos, y *a* y *e* a partir de otra. Aún se propone que la identificación se realiza directamente de la categoría "hacer" a través de las distintas listas de rasgos equivalentes de una palabra, y no a través de las listas de rasgos sin relación de las letras individuales.

Para resumir, la diferencia entre la identificación de letras y la de palabras es simplemente el sistema de categorías que está involucrado —la manera en que se distribuye la información de los aspectos. Si el lector está examinando un sistema de información visual para identificar letras, la información visual será probada y las identificaciones se harán sobre la base de las listas de rasgos de las 27 categorías de letras. Si el propósito es identificar palabras, la información visual será probada con respecto a las listas de aspectos de las palabras, y no será cuestión de identificación de letras. De este argumento se desprende que podría ser imposible identificar una palabra y sus letras componentes simultáneamente, porque uno no puede usar la misma información para tomar dos tipos diferentes de decisiones.

Debido a que la identificación de letras y la de palabras involucran la misma información de los rasgos, no es posible identificar una configuración como palabra ni como secuencia de letras al mismo tiempo. Podemos ver la configuración *gato* como las letras *g, a, t, o*, o como la palabra *gato*, pero no ambas simultáneamente. Similarmente, podemos ver la configuración *xoco* como la palabra pronunciada "shoco" o como la palabra pronunciada "joco" pero no las dos al mismo tiempo; y *10* puede ser visto como un número o como letras, pero no los dos casos a la vez. No podemos aplicar la misma información a dos categorías simultáneamente, así como no podemos usar el mismo contorno como parte de dos figuras simultáneamente —la línea central de   puede ser vista como parte de la cara de la izquierda o como parte de la cara de la derecha, pero las dos caras nunca se pueden ver simultáneamente.

Se ha demostrado fácilmente que la limitación en los casos anteriores no reside en una inhabilidad para colocar configuraciones idénticas en dos categorías diferentes —tenemos poca dificultad para ver *10 10* como "diez i-o", o las dos caras en   )(, o incluso *gato es gato* como "g, a, t, o es gato," etc. —a condición de que haya información de los aspectos de cada una de las dos categorías que se están usando. La imposibilidad es usar la *misma* información para dos propósitos simultáneamente.

APRENDIZAJE DE LA IDENTIFICACIÓN DE PALABRAS

Hay dos aspectos del aprendizaje de la identificación de palabras que son análogos a los dos aspectos de aprender a identificar letras, tal como se señaló al final del capítulo anterior. Un aspecto es establecer conjuntos críticos de los aspectos distintivos funcionalmente equivalentes de cada categoría, y el otro es asociar un nombre con una categoría. Con respecto a la identificación de letras se afirmó que relacionar el nombre con una categoría no era un problema; los niños aprenden nombres de las configuraciones visuales todo el tiempo. En la identificación de palabras efectivamente puede haber un problema para relacionar nombres con las categorías, no porque los niños tengan una dificultad particular para recordar el nombre de una categoría una vez que han encontrado lo que es, sino para descubrir lo que es el nombre de una categoría en primera instancia. Cuando los niños están comenzando a descubrir el lenguaje escrito, los adultos cooperadores habitualmente actúan como mediadores diciendo lo que las palabras impresas son, dejando al niño la tarea más compleja de descubrir cómo distinguir una palabra de otra. Esto es precisamente lo mismo que el problema del "gato y el perro". El proceso de descubrir el nombre de una categoría puede ser denominado como *identificación mediada de palabras*, y será **el tema del siguiente** capítulo. La identificación de palabras debe ser *mediada* cuando una palabra no puede ser identificada visualmente mediante la adscripción a una categoría a través de una lista de aspectos existentes. En contraste, me refiero a la identificación de palabras como la he analizado en este capítulo como *identificación inmediata de palabras*. El término "inmediata" se utiliza no en el sentido de instantánea, lo cual sabemos que no es el caso, sino para dar a entender "no mediada", indicando que una palabra es identificada directamente a partir de sus rasgos. El aspecto del aprendizaje, del que nos ocuparemos el resto de este capítulo, es el establecimiento apropiado de listas de rasgos visuales de las palabras.

Será útil considerar un ejemplo específico. Un niño va a aprender a reconocer un nombre escrito particular, digamos *Juan*. La tarea que enfrenta el niño es descubrir las reglas para reconocer este evento cuando ocurra otra vez, lo cual significa descubrir algo acerca de la configuración que la distinguirá de otras configuraciones que no deben ser llamadas "Juan". Asumiré que el niño ya ha descubierto que una característica confiable pra distinguir la configuración no es el color del papel en donde está impresa, ni el color de la tinta, las cuales pueden ser señales razonables para otros tipos de identificación pero que tarde o temprano demostrarán ser inadecuadas para la colocación de la información visual en categorías de palabras. También asumiré que esta vez el niño no se enfrenta a la palabra *Juan* en distintos estilos tipográficos. La habilidad para nombrar todas o algunas de las letras del alfabeto no tiene relevancia directa en la identificación inmediata de palabras, aunque habrá una obvia (no por ello esencial) ventaja para los niños si han aprendido a distinguir incluso unas cuantas letras, sin ser necesariamente capaces de nombrarlas, porque habrán comenzado a adquirir claves de los aspectos que distinguen a las palabras.

Ése es el problema para el niño: descubrir las señales que distinguirán a *Juan* de otras configuraciones. El niño puede decidir que una buena señal reside en la longitud de la palabra, o la raya vertical, o la forma de "anzuelo" en el principio. Al seleccionar una señal que será la base para el reconocimiento de la palabra, un niño establecerá los primeros "aspectos distintivos" tentativos que se buscarán en el futuro cuando se pruebe cuál configuración se debe colocar a la categoría "Juan".

Lo que serán los primeros aspectos distintivos exactamente depende de las circunstancias; depende, en otras palabras, de lo que el niño trata de distinguir de la configuración *Juan*. Hasta que el niño se encuentra con otra palabra que no sea *Juan* no hay problema; el niño aplica la prueba sencilla y llama "Juan" a cada configuración que pasa la prueba. Pero hasta que el niño encuentra otra palabra que no es *Juan*, no puede haber aprendizaje. Lo que conduce a un niño al comienzo del proceso de desarrollar listas de rasgos que servirán para la *lectura* es tener que distinguir *Juan* de todas las otras configuraciones con las que no es funcionalmente equivalente. El niño sólo será realmente capaz de identificar *Juan* después de aprender a no aplicar ese nombre a cualquier otra configuración de palabras con las que se enfrente. Cuando el niño se encuentra ante una configuración que debería entrar en una categoría diferente, se prueba la validez de la discriminación tentativa y, por supuesto, se encuentra pronto lo que se quiere. Si los aspectos distintivos hipotéticos estuvieran relacionados con la longitud de la palabra, entonces el niño respondería "Juan" a la configuración *Raúl*. Si la hipótesis involucrara la inicial de anzuelo, el niño diría "Juan" a *Joel, Javier* o *Jeremías*. Entre más configuraciones no equivalentes —entre más "palabras" diferentes— tenga que discriminar el niño, más seleccionarán como rasgos distintivos a aquéllas que serán apropiadas para la tarea eventual de la lectura fluida. Pero hasta que los niños puedan comprender lo que tienen que distinguir de *Juan*, nunca adquirirán una serie apropiada de rasgos distintivos para identificar esa palabra.

La afirmación anterior *no* significa que los niños deben ser capaces de *nombrar* cada palabra diferente que conozcan; de ninguna manera. Todo lo que ellos tienen que hacer es descubrir una muestra representativa de palabras que no sean *Juan*, de tal manera que puedan encontrar en qué rasgos *Juan* es diferente. No importa si ellos no pueden discriminar entre todas las otras palabras (aunque al aprender a identificar *Juan* aprenderán algo acerca de otras palabras); el principio puede ser el establecimiento de sólo dos categorías: las configuraciones que son "Juan" y las configuraciones que no son "Juan". Intentar enseñar "una palabra a la vez" —escribir una palabra en una variedad de superficies y ocasiones diferentes e insistir "esto es Juan"; "esto es Juan", no ayudará a los niños a aprender la palabra porque nunca aprenderán cómo se puede distinguir *Juan* de cualquier otra palabra. La noción de que un niño puede aprender a identificar una palabra mediante la presentación repetitiva de esa palabra es una teoría del modelo. Su falta de adecuación es obvia tan pronto como nos damos cuenta de que no hay manera en que un niño pueda transferir una imagen de lo que se presenta ante sus ojos a un almacén de su cerebro. Los niños no necesitan que se les diga interminablemente lo que es una palabra; tienen que ser capaces de ver lo que *no* es.

El conocimiento de una amplia variedad de alternativas no equivalentes es todo. A través del desarrollo de la familiaridad con la forma escrita del lenguaje, los niños no sólo aprenden a discriminar rasgos distintivos, a establecer listas de rasgos y a reconocer equivalencias funcionales, sino que también aprenden sobre la redundancia. Y al adquirir cierta cantidad de conocimiento acerca de la redundancia de las palabras, ellos aprenden a identificar económicamente las palabras, con cantidades mínimas de información visual; los niños establecen grandes cifras de conjuntos críticos alternativos.

Es quizá un pensamiento serio el que casi todo lo que un niño aprede, como se describió en el párrafo anterior, nunca es enseñado explícitamente. Entre las muchas cosas positivas que los maestros de lectura pueden hacer —proporcionar motivación, dirección, oportunidades de aprendizaje, estimulación, retroalimentación— ellos no pueden incluir la provisión de reglas mediante las cuales se puedan reconocer las palabras. Esa parte del aprendizaje se debe dejar a los niños.

UN EPÍLOGO ACERCA DE LAS PALABRAS

Una de las consecuencias inevitables de examinar de cerca un tema como la lectura, acerca de la cual mucho se considera obvio, es que llega a ser mucho más complicado y menos comprendido adecuadamente de lo que pensamos. Un primer paso obvio en mi análisis de la identificación de palabras podría haber sido establecer clara y precisamente cuántas palabras conoce el lector promedio: esto proporcionaría algún conocimiento útil acerca de las dimensiones del problema. Pero el problema con la simple solicitud de contar las palabras que una persona conoce reside en que la respuesta depende de lo que se quiere dar a entender por "palabra", mientras que en cualquier caso no hay manera de calcular una respuesta confiable.

Considérese primero la cuestión de decidir lo que queremos que sea entendido como palabra. ¿Se deben considerar *gato* y *gatos* o *caminar* y *caminó* como dos palabras diferentes o como dos formas de la misma **palabra?** Los diccionarios por lo general proporcionan entradas únicamente de la foma, base o raíz de las palabras, y no consideran como palabras diferentes a las variaciones tales como plurales, comparativos, formas adjetivales y varias conjugaciones de los verbos. Si quisiéramos considerar *gato* y *gatos*, o *caminar* y *caminó*, como palabras diferentes (y en realidad no las consideraríamos como funcional y visualmente equivalentes), el número de palabras que conocemos visualmente sería tres o cuatro veces más grande que el número de palabras que el autor de un diccionario nos acreditaría. Además, las palabras comunes tienen muchos significados por ejemplo: "con un *juego* de lápices de colores yo *juego* al *juego* del submarino". Pero si el mismo deletreo se ha de considerar como (al menos) tres palabras diferentes porque *juego* tiene diferentes significados, ¿se debe considerar una preposición como "de", la cual tiene muchos sentidos diferentes, como cuarenta palabras o más?

El siguiente problema es contar. Obviamente, no es suficientemente bueno contar el número de palabras que una persona lee, escucha o produce simplemente durante el curso de un día, porque muchas palabras se usarán más de una vez y otras no ocurrirán nunca. Para contar el número de palabras *diferentes* que una persona produce tenemos que examinar cuidadosamente un torrente de palabras muy familiares. Pero, ¿qué tan grande es el torrente que debemos examinar? ¿Cómo habremos de estar seguros de que hemos dado la suficiente oportunidad para todas las palabras que una persona sabe? Sin duda, encontraremos algunas palabras nuevas en cada muestra adicional de mil que registremos, pero seguramente una ley de reiteraciones decrecientes se aplicaría. Después de analizar, digamos 100 000 palabras de una persona, parecería improbable que otras nuevas fuesen producidas. Pero ese no es el caso. Muchas palabras con las que estamos muy familiarizados ocurren menos de una vez en cada millón —y una persona podría tardar de dos meses a dos años para producir ese número de palabras. Un análisis muy amplio de casi cinco millones de palabras en revistas populares (Thorndike y Lorge, 1944) demostró que 3 000 palabras ocurrían con un promedio de menos de una vez en cada millón, y casi todas estas palabras caerían en nuestra categoría de "conocidas". Esta es una muestra de palabras que ocurren sólo una vez en cada cinco *millones* de palabras —*terrosidad, equidna, efluvio, emasculación, estilicidio, ebúrneo, educción*— una o dos pueden ser un poco inusuales, pero las demás son palabras que podemos reconocer.

Hay algo un poco misterioso en pensar incluso en cómo podríamos adquirir y retener la familiaridad con las palabras relativamente poco frecuentes. Quizá podamos encontrarlas una vez al año, pero no es frecuente que tengamos que detenernos y preguntar "¿te he visto en alguna parte anteriormente?'' Obviamente, no es posible "contar" cuántas palabras diferentes conoce una persona, de tal modo que uno tiene que hacer una estimación. Y se han ofrecido muchas estimaciones, variando de 20 000 a más de 100 000, dependiendo de las definiciones utilizadas y de las suposiciones que se hacen. Esto da una buena respuesta a la pregunta de cuántas palabras podría conocer una persona; es imposible contestar.

Resumen

Las palabras, como las letras, pueden ser identificadas a partir de los rasgos distintivos que están en la información visual de lo impreso. La **identificación inmediata de palabras** ocurre cuando el análisis de rasgos coloca una configuración visual en una lista de rasgos de una categoría **de palabras en la estructura cognoscitiva, sin el paso intermedio de la** identificación de letras. Los **conjuntos críticos** de los rasgos en las listas de aspectos **funcionalmente equivalentes** permiten la identificación de palabras con una información mínima; por ejemplo, cuando el lector puede emplear el conocimiento previo de la **redundancia ortográfica** en las palabras.

Las notas del capítulo 9 comienzan en la página 237.

Método fónico e identificación mediada de palabras[1]

El capítulo anterior se ocupó de la identificación *inmediata* de palabras, de la manera en que las listas de rasgos visuales son establecidas y utilizadas para que las palabras puedan ser reconocidas visualmente, sin "decodificar el sonido" o cualquier otro método de identificación *mediada* de palabras. De hecho, en el capítulo anterior se afirma que la identificación letra por letra es innecesaria e incluso imposible para la identificación de palabras en la lectura normal, por lo tanto, no hay lugar para la decodificación del sonido. La identificación inmediata de palabras se ilustra en la figura 10.1.

Pero en el capítulo anterior estuve hablando acerca de la identificación de palabras en donde el "nombre" de la palabra —su pronunciación cuando se lee en voz alta— es conocido por el lector o, de otra manera, disponible para el aprendiz. El aprendiz no necesita imaginar lo que la configuración visual "dice", sino únicamente cómo debe ser

Figura 10.1. Identificación inmediata de palabras.

[1] Todas las consideraciones sobre las correspondencias grafemafonema sólo son válidas dentro del marco de una lengua particular. El análisis que presenta el autor se refiere específicamente al inglés, lo cual significa que sus puntos de vista no siempre son válidos con respecto al Español. El traductor ha intentado, en la medida de lo posible, adaptar los ejemplos presentados por el autor al Español. (N. del E.)

reconocida en futuras ocasiones. Comparé esta situación con el problema del aprendizaje del gato y el perro en donde al niño se le dice que
un animal particular es un gato, y entonces se le deja descubrir cómo
reconocer uno en otra ocasión.

Supóngase, sin embargo, que el nombre de una palabra no está
inmediatamente disponible para el aprendiz —que no hay nada para
identificar una palabra desconocida, y no hay señales del contexto,
quizá porque la palabra es vista aisladamente o como parte de una lista
de palabras sin relación. Ahora el aprendiz tiene un problema doble,
no sólo descubrir cómo reconocer la palabra en el futuro, sino descubrir lo que la palabra es en primera instancia. Este es el problema del
gato y el perro sin que al aprendiz se le diga si el animal de hecho es un
gato o un perro. En tal situación en la lectura, es obvio que una palabra
no puede ser identificada *inmediatamente*; su identificación debe ser
mediada por algunos otros medios para descubrir lo que es. Este capítulo se refiere al uso del método *fónico* —un conjunto de relaciones
entre las letras y los sonidos— y de otros métodos de identificación mediada de palabras. El uso de reglas fónicas para la identificación mediada de palabras se ilustra en la figura 10.2.

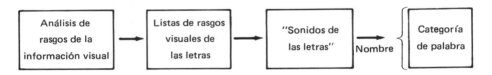

Figura 10.2. Identificación mediada de palabras: el modelo fónico.

En particular, este capítulo examinará el grado en que el conocimiento de los sonidos asociados con las letras del alfabeto ayudará en la
identificación de palabras. Para muchos, este proceso de decodificación
del deletreo de palabras a sus sonidos es la base de la lectura, un punto
de vista que considero defendible. No es necesario "decir" lo que es
una palabra escrita antes de que podamos comprender su significado.
Tampoco necesitamos decir que una palabra escrita es "gato" para com-
prenderla ni que necesitemos decir que un animal particular es un gato
para reconocerlo. Efectivamente, así como no podemos decir que el
animal es un gato a menos que ya lo hayamos identificado, de la misma
manera nombrar una palabra normalmente ocurre después de la identificación de su significado.

Este capítulo todavía no constituye toda la historia de la lectura, ni
siquiera en lo que a las palabras se refiere. En éste y en el capítulo anterior, se hace la suposición de que la palabra que un lector está tratando

de identificar ya existe en el lenguaje hablado o vocabulario del lector; su significado es conocido. El problema del lector es identificar la palabra, descubrir o reconocer su "nombre", no aprender su significado. El siguiente capítulo se ocupará de la situación de las palabras que son verdaderamente nuevas, donde el significado debe descubrirse, así como el nombre o pronunciación.

LOS OBJETIVOS Y COMPLEJIDAD DEL MÉTODO FÓNICO

La identificación mediada de palabras no es la parte más crítica de la lectura, y el método fónico no es la única estrategia disponible para la identificación mediada de palabras. Sin embargo, el método fónico frecuentemente desempeña un papel central en la instrucción de la lectura, y todo será más claro si primero examinamos la naturaleza y eficacia de este método.

Reglas y excepciones

El objetivo de la instrucción del método fónico es proporcionar a los lectores las reglas que los capacitarán para predecir cómo sonará una palabra escrita a partir de la manera en que se deletrea. El valor de la enseñanza de la fónica depende de cuántas correspondencias hay entre las letras y los sonidos del Español. Una correspondencia existe siempre que una letra particular (o a veces un grupo de letras) representa un sonido particular (o la ausencia de sonido). Por consiguiente, c está involucrada en por lo menos tres correspondencias —con el sonido /s/ como en *medicina*, con /k/ como en *médico*, y con ningún sonido como en *ascenso*. Alternativamente, una correspondencia existe siempre que un sonido particular está representado por una letra o letras particulares, como en algunas regiones /y/ puede ser representada por *ll* o *y*. Por lo tanto, el número total de correspondencias de "letra-sonido" debe ser el mismo que el número total de correspondencias de "sonido-letra". Pero por ahora probablemente no es sorprendente que cualquier cuestión relacionada con el lenguaje que involucre un simple "cuántas" conduzca a una evasión de la respuesta muy complicada e insatisfactoria. La fónica no es la excepción.

Todo está equivocado con respecto a la cuestión. El primer problema se refiere a nuestras expectativas sobre las reglas. Si esperamos una regla que implique una correspondencia que no tenga excepciones, entonces tendremos una tarea difícil para encontrar reglas totales en la fónica. Ésta es una regla fónica que parecería tener credenciales impecables en el inglés: una *e* final que sigue a una consonante sencilla indica que la vocal precedente debe ser larga, como en *hat* (sombrero) *hate* (odiar) *hop* (lúpulo) y *hope* (esperanza); estas últimas son excepciones: *axe* (hacha) tiene una consonante sencilla pero una /a/ corta, mientras que *ache* (dolor) tiene una consonante doble pero una /a/ larga (en estos casos las reglas fónicas son alteradas por reglas ortográficas). Tenemos la opción de admitir que una regla familiar no es impermeable a las excepciones, o que tenemos que idear una regla para las excepciones. Una explicación que podría ofrecerse es que *x* realmente es una consonante doble, *ks*, y que *ch* realmente es una consonante sencilla, /k/. Pero entonces estamos en la muy peculiar posición de cambiar la noción de lo que constituye una letra sencilla simplemente porque tenemos una regla que no funciona en todos los casos. Y si tenemos que decir que la definición de lo que constituye una letra depende de la pronunciación de una palabra, ¿cómo podemos decir que la pronunciación de una palabra puede predecirse a partir de sus letras? Además, ¿qué podemos decir acerca de la *e* muda al final de las palabras inglesas *have* o *love*, la cual es puesta ahí únicamente porque existe el convenio de que las palabras inglesas no pueden terminar en *v*? ¿O la *e* al final de *house*, la cual es para indicar que la palabra no es un plural?

Habiendo señalado el punto de que las reglas fónicas tendrán excepciones (quizá en todos los idiomas), el siguiente problema es decidir qué constituye una excepción. Algunas excepciones ocurren tan frecuentemente y con tanta regularidad que parecerían ser reglas por derecho propio. Es muy arbitrario cómo alguien decide trazar la línea entre reglas y excepciones. Tenemos la opción de decir que los sonidos del español escrito se pueden predecir mediante pocas reglas relativamente, aunque habrá bastantes excepciones, o mediante un gran número de reglas con pocas excepciones. En efecto, si tenemos el cuidado de decir que algunas reglas sólo tienen una aplicación, por ejemplo que *que* se pronuncia /ke/ como "queso", entonces podemos describir el español completamente en términos de las reglas, simplemente porque hemos creado excepciones fuera de existencia.

Si el concepto de regla parece un poco arbitrario, la noción de lo que constituye una letra es incluso más idiosincrática. Es verdad que en un sentido no puede haber duda acerca de lo que es una letra —es uno de los 27 caracteres del alfabeto— pero cualquier intento por construir reglas de la correspondencia letra-sonido está sentenciado al fracaso desde el principio si restringimos nuestros términos de referencia a las letras individuales. Para empezar hay 27 letras comparadas con los 23 sonidos del español, y algunas letras tienen por lo menos una doble función. Encontramos, por supuesto, que muchas letras tienen más de un sonido, mientras que muchos sonidos son representados por más de una letra. Sin embargo, algunos sonidos no son representados por letras sencillas —*ch, ll, rr*, por ejemplo— de tal manera que tenemos que considerar a algunas combinaciones de letras como *unidades de deletreo* muy diferentes —más que como si *ch* fuera una letra por derecho propio. Se ha afirmado, con la ayuda de un análisis por computadora de más de 20 000 palabras (Venezky, 1967, 1970), que hay 52 "unidades de deletreo mayores" en el idioma inglés, 32 para las consonantes y 20 para las vocales, duplicando efectivamente el número de letras del alfabeto inglés.

La adición de las unidades de deletreo extras, sin embargo, no parece hacer más ordenada a la estructura del sistema de escritura en español (ni en inglés). Algunas de las letras originales del alfabeto son bastante superfluas. No hay nada que *c*, q, *o x* puedan hacer que no podría ser hecho por otras consonantes. Y muchas de las unidades de deletreo adicionales que se reconocen, simplemente duplican el trabajo de las letras sencillas, tales como *gn* para *ñ*, y *ps* para *s*. Algunas combinaciones de letras tienen un valor especial sólo cuando ocurren en partes particulares de una palabra —*ra* puede ser pronunciada con un sonido suave cuando le antecede una vocal (*cara, iracundo*) pero es pronunciada como una *rr* al principio de las palabras (*rata, rápido, rascar* y *raíz*). A menudo las letras sólo tienen una función relacional, sacrificando algún sonido de sí para indicar cómo se debe pronunciar la letra siguiente. Un ejemplo obvio es la *p* muda en *psicología*, otro es la *u* que distingue a la *g* en *guerra* de la *g* en *gema*.

De esta manera, para nuestra cuestión básica de la fónica, lo que realmente estamos preguntando es cuántas reglas definidas arbitrariamente pueden explicar un número indeterminado de correspondencias entre una serie indefinida de unidades de deletreo y un incierto número de sonidos (el total y la cualidad de que pueden variar de dialecto a dialecto).

Algunos aspectos del deletreo son simplemente impredecibles, ciertamente para un lector con un conocimiento limitado de las derivaciones de la palabras, no importa cómo trate uno de definir una unidad de deletreo. Un ejemplo de una correspondencia de deletrear-al-sonido completamente impredecible del español que se habla en México es la *x*, la cual es pronunciada de una manera al principio de palabras como *Xola, Xotepingo* y *Xoco*; de otra manera al principio de palabra como *Xochimilco, xóchitl*, etc.; de otro modo en palabras como *exacto, excepto* y *exceso*; y de un modo muy diferente en palabras como *mexicano, Xalostoc, Xavier*, etc.

Solamente hay una manera de saber si *x* debe ser pronunciada como /sh/, /s/, /ks/ o /j/, y ésa es recordando cada ejemplo. Por otra parte, en algunos casos no hay diferencia entre los sonidos representados por *n* y *mn*, como en *nihilismo* y *mnemotécnico*, de tal manera que en algunos casos lo que puede no ser predecible es el deletreo, no el sonido.

Examinemos algunos aspectos del idioma inglés: casi todas las palabras comunes son excepciones —*of* requiere de una regla para la pronunciación de la *f*.

El juego de encontrar excepciones es muy fácil de realizar. Daré únicamente un ejemplo más para ilustrar el tipo de dificultad que uno debe superar al tratar de construir —o enseñar— reglas confiables de correspondencia fónica en el idioma inglés. ¿Cómo se pronuncian las letras *ho* cuando ocurren al principio de una palabra? Estas son once posibles respuestas, usted notará que son palabras muy comunes: *hope* (houp), *hot* (hat), *hoot* (hut), *hook* (huk), *hour* (aur), *honest,* (anast), *house* (haus), *honey* (hani), *hoist* (haist), *horse* (hars), *horizon* (ha'-raizan).

Por supuesto, hay reglas (o algunas de ellas, ¿simplemente son excepciones?) que pueden explicar muchas de las pronunciaciones de *ho*. Pero hay una implicación muy significativa en todos los ejemplos que se aplican a casi todas las palabras inglesas —para aplicar las reglas fónicas, *las palabras deben ser leídas de derecha a izquierda*. La manera en que el lector pronuncia *ho* depende de lo que sigue después de esa sílaba, y lo mismo se aplica a la *p* en *ph* como el *telephone*, a la *a* en *ate*, a la *k* en *knot*, a la *t* en *-tion*. Las excepciones son muy pocas, como *asp* y *ash* que son pronunciadas de manera diferente si van precedidas por una *w*, y *f*, pronunciadas como /v/ sólo si le antecede una *o*. El hecho de que las "dependencias" de los sonidos vayan de derecha a izquierda es una dificultad obvia para un lector principiante que está tratando de pronunciar una palabra de izquierda a derecha, o para un teórico que desea sostener que las palabras se identifican sobre una base de izquierda a derecha.

En resumen, el inglés está lejos de ser predecible en lo que se refiere a las relaciones de letrea-sonido. En seguida veremos cuánto se puede hacer para predecir la pronunciación de un número relativamente pequeño de palabras comunes con un número finito de reglas. Pero antes de que concluya este catálogo de complicaciones y excepciones, debo reiterar dos puntos. El primero es que las reglas fónicas sólo pueden ser consideradas como probabilísticas, como guías de la manera en que las palabras podrían ser pronunciadas, y que rara vez existe una indicación de cuándo una regla se aplica o no se aplica. La regla que especifica cómo pronunciar *ph* en *telephone* no se aplica en *haphazard*, *shepherd* ni *cuphook*. La regla para *oe* en *doe* y *woe* no funciona para *shoe*. La única manera de distinguir la pronunciación de *sh* en *bishop* y *mishap*, o *th* en *father* y *fathead*, es conocer la palabra completa de antemano. La probabilidad de estar equivocado si usted no conoce una palabra es muy alta. Aunque las reglas individuales probablemente fueran correctas tres veces de cuatro, todavía habría una sola oportunidad en tres de evitar el error en una palabra de cuatro letras.

El segundo punto es que las reglas fónicas parecen engañosamente simples cuando usted sabe lo que es una palabra en primera instancia. Los maestros frecuentemente están convencidos de que las reglas fónicas funcionan porque las correspondencias letra-sonido parecen obvias si una palabra es conocida de antemano; las alternativas no se consideran. Y puede parecer que los niños aplican las reglas fónicas cuando pueden reconocer una palabra en cualquier caso —o porque el maestro también sugiere lo que la palabra es— de tal modo que están capacitados para identificar o recitar las correspondencias fónicas que son apropiadas.

La eficiencia del método fónico

Se ha realizado un intento sistemático por construir una serie factible de reglas fónicas del inglés (Berdiansky, Cronnell y Koehler, 1969). El esfuerzo tuvo objetivos modestos —ver hasta dónde podría uno llegar al establecer una serie de reglas de correspondencia de las 6 092 palabras de una y dos sílabas entre las 9 000 palabras diferentes en los vocabularios de comprensión en niños de seis a nueve años. Las palabras fueron tomadas de los libros a los que los niños estaban normalmente expuestos —eran las palabras que los niños conocían y debían ser capaces de identificar si pudieran leer el material con el que se les enfrentaba en la escuela.

Los investigadores que analizaron las 6 092 palabras encontraron poco más de 52 "unidades de deletreo mayores" a las que ya me he referido —identificaron 69 "unidades grafemas" que tenían que ser distinguidas separadamente en sus reglas. A un grupo de letras se le llamó "unidad grafema", tal como una letra sencilla, siempre que su relación con un sonido no pudiera ser explicada por ninguna de las reglas de las letras sencillas. Las unidades grafémicas incluyen pares de consonantes tales como *ch*, *th*; pares de vocales tales como *ea*, *oi*; y las letras que comúnmente funcionan juntas, tales como *ch* y *qu* , así como consonantes dobles como *bb* y *tt*, las cuales requieren de cierta explicación fónica separada. El número de unidades grafema no debe sorprendernos. Las 52 "unidades mayores" mencionadas previamente no pretendían representar las únicas unidades de deletreo que podrían ocurrir, sino sólo las más frecuentes.

Se tomó una decisión arbitraria acerca de lo que constituiría una regla: tendría que explicar una correspondencia letra-sonido que ocurra por lo menos en diez palabras diferentes. Cualquier correspondencia letra-sonido distintiva, y cualquier unidad grafema, que no ocurrían por lo menos en diez palabras eran consideradas como "excepciones". Los investigadores querían que sus reglas explicaran la mayor cantidad posible de sus palabras, de tal manera que dejaron varios casos sin explicar cuando les pareció más apropiado explicar una unidad grafema con una regla, más que estigmatizarla como una excepción.

Los investigadores descubrieron que sus 6 000 palabras involucraban 211 correspondencias letra-sonido distintas. Esto no significa que estaban representados 211 sonidos diferentes, ni que hubieran 211 unidades grafémicas diferentes, sino más bien que las 69 unidades grafémicas estaban relacionadas con 38 sonidos en un total de 211 maneras distintas. Los resultados se resumen en la tabla 10.1.

Treinta y ocho correspondencias involucraban unidades grafémicas de consonantes, y 128 involucraban unidades grafémicas de vocales, incluyendo no menos de 79 que estaban asociadas con las seis letras vocales sencillas "primarias", *a, e, i, o, u, y.* En otras palabras, había un total de 79 maneras diferentes en que las vocales sencillas podían ser pronunciadas. De las 211 correspondencias, 45 se clasificaron como excepcionales, de las cuales la mitad involucraban vocales y la mitad consonantes. La exclusión de 45 correspondencias significaba que casi el 10% de las 6 092 palabras tenían que ser dejadas aparte como "excepciones".

Tabla 10.1. **Correspondencias letra-sonido entre 6 092 palabras de una y dos sílabas en los vocabularios de niños de 9 años de edad.**

	Consonantes	Vocales primarias	Vocales secundarias	Total
Correspondencias letra-sonido	83	79	49	211
"Reglas"	60	73	33	166
"Excepciones"	23	6	16	45
Unidades grafémicas en las reglas	44	6	19	69

La pronunciación de las palabras restantes era explicada por un gran total de 166 reglas. Sesenta de estas reglas se ocupaban de la pronunciación de las consonantes (de las cuales por lo general se cree que tienen pronunciaciones enteramente "regulares") y 106 de las vocales sencillas o complejas.

La investigación que acaba de ser examinada es importante de diversas maneras para la comprensión de la lectura y para su enseñanza. Algunas conclusiones que se pueden derivar son de largo alcance en cuanto a sus implicaciones. La primera es muy simple: que la fónica es complicada. Sin decir nada acerca de si es deseable enseñar a los niños pequeños algún conocimiento de la fónica, ahora tenemos una idea de la magnitud del esfuerzo. Sabemos que si realmente esperamos proporcionarle a los niños ciertos conocimientos de la fónica, entonces no estamos hablando de una docena o más de reglas. Estamos hablando de 166 reglas, las cuales aún no explicarán los cientos de palabras que podrían encontrarse en sus primeras lecturas.

Es obvio que lo más que se puede esperar de un conocimiento de las reglas fónicas es que pueden proporcionar una *clave* del sonido (o "nombre") de una configuración que se está examinando. La fónica sólo puede proporcionar aproximaciones. Aunque los lectores conozcan las 73 reglas para la pronunciación de las seis vocales, todavía carecerán de una manera segura de decir cuál regla es necesario aplicar —o incluso que no se estén enfrentando a una excepción.

Todavía queda un aspecto que se debe considerar, concerniente a la *efectividad* de la fónica: ¿Es digno de adquirirse el grado limitado de eficiencia que podría alcanzarse? Otros factores tienen que ser tomados en cuenta, relacionados con el *costo* de tratar de aprender y usar las reglas fónicas. Existe la posibilidad de que la confianza en la fónica involucrará a los lectores en una demora mucho mayor, de tal manera que la memoria a corto término se sobrecargará y se perderá el sentido de lo que están leyendo. Una tendencia a confiar exclusivamente en las reglas fónicas puede crear un problema a los lectores principiantes cuya mayor dificultad es desarrollar velocidad en la lectura. Nuestras memorias activas no tienen una capacidad infinita, y la lectura no es una tarea que pueda ser realizada con demasiada pausa. Como veremos, existen otras fuentes de información para descubrir lo que podría ser una palabra en el contexto, especialmente si la palabra está en el vocabulario activo del lector.

El costo de la "Reforma"

La relación implícita entre la ortografía de las palabras y su sonido ha conducido a la frecuente formulación de sugerencias en pro de la modificación del alfabeto o de la racionalización del sistema ortográfico. En alguna medida ambas intenciones comparten las mismas dificultades y falsas concepciones. Pocos lingüistas contemporáneos negarían que hay algo equivocado en la manera en que la mayoría de las palabras son deletreadas; aseguran que una gran cantidad de información se perdería si se modificara la ortografía. La mayor parte de las inconsistencias manifiestas en el deletreo tienen cierta base histórica; el sistema ortográfico puede ser complejo, pero no arbitrario —se ha convertido en lo que es por muchas razones sistemáticas. Y debido a que el deletreo es sistemático y refleja algo de la historia de las palabras, mucho más información está disponible para el lector de la que normalmente nos damos cuenta. (El hecho de que no estemos *conscientes* de que esta información está disponible no significa que no la usemos; ya hemos examinado ciertos ejemplos de la manera en que tenemos y usamos el conocimiento de la estructura y la redundancia de nuestro lenguaje, que no podemos expresar en palabras.) La reforma del sistema ortográfico parecería que hace más fáciles de pronunciar a las palabras, pero únicamente a costa de otra información acerca de la manera en que las palabras se relacionan entre sí, de tal manera que la racionalización de las palabras a nivel fonológico haría más difícil la lectura en los niveles sintáctico y semántico. Sólo como un ejemplo, considérese la "*b* muda" en las palabras inglesas *bomb*, *bombing*, *bombed*, las cuales serían candidatos casi seguros a la extinción si los reformistas del sistema ortográfico las tomaran en cuenta. Pero la *b* es algo más que un apéndice inútil; relaciona a las palabras anteriores con otras como *bombard*, *bombardier*, *bombardment* en las que la *b* sí se pronuncia. Y si usted se evita el problema de una regla especial acerca de por qué *b* es muda en palabras como *bomb*, en otro nivel habría un problema nuevo de explicar: por qué *b* súbitamente aparece en palabras como *bombard*. Elimine la *g* de *sing* y usted se explicará de dónde proviene en *signature*.

Otro argumento en favor del sistema ortográfico actual es que es el más idóneo para manejar diferentes dialectos, un aspecto también relevante para aquellas personas que querrían cambiar el alfabeto. Aunque existe una aceptación casi universal de la idea de que las palabras deben ser escritas de la misma manera por todas las personas, no todos las pronuncian del mismo modo. Si la ortografía de las palabras se ha de cambiar para que reflejen la manera en que se pronuncian, ¿cuál dialecto proporcionará la norma? ¿Se requiere de una letra diferente para cada sonido distinto que se produce en cualquier dialecto del inglés que podríamos encontrar? La instrucción de la fónica se hace aún más complicada cuando es evidente que en muchos salones de clases el maestro y los estudiantes no hablan el mismo dialecto y ambos **pueden** hablar un dialecto distinto del de las autoridades que sugieren las reglas fónicas particulares que están tratando de seguir. El maestro que trata de hacer comprender a los niños una diferencia fónica entre las pronunciaciones de *caught* y *cot* tendrá un problema de comunicación si esta distinción no es una que los niños observen en su propio idioma. Incluso, el maestro puede no pronunciar las dos palabras de manera diferente, de tal manera que mientras el maestro cree que el mensaje que dirige al niño es "esa palabra no es *cot*; es *caught*", el mensaje que realmente capta el niño es "esa palabra no es *cot*; es *cot*".

Ortografía y significado

La manera en que las palabras se escriben en inglés es vista como un problema primordial si la lectura es percibida como una cuestión de decodificar las palabras en sonidos, lo cual no es ni podría ser si la función principal de la ortografía es considerada como la representación grafémica de los *sonidos* de las palabras. Pero, de hecho, la escritura también representa significado, y cuando existe un conflicto entre pronunciación y significado, el significado es lo que habitualmente prevalece, como si el sistema ortográfico del lenguaje escrito reconociera la prioridad del significado. Por ejemplo, el plural representado por una simple *s* en el lenguaje escrito puede ser pronunciado de tres maneras diferentes en el habla inglesa —como el sonido /s/ al final de "cats", el sonido /z/ al final de "dogs", y el sonido /iz/ al final de "judges". La escritura inglesa sería más fácil de leer si el tiempo pasado de los verbos no fuera indicado por una constante *-ed*, sino más bien que reflejara la pronunciación, de tal manera que tendríamos variaciones tales como *walkt* (en lugar de *walked*) y *landid* (en lugar de *landed*). La razón de que *medicina* y *médico* sean deletreadas de la manera en que habitualmente se hace no es porque *c* algunas veces se pronuncie arbitrariamente como /s/ y otras veces como /k/, sino porque las dos palabras tienen la misma raíz semántica, representada por *medic*. Esta comunión de significado se perdería si las dos palabras fueran deletreadas como *medisina* y *médiko*. Se debe señalar, incidentalmente, que la representación consistente de las distintas pronunciaciones del plural inglés simbolizadas por *s*, o los tiempos pretéritos simbolizados por *ed*, rara vez ocasionan dificultades en los lectores, incluso en los principiantes, a condición de que lo que están leyendo tenga sentido. Si un niño comprende una palabra, la pronunciación se encargará de sí misma, pero el esfuerzo por producir la pronunciación como un prerrequisito del significado probablemente resultará en que nada se logrará.

Por supuesto, la ortografía es un problema, tanto dentro como fuera de la escuela, pero es un problema de *escritura*, no de lectura. Los lectores normalmente no están conscientes de la ortografía. Atienden a la apariencia de las palabras, a sus rasgos, no a sus letras individuales. Saber cómo escribir no implica al buen lector porque la lectura no se realiza mediante la decodificación de la ortografía. Seguramente los buenos lectores no necesariamente tienen buena ortografía; podemos leer todas la palabras que no podamos escribir correctamente. No estoy diciendo que el conocimiento de la ortografía no sea importante, sólo que no tiene un papel en la lectura, y que un excesivo interés en la manera en que las palabras son deletreadas sólo puede interferir en el aprendizaje de la lectura de un niño.

Existe el frecuente razonamiento de que si la ortografía y la decodificación del sonido son irrelevantes para la lectura como lo indican los análisis anteriores, ¿por qué debemos tener un lenguaje escrito en forma alfabética? Mi punto de vista es que el sistema alfabético representa mayor ayuda para el escritor que para el lector. Por varias razones, incluyendo la carga de la memoria que se necesita para reproducir legiblemente cada palabra en todos sus rasgos característicos, la escritura es una destreza mucho más difícil de aprender y practicar que la lectura, al menos si el escritor debe ser convencionalmente "correcto" con respecto a cuestiones tales como la gramática, la puntuación, la claridad, etc. El deletreo puede ser complicado para los escritores (especialmente si no se les ha enseñado de qué manera la ortografía refleja significado así como sonido), pero todavía la tarea resulta mucho más fácil que si tuvieran que recordar y reproducir miles y miles de formas ideográficas no alfabéticas, como los que escriben el idioma chino.

El sistema alfabético puede haber permitido que más gente aprendiera a escribir, pero a costa de los lectores. El sistema ideográfico chino puede ser leído por los habitantes de toda la China, aunque ellos podrían hablar lenguajes que fueran mutuamente ininteligibles. Si un orador del cantonés no puede comprender lo que dice otro que habla mandarían ellos podrían escribir su conversación en el sistema de escritura no alfabética que ambos comparten y entonces podrían comprender. Esto es algo que los hablantes del inglés y el español no pueden hacer a menos que empleen la parte pequeña de sus propios sistemas de escritura que no es alfabética, tal como los símbolos aritméticos como $2 + 3 = 5$.

Cuando no podemos recordar o no sabemos cómo se debe escribir una palabra, tenemos el pequeño recurso de hacer uso de lo que sabemos acerca del sistema ortográfico. Nos ayuda mucho en la escritura mirar las palabras antes y después de la que nos está provocando dificultades. Pero en la lectura tenemos algunas alternativas más efectivas antes de que necesitemos acudir a la fónica para identificar una palabra, y son estas alternativas las que en seguida examinaremos.

ESTRATEGIAS DE LA IDENTIFICACIÓN MEDIADA DE PALABRAS

Repitamos; el problema que nos interesa es el del lector que encuentra una palabra que no puede ser reconocida visualmente, por lo cual se debe establecer una lista de rasgos visuales, pero donde el lector sabe cuál es la palabra a la que se asignará la lista de rasgos. El problema del lector es identificar la palabra a través de una estrategia mediada.

La fónica, como hemos visto, es una de esas estrategias, pero no es la única. Una alternativa obvia es que se nos diga simplemente cuál es la palabra. Antes de que la mayoría de los niños ingresen a la escuela, los adultos bien intencionados les dicen "esa palabra es 'Juan' ", "esa palabra es 'muchachas' ", "esa palabra es 'cereal' ", así como en otras ocasiones dicen "ese animal es un gato", en todos los casos dejan que el niño resuelva el problema más complejo de saber exactamente cómo reconocer la palabra o al animal en el futuro. Pero cuando los niños ingresan a la escuela frecuentemente se les retira tal apoyo, al menos en lo que se refiere a la lectura. Otro adulto bien intencionado probablemente les diría: "tengo una noticia buena y otra mala el día de hoy, niños. La mala es que probablemente nadie les vuelva a repetir cuál es una palabra. La buena es que vamos a darles 166 reglas y 45 excepciones para que ustedes lleguen a solucionar los problemas por sí mismos."

Estrategias alternativas de identificación

Pregunte usted a los lectores hábiles qué es lo que hacen cuando se encuentran con una palabra que no conocen; la respuesta más probable será que se la saltan. Pasar por alto una palabra es una primera estrategia razonable porque no es necesario comprender cada palabra para entender un pasaje del texto, y demorarse en tratar de descifrar una palabra puede ser más perturbador para la comprensión que omitir toda la palabra. La segunda estrategia preferida es "conjeturar", lo cual nuevamente no significa moverse arriesgadamente en la oscuridad, sino hacer uso del contexto para eliminar las alternativas improbables sobre lo que esa palabra desconocida podría ser. La estrategia final puede ser tratar de descubrir cuál es esa palabra a partir de su escritura, aunque sería conveniente hacer uso de lo que ya se sabe acerca de otras palabras, en lugar de decodificar por medio de la fónica. Esta estrategia final podría llamarse "identificación por analogía", dado que todo o parte de la palabra desconocida se compara con todo o parte de las palabras que son conocidas.

Examine la misma cuestión con un niño que esté haciendo progresos en el aprendizaje de la lectura, y probablemente obtendrá la misma secuencia de estrategias. Los mejores aprendices tienden a saltarse palabras desconocidas (al menos que sea limitada por el maestro con la indicación de que "lea cuidadosamente" y calcule cada palabra). La segunda preferencia, especialmente si no hay un adulto auxiliar que proporcione asistencia, es hipotetizar lo que podría ser una palabra basándose en el significado del texto, y la alternativa final es usar lo que ya se sabe de las palabras con apariencia similar. Tratar de pronunciar con las palabras sin hacer referencia al significado es una estrategia característica de los lectores deficientes; no es la que conduce a la fluidez en la lectura.

¿Cuál es el mejor método de la identificación mediada de palabras? La respuesta depende de la situación en la que un lector se encuentre. Algunas veces la mejor estregia efectivamente será ignorar las palabras desconocidas en conjunto, dado que se puede hallar suficiente significado en el texto circundante no sólo para compensar la falta de comprensión de la palabra desconocida, sino para proporcionar subsecuentemente ciertas claves de lo que podría ser la palabra no familiar. Para un niño que empieza a aprender a leer, o que se enfrenta a un texto con muchas palabras desconocidas, la mejor situación probablemente es tener a un adulto o a un lector joven más competente al cual recurrir, si se necesita que el niño lea el pasaje completo. Pero si el lector no puede comprender buena parte del texto como para encontrarle sentido continuo, entonces una estrategia más efectiva puede ser la identificación por analogía, haciendo uso de lo que ya sabe acerca de la lectura.

El problema es que la fónica en sí misma es casi inútil para la pronunciación de las palabras letra por letra, dado que cada letra puede representar demasiados sonidos. Pero la incertidumbre acerca del sonido de una letra particular disminuye cuando las letras no se consideran aisladas sino como parte de agrupaciones de letras o "patrones de escritura". Esto ha conducido a varios teóricos a afirmar que la unidad básica para el reconocimiento de palabras debe ser considerada como la sílaba más que como letra individual. Y efectivamente eso es verdad; la pronunciación de sílabas es mucho menos variable que la pronunciación de las letras individuales que forman a las sílabas. El problema es que un lector tardaría años en aprender por memorización la pronunciación de cientos de sílabas, dado que éstas en sí mismas tienden a ser carentes de significado —existen relativamente pocas palabras de una sílaba— y el cerebro humano tiene gran dificutad para memorizar, particularmente recordar lo absurdo. A lo que un lector puede recurrir de un depósito ya hecho de información silábica es a las *palabras* que ya han sido aprendidas. Es mucho más fácil para un lector recordar la apariencia única y la pronunciación exclusiva de una palabra completa como *fotografía*, por ejemplo, que recordar las pronunciaciones alternativas de las sílabas sin significado o unidades de deletreo como *f*, *to*, *gr* o *gra*, y *fía*. Una sola palabra puede proporcionar la base para recordar diferentes reglas de la fónica, así como las excepciones, dado que las palabras no sólo proporcionan una manera significativa de organizar diferentes reglas fónicas en la memoria, también ilustran las reglas fónicas en operación. Las diez maneras diferentes de pronunciar *ho* en el idioma inglés no causan dificultades si uno ya posee palabras como *hot, hoot, hope,* etc., en el vocabulario visual propio.

La base para la estrategia de la identificación por analogía de la identificación mediada de palabras es buscar claves para la pronunciación de una palabra y el significado de las palabras que parecen iguales. No aprendemos a pronunciar las palabras sobre la base de letras individuales o agrupaciones de letras cuyos sonidos han sido aprendidos de manera aislada, sino más bien reconociendo secuencias de letras que ocurren en palabras que ya conocemos. Semejante estrategia ofrece una ventaja adicional al lector porque hace algo más que indicar las posibles pronunciaciones de todo o parte de las palabras desconocidas; puede ofrecer sugerencias acerca del significado. Como señalé anteriormente, la ortografía del inglés en sus aspectos generales respeta más el significado que el sonido —las palabras que se parecen tienden a compartir el mismo sentido. Y como he reiterado a lo largo de este libro, la base de la lectura y de su aprendizaje es el significado. La ventaja de tratar de identificar palabras desconocidas por analogía con las palabras que ya se conocen no implica simplemente que las palabras conocidas proporcionarán un repertorio de pronunciaciones inmediatamente accesible de las secuencias de letras relativamente largas, sino que todo o parte de las palabras conocidas puede proporcionar claves del significado, lo cual siempre es una señal mucho mejor para la pronunciación que la manera en que una palabra desconocida se escribe.

No estoy sugiriendo que los lectores fluidos no utilicen su conocimiento de las correspondencias letra-sonido como ayuda para la identificación de palabras no familiares, o que la existencia de tales correspondencias se debe ocultar a los niños que están aprendiendo a leer, sino que hay tres problemas fundamentales en las correspondencias letra-sonido: el número total de reglas y excepciones, el tiempo que se necesita para llevarlas a la práctica y su falta de confiabilidad general. El problema del número de reglas se puede resolver tratando de no aprender (o enseñar) las reglas en abstracto, independientemente de las palabras reales. La manera más fácil de aprender una regla fónica es aprender unas cuantas palabras que la ejemplifiquen, lo cual significa —otro punto que habrá de reiterarse— que los niños conocen la fónica como resultado de aprender a leer, más que como un prerrequisito para la lectura. El problema del tiempo es resuelto recurriendo a la fónica en la lectura real lo menos frecuentemente que sea posible.

El problema de la falta de confiabilidad de las generalizaciones fónicas es otra cuestión. Las generalizaciones fónicas solas no permitirán que un lector decodifique la mayoría de las palabras que probablemente encuentre en la lectura normal simplemente porque siempre hay demasiadas alternativas. Ésta es la razón por la que los autores de libros de trabajo acerca de las fónicas prefieren trabajar con vocabularios estrictamente controlados —no hay tanta incertidumbre en la pronunciación de *que la nuera güera de la otra acera muera afuera* como la que hay en *dos pichones hambrientos vuelan detrás del campesino rendido*, una oración que tiene más sentido pero nos lleva a un análisis fónico.

Pero las generalizaciones fónicas pueden funcionar si todo lo que se necesita que hagan es reducir las alternativas, sin que se espere una identificación completa de las palabras o su decodificación en sonidos. Para dar un ejemplo, el uso de la fónica nunca tendrá éxito en la decodificación de *caballo* si la palabra aparece aislada o es una de miles de alternativas. Pero si el lector sabe que la palabra es *caballo, mula o burro*, entonces la estrategia funcionará con efectividad. No es simplemente que se requiera de un análisis fónico mínimo para saber que *mula* y *burro* no podrían comenzar con *c*, sino que no se puede esperar mucho más de las reglas fónicas en cualquier caso. Ésta es la razón de que haya afirmado que la fónica es fácil —para el maestro y el niño— si ellos saben lo que es una palabra en primera instancia. No estoy sugiriendo que la palabra tenga que ser conocida absolutamente. En ese caso, ni el método fónico ni cualquier otra estrategia para la identificación mediada de palabras se necesitaría. Pero si el lector tiene una buena idea de lo que la palabra podría ser, si hay una afirmación que incluya lo que la palabra realmente es entre las alternativas probables, entonces el uso de la fónica probablemente eliminará la incertidumbre restante.

No se puede esperar que las estrategias fónicas eliminen toda la incertidumbre cuando el lector no tiene idea de lo que la palabra podría ser. Pero si el lector puede reducir alternativas de antemano, haciendo uso de la información no visual relacionada con la lectura y con el tema del texto— entonces se puede hacer más eficiente al método fónico. Una manera de reducir la incertidumbre de antemano es emplear la técnica mediadora de hacer uso del contexto. La comprensión del texto, en general, reducirá el número de alternativas que podría tener una palabra desconocida. La otra manera de reducir la incertidumbre de antemano es emplear la técnica mediadora alternativa de la indentificación por analogía, comparando la palabra desconocida con las palabras familiares que proporcionan hipótesis acerca de los posibles significados y pronunciaciones. La razón de que sea posible leer fácilmente palabras sin sentido en inglés como *vernalit, mossiant* y *ricaning* no es porque los lectores que conocen ese idioma tengan en sus cabezas un depósito de pronunciaciones de las secuencias de letras no significativas como *vern, iant* o *ric*, sino porque son aproximaciones cercanas al inglés que están construidas con partes de palabras o incluso palabras enteras que son inmediatamente reconocibles, tales como *vernal, ric, moss,* etc.

No existe respuesta simple a ninguna pregunta acerca del método ideal de la identificación mediada de palabras. Las tres alternativas que he analizado específicamente —correspondencias letra-sonido, predicción a partir del contexto e identificación por analogía— probablemente sean inadecuadas cuando se usan solas. Mientras que todas reducirán cierta incertidumbre, probablemente ninguna eliminará todas las alternativas por sí misma. Pero utilizadas en conjunto, las estrategias se complementan entre sí. Un lector que emplee la fónica, rara vez identificará una palabra desconocida sin extraer sentido del pasaje como un todo, usando esta comprensión para eliminar las alternativas improbables de antemano. Ignorar los medios alternativos de reducir la incertidumbre es ignorar la redundancia, la cual es una parte central de todos los aspectos del lenguaje.

Y la eliminación previa de las alternativas improbables es, después de todo, lo que la lectura representa, de acuerdo con el análisis de la comprensión que he ofrecido en el capítulo 6. Mediante este análisis, la fónica no es la base de la lectura ni una estrategia sobre la cual tiene que depender completamente un lector cada vez que se encuentre con una palabra desconocida. Más bien, el uso de las reglas fónicas ocupa un lugar suplementario y subordinado en la lectura significativa normal, ocurriendo de manera tan rara y fácil que el lector habitualmente no está consciente de las estrategias empleadas cuando se identifican tentativamente las palabras no familiares y cuando se establecen listas de rasgos. Las reglas fónicas funcionan casi como un centinela; no pueden descifrar las palabras desconocidas por sí mismas, pero protegerán al lector en contra de formulaciones hipotéticas imposibles.

ESTRATEGIA DE IDENTIFICACIÓN DE PALABRAS MEDIADA POR EL APRENDIZAJE

En un capítulo anterior se señalaron dos puntos críticos acerca del aprendizaje:

1. La base de todo aprendizaje —y especialmente del aprendizaje del lenguaje— es la significatividad. Es inútil esperar que un niño memorice listas de reglas, definiciones, incluso nombres, si éstos no tienen un propósito o utilidad evidentes para el niño; no sólo el aprendizaje será muy difícil, sino que recordar será casi imposible. Dos de las estrategias de identificación mediada de palabras que he analizado caen dentro de la categoría del aprendizaje no significativo, si se espera que un niño las adquiera fuera de un contexto de lectura significativa. Es inútil esperar que un niño memorice reglas fónicas, o la pronunciación de sílabas o agrupaciones de letras, antes de aprender a leer. La estrategia mediadora que analicé y la identificación por analogía, sólo pueden ser fomentadas después de que un niño ha comenzado a leer.

2. El aprendizaje es un proceso continuo, sin esfuerzo y completamente natural, autodirectivo y autorreforzante, cuando los niños están en una situación de la que básicamente pueden derivar sentido y en donde hay algo nuevo —un problema por resolver— que puede estar relacionado con lo que ya conocen. En otras palabras, la base del aprendizaje es la comprensión. Las reglas no pueden ser verbalizadas acerca de muchos aspectos del mundo físico y del lenguaje hablado; son hipotetizadas y comprobadas con poca conciencia por parte de niños y adultos, y los "nombres" son aprendidos por millares. Cuando un niño puede comprender una relación, el niño puede aprender la relación, ya sea la relación de un nombre con una palabra, de un significado con una palabra o de correspondencias letra-sonido.

Todo esto significa que la lectura básicamente es una cuestión de recompensas crecientes; entre más lea un niño, más aprenderá a leer. Entre más palabras pueda reconocer, más fácil le resultará la comprensión de las correspondencias fónicas, el empleo de claves de contexto, y la identificación de palabras nuevas por analogía. Entre más pueda leer un niño —o se le ayude a leer— más probablemente descubrirá y ampliará estas estrategias por sí mismo.

Adquiriendo un amplio "vocabulario visual" de palabras inmediatamente identificables, los niños son capaces de comprender, recordar y utilizar las reglas fónicas y otras estrategias de identificación mediada. Pero tal afirmación no implica que la manera de ayudar a los niños a leer es proporcionándoles una cantidad de experiencias con instantáneas y listas de palabras. La manera fácil de aprender palabras no es trabajar con palabras individuales, sino con pasajes significativos de un texto. Estamos considerando sólo un aspecto limitado y secundario de la lectura al restringir nuestra atención en las palabras individuales. Cuando dirijamos nuestra atención hacia la lectura de secuencias de palabras que son gramaticales y tienen sentido, encontraremos que la identificación de palabras y el aprendizaje pueden explicarse teóricamente de un modo más fácil, y que pueden ser realizadas por el niño con mayor facilidad.

El tiempo ha venido a completar la imagen de la lectura reconociendo que las palabras rara vez se pueden leer o aprender cuando se encuentran en una situación aislada no significativa. La lectura es más fácil cuando tiene sentido, y aprender a leer también es más fácil cuando tal actividad tiene sentido. Estamos listos para observar la lectura desde una perspectiva más amplia y significativa.

Resumen

La **identificación mediada de palabras** es un recurso temporal para identificar palabras desconocidas mientras se establecen listas de rasgos que permitan la identificación inmediata. Las estrategias alternativas para la identificación mediada de palabras incluyen el preguntar a alguien, utilizar claves del contexto, la analogía con palabras conocidas y el uso de la **fónica** (correspondencias letra-sonido). Es poco probable que al intentar la decodificación de palabras aisladas en sonido se obtenga el éxito debido al número, complejidad e inconfiabilidad de las generalizaciones fónicas. Las reglas fónicas ayudarán a eliminar posibilidades alternativas únicamente si la incertidumbre puede ser reducida por otros medios, por ejemplo, si las palabras desconocidas ocurren en contextos significativos. Las correspondencias letra-sonido no pueden aprenderse de manera fácil y útil antes de que los niños adquieran cierta familiaridad con la lectura.

Las notas del capítulo 10 comienzan en página 239.

La identificación
del significado

Los tres capítulos anteriores han tratado acerca de la identificación de letras y palabras. Examinaron el análisis de rasgos como un mecanismo de identificación de letras, y demostraron cómo podría emplearse el mismo proceso analítico de rasgos para la identificación directa de palabras. La identificación de palabras no requiere del conocimiento previo de las letras, al menos no la identificación inmediata de palabras que los lectores realizan cuando una palabra con la que están interesados les es familiar, forma parte de su "vocabulario visual". Únicamente cuando las palabras no pueden ser identificadas inmediatamente, la identificación previa de las letras se hace relevante, y sólo en un grado limitado, dependiendo de la cantidad de información del contexto y de otras fuentes que el lector podría tener a su disposición. Las alternativas se resumen en la figura 11.1.

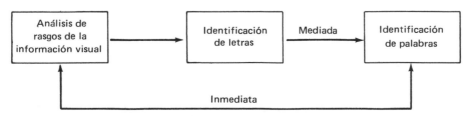

Figura 11.1. Identificación inmediata y mediada de palabras.

Ahora quiero demostrar que la comprensión, o la identificación del significado, no requiere de la identificación previa de las palabras. La identificación del significado **puede** ser tan inmediata como la identificación de las letras o las palabras. Argumentaré que el mismo proceso analítico de rasgos que subyace a la identificación de letras y palabras también está disponible en la aprehensión *inmediata* del significado a partir de la información visual. Mientras que algunas veces la identificación *mediada* del significado puede ser necesaria, porque por alguna razón el significado no puede ser inmediatamente señalado por el texto, intentar tomar decisiones acerca del posible significado mediante la identificación previa de palabras individuales es ineficiente y probablemente fracase.

En otras palabras, estoy afirmando que la identificación inmediata del significado es tan independiente de la identificación de palabras individuales como la identificación inmediata de palabras es independiente de la identificación de letras individuales. Las alternativas están representadas en la figura 11.2.

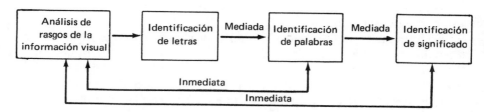

Figura 11.2. Identificación inmediata y mediada del significado.

Plantearé el argumento en tres pasos:

1. Demostrando que la identificación inmediata del significado se realiza; que los lectores normalmente pueden identificar el significado de antemano o sin la identificación de palabras individuales.
2. Proponiendo cómo se efectúa la identificación inmediata del significado.
3. Analizando la manera en que se aprende la identificación inmediata del significado.

En una sección final analizaré brevemente la identificación mediada del significado, o lo que un lector hace cuando no es posible la aprehensión directa del mismo. (También habrá un análisis adicional del papel de la predicción en la comprensión, que se explicará posteriormente.)

UTILIZANDO EL SIGNIFICADO EN LA LECTURA

Ya se ha proporcionado una demostración de que los lectores emplean el significado como ayuda en la identificación de palabras individuales, más que para trabajar en la identificación de palabras, para obtener significado. Me estoy refiriendo al experimento que demuestra que a partir de una sola mirada hacia un renglón de lo impreso —lo equivalente a casi un segundo de lectura— un lector puede identificar cuatro o cinco palabras si están ordenadas en una secuencia significativa como LOS SOLDADOS DISPARABAN ARMAS, pero difícilmente la mitad de esa cantidad si las palabras no estaban relacionadas entre sí, como HÁBIL SALTO TRIGO POBRE PERO. Mi explicación en el capítulo tres, donde originalmente describí este estudio clásico (Cattell, 1885), fue que con un texto significativo un lector podría abastecerse de información no visual para reducir las alternativas, de tal manera que la cantidad de información visual que el cerebro puede manejar en un segundo iría dos veces más lejos, a identificar cuatro o cinco palabras en lugar de dos. La información no visual que el lector ya posee únicamente puede ser el significado, o el conocimiento previo de la manera como las palabras se integran en el lenguaje que no sólo es gramatical, sino que tiene sentido.

Es importante comprender que el lector en la situación que acabo de analizar está haciendo uso del significado desde el principio mismo; la significatividad facilita la identificación de cada palabra en el renglón. El lector no identifica primero una o dos palabras mediante una estrategia de identificación de palabras, como si no tuvieran nada que ver con las otras palabras del renglón, y luego hace una conjetura razonable acerca del resto. Efectivamente, el mismo experimento demuestra que si dos palabras tenían que ser identificadas para derivar una clave de las otras, entonces no habría tiempo para que las otras fueran identificadas. Dos es el límite de palabras que no tienen relaciones significativas. En donde una secuencia de palabras tiene sentido, la identificación de cada palabra se facilita, tanto la primera como la última, tal como las palabras individuales pueden ser identificadas en condiciones en las que ninguna de sus letras componentes sería individualmente discriminable. Como veremos, todo es cuestión de la eliminación previa de las alternativas improbables (e imposibles).

La demostración que he analizado es histórica; fue conducida y reportada por primera vez hace casi un siglo (Cattell, 1885), y desde entonces ha sido repetida muchas veces. Pero en cierto sentido, el hecho de que el significado facilita la identificación de palabras individuales se repite cada vez que leemos, ya que la lectura sería imposible si trabajaramos desde el principio, esforzándonos ciegamente en identificar una palabra tras otra, sin ningún conocimiento previo de lo que esas palabras podrían ser. La lectura lenta no es una lectura eficiente porque tiende a crear visión tubular, a sobrecargar la memoria a corto término y a dejar al lector tropezando con la ambigüedad del lenguaje. No obstante, es imposible leer rápidamente el lenguaje que no tiene sentido, como lo puede usted comprobar si trata de leer el siguiente pasaje:

Ser podrían palabras esas que lo de previo conocimiento ningún sin, otra tras palabra una identificar en obcecadamente esforzándonos, principio el desde trabajáramos si imposible sería lectura la porque, leemos que vez cada repite se individuales palabras de identificación la facilita significado el que de hecho el, sentido cierto en pero.

Las palabras que ha tratado de leer son las que espero que estén en una oración perfectamente significativa en español —dado que las escribí en el párrafo anterior— pero hacia atrás. Cualquier diferencia entre la velocidad y la facilidad con las que podría haber leído las versiones hacia adelante y hacia atrás de esa oración, únicamente puede ser atribuible a si usted es capaz de extraer sentido de ella. (Si usted hubiera leído el pasaje hacia atrás en voz alta, incidentalmente, probablemente las habría pronunciado de una manera muy parecida a la de muchos de los clásicos "lectores problema" en la escuela, quienes se esfuerzan por identificar palabras una por una en una triste monotonía como si cada palabra no tuviera nada que ver con las demás. Tales niños parecen creer —e incluso bien podrían haber pensado— que el significado debe ser lo último que interese; que el sentido se ocupará de sí mismo a condición de que expresen las palabras correctas, más que el significado facilite la identificación de palabras.)

Los lectores profesionales, por ejemplo los locutores de radio, conocen la importancia de la comprensión previa de lo que van a leer; ésa es la razón por la que parecen estar leyendo un libreto de antemano. Echar una hojeada también ayuda a la lectura en silencio de novelas y libros técnicos —podemos obtener una idea general de lo que tratan y luego regresar a donde sea necesario para estudiar puntos particulares. La comprensión general resulta de la lectura rápida, mientras que la lectura lenta que podría ser necesaria para la memorización o para la reflexión en los detalles sólo puede ser realizada si la comprensión ya ha sido tomada en cuenta. Por el contrario, el significado puede interferir en algunas tareas de lectura. Los correctores de pruebas tienden a pasar por alto los errores de imprenta cuando atienden al sentido de lo que están leyendo; ellos ven la ortografía y las palabras que deberían estar en la página, más que las que realmente están ahí. Algunas veces los correctores de pruebas leerán hacia atrás deliberadamente para dedicar toda su atención a la ortografía y a las palabras individuales pero, entonces, efectivamente pasarán por alto las anomalías en el significado. Su dilema más sobresaliente es el hecho de que la atención a las palabras individuales y al significado son aspectos alternativos y no sucesivos de la lectura.

El uso previo del significado asegura que cuando se deben identificar palabras individuales, por ejemplo para leer en voz alta, se utilizará un mínimo de información visual necesaria. Y como una consecuencia, a menudo ocurrirán errores. Si un lector ya tiene una muy buena idea de lo que una palabra podría ser, no tiene mucho sentido demorarse más para obtener más seguridad acerca de lo que la palabra realmente es. Como resultado, no es raro que hasta los lectores de mayor experiencia cometan errores en la lectura los cuales en su aspecto visual son radicalmente diferentes —como leer "dijo" cuando la palabra realmente es. Como resultado, no es raro que hasta los lectores de mayor experiencia cometan errores en la lectura, los cuales en su aspecto visual son tamente la misma tendencia, demostrando que los niños se esforzarán por adquirir el sentido incluso cuando están aprendiendo a leer (a condición de que el material del que esperan aprender tenga cualquier posibilidad de tener sentido en primera instancia). Las equivocaciones que en ocasiones se cometen a veces se les llama *desaciertos* en lugar de *errores*, para evitar la connotación de que están haciendo algo malo (Goodman, 1969). Tales errores en la lectura demuestran que estos lectores principiantes están intentando leer de la misma manera en que los lectores fluidos lo hacen, dándole prioridad al sentido sobre la identificación de palabras individuales. Por supuesto, la lectura realizada con una mínima atención a las palabras individuales algunas veces producirá errores en la lectura que modificarán el significado, pero una de las grandes ventajas de la lectura por el significado, en primera instancia, es que uno se hace consciente de los errores que producen una diferencia en el significado. Una diferencia importante entre los niños que están leyendo bien y aquellos que no lo hacen así no es que los buenos lectores cometan menos errores, sino que regresan y corrigen las equivocaciones que producen una diferencia. Los niños que no están leyendo por el sentido no tienen oportunidad de hacerse conscientes ni siquiera de los errores importantes.

Una ilustración única de la manera en que el significado asume prioridad sobre la identificación de palabras individuales ha sido proporcionada por Kolers (1966), quien solicitó a varios bilingües fluidos tanto en inglés como en francés que leyeran en voz alta los pasajes de un texto que tenía sentido, pero en donde el lenguaje real cambiaba del inglés al francés cada dos o tres palabras. Por ejemplo:

His horse, followed de deux bassets, faisait la terre résonner under its eventread. Des gouttes de verglas stuck to his manteau. Une violente brise was blowing. One side of l'horizon lighted up, and dans la blacheur of the early morning light, il aperçut rabbits hopping at the bord de leur terriers.

Los sujetos de este experimento podían leer y comprender perfectamente bien tales pasajes, pero después de que lo habían hecho, a menudo no podían recordar si las secuencias particulares de palabras estaban en inglés o en francés. Todavía más importante fue el hecho de que frecuentemente sustituyeron una palabra en un idioma en otra palabra apropiada del otro idioma. Ellos podían leer "porte" cuando la palabra era *door* o "hand" cuando se escribía *main*, obteniendo el significado correcto pero en el idioma equivocado. Esto no significa que no estuvieran observando las palabras individuales —el pasaje no era predecible— sino que estuvieron mirando las palabras y encontraban significados, de tal manera que un hablante del inglés podría mirar *2 000* y comprender "dos mil", mientras un hablante del francés miraría la misma cifra impresa y comprendería "deux milles".

Un punto importante y quizá difícil de entender del análisis anterior es que es posible tomar decisiones significativas acerca de las palabras sin decir exactamente qué palabras son. En otras palabras, podemos *ver* que la palabra escrita *puerta* significa puerta sin que tengamos que decir en voz alta o a nosotros mismos que la palabra *es* "puerta". Las palabras escritas comunican significado directamente; no son intermediarias del lenguaje hablado. Un ejemplo obvio del inglés lo proporcionan palabras que tienen diferente ortografía para el mismo sonido, como *their* y *there*. Es fácil detectar el error de deletreo en *The children left there books behind* porque *there* representa el significado erróneo. La diferencia entre *their* y *there*, *read* y *reed*, y *so*, *sew* y *sow*, evidentemente no es que la ortografía diferente represente sonidos distintos, porque no es así, sino que las apariencias diferentes de las palabras indican significados distintos. La apariencia visual de cada palabra directamente indica significado.

El hecho de que los lectores puedan, lean y deban leer directamente por el significado es similarmente evidente en un lenguaje escrito como el chino, el cual no corresponde a ningún sistema de sonidos particulares. Sería inútil tratar de afirmar que el símbolo escrito 家 representa la palabra "casa" en madarín o en cantonés (o incluso que el símbolo representa la palabra "casa" o la palabra "residencia" en cualquier lenguaje hablado) simplemente porque representa un *significado*. Mi afirmación presente es que cualquier lenguaje escrito se lee de la misma manera en que se lee el chino, directamente por el significado, y el hecho de que algunas lenguas escritas estén más o menos relacionadas también con el sistema de sonidos de un idioma hablado coincide mucho en lo que al lector se refiere. Como sugerí anteriormente, el alfabeto podría haberse originado en forma pura para la convivencia de los escritores. Ciertamente, no hay evidencia de que los lectores fluidos identifiquen letras para identificar palabras familiares, y la escritura del idioma inglés es, en el mejor de los casos, una guía deficiente para la identificación de palabras que son desconocidas.

Mi ejemplo final de que el lenguaje escrito indica significado directamente es un poco compasivo, puesto que proviene de estudios sobre pacientes con daño cerebral. Las personas que son incapaces de encontrar la palabra exacta son los sujetos de esos estudios, por ejemplo que leían la palabra aislada *enfermo* como "malo", *ciudad* como "pueblo", y *antiguo* como "histórico" (Marshall y Newcombe, 1966). O *daño* como "molestia", *quieto* como "escuchar", y *volar* como "aire" (Shallice y Warrington, 1975). En un "error de lectura" notable, un paciente identificó *sinfonía* como "tía", supuestamente porque primero confundió la palabra escrita con *simpatía*.

COMPRENDER PARA REDUCIR LA INCERTIDUMBRE

He tratado de demostrar que el significado puede tener prioridad sobre la identificación de palabras individuales de dos maneras, tanto para los lectores fluidos como para los principiantes. En el primer caso, el significado de una secuencia de palabras permitirá la identificación de palabras individuales con relativamente poca información visual, e incluso hace innecesaria la identificación precisa de palabras particulares. En el segundo caso, las palabras escritas representan significado directamente; contribuyen a la comprensión de un pasaje del texto sin la necesidad de ser identificadas con precisión. Normalmente ambos aspectos de la identificación del significado ocurren de manera simultánea; comprendemos el texto utilizando mucha menos información visual de la que sería necesaria para identificar las palabras individuales, y sin necesidad de identificar estas últimas. Ambos aspectos de la identificación del significado son, de hecho, reflejos del mismo proceso subyacente —el uso de mínima información visual para tomar decisiones específicas sobre cuestiones implícitas (o predicciones) acerca del significado por parte del lector.

Estoy utilizando la delicada expresión "identificación del significado" como un sinónimo de la comprensión en este capítulo para subrayar el hecho de que el proceso mediante el cual un lector extrae sentido del texto no es diferente de aquél mediante el cual las letras o las palabras individuales pueden ser identificadas en el mismo texto. Lo que es diferente con respecto a la comprensión es que los lectores formulan preguntas implícitas en el texto más que acerca de las letras o las palabras. El término identificación del significado también ayuda a enfatizar que la comprensión es un proceso activo. El significado no reside en la estructura superficial. El significado que los lectores comprenden del texto siempre es relativo a lo que ya conocen y a lo que quieren conocer. Para plantearlo de otra manera, la comprensión puede ser considerada como *la reducción de la incertidumbre del lector,* lo cual es un punto de vista que ya he utilizado en los análisis de la identificación de letras y de palabras.

Un pasaje del texto se puede percibir al menos de tres maneras: como una secuencia de letras de un cierto alfabeto, como una secuencia de palabras de un idioma particular, o como una secuencia de significados en un cierto dominio del conocimiento o comprensión. Pero de hecho, un pasaje del texto no es ninguna de estas cosas, o al menos potencialmente sólo es estas cosas. Básicamente, el texto escrito es cierta cantidad de marcas de tinta sobre una página, diversamente caracterizado como información visual, rasgos distintivos o estructura superficial. Cualquier cosa que los lectores perciban en el texto —letras, palabras o significados— depende del conocimiento previo (información no visual) que posean y de las preguntas implícitas que estén formulando. La información real que los lectores encuentran (o al menos buscan) en el texto depende de su incertidumbre original.

Considere, por ejemplo, esta oración que está usted leyendo en este momento. La información visual en la oración puede ser usada para tomar decisiones acerca de las letras, por ejemplo, decir que la primera letra es "c", la segunda "o", la tercera "n", etc. Alternativamente, la misma información visual podría ser utilizada para decidir que la primera palabra es "considere"; la segunda palabra "por"; la tercera palabra "ejemplo"; etc. El lector emplea la misma información visual, selecciona a partir de los mismos rasgos distintivos, pero esta vez ve palabras, no letras. Lo que los lectores ven depende de lo que están buscando, de sus preguntas implícitas o de la incertidumbre. Finalmente, la misma información visual puede ser empleada para tomar decisiones acerca del significado en la oración, en cuyo caso ni las letras ni las palabras serían vistas. No es fácil decir con precisión qué es lo que se está identificando en el caso del significado, pero eso se debe a la dificultad conceptual de decir lo que es el significado, no porque el lector esté haciendo algo intrínsecamente diferente. El lector está usando la misma fuente de información visual para reducir la incertidumbre acerca del significado más que acerca de las letras o las palabras.

Como ya hemos visto, la cantidad de información visual que se requiere para hacer una identificación de letras o de palabras depende de la cantidad de incertidumbre previa del lector, del número de alternativas que existen en la mente del lector (y también del grado en el que el lector quiere confiar en las decisiones que se deben tomar). Con respecto a las letras es fácil decir cuál es el número máximo de alternativas, 27 si estamos considerando sólo un tipo particular de mayúsculas o minúsculas en el caso del alfabeto español. Es similarmente fácil demostrar que la cantidad de información visual que se necesita para identificar cada letra disminuye cuando el número de alternativas que la letra podría tener (la incertidumbre del lector) se reduce. Entre menos alternativas, más rápida o más fácil es la identificación de una letra, porque se necesitan discriminar menos rasgos distintivos para que se tome una decisión. No es fácil decir cuál es el número máximo de alternativas de las palabras, porque ello depende del rango de alternativas

que el lector considere en primera instancia, pero nuevamente no es difícil demostrar que la cantidad de información visual que se requiere
para identificar una palabra disminuye cuando se reduce la incertidumbre del lector. Una palabra puede ser identificada con menos rasgos
distintivos cuando proviene de doscientas alternativas que cuando proviene de varios miles. Finalmente, es imposible decir cuántos significados alternativos podrían haber para un pasaje de texto, porque ello
depende completamente de lo que un lector individual está buscando,
pero es obvio que la lectura es mucho más fácil y rápida cuando el lector encuentra significativo el material que cuando la comprensión es un
conflicto. Entre menos incertidumbre tengan los lectores acerca del significado de un pasaje, menos información visual se necesita para encontrar en el pasaje lo que están buscando.

En cada uno de los casos anteriores, la información no visual puede
ser empleada para reducir de antemano la incertidumbre del lector, así
como para limitar la cantidad de información visual que se debe procesar. Entre más conocimiento previo pueda tener un lector acerca de la
manera en que las letras se integran en las palabras, menos información
visual se necesita para identificar letras individuales. La predicción,
basada en el conocimiento previo, elimina de antemano las alternativas
improbables. Similarmente, entre más sepa un lector acerca de la manera en que las palabras se integran en oraciones gramaticales y significativas —debido al conocimiento previo del lector del idioma particular
y del tema que se está analizando —menos información visual se requiere para identificar palabras individuales. Por último, el significado está
siendo utilizado como parte de la información no visual con el objeto
de reducir la cantidad de información visual que se necesita para identificar palabras. Se puede proporcionar un ejemplo en forma de una demostración (basado en un estudio reportado por Tulving y Gold, 1963).

Primero, como un tipo de pretest, preguntaré si puede usted identificar una palabra, o cualquiera de las letras, en la información visual
mínima estación . Ahora podemos continuar con el ejemplo.
Debido a la redundancia sintáctica del lenguaje, una oración como *Después de cenar vamos al* _____ es casi seguro que termine con
un sustantivo, más que con verbo, un adjetivo o una preposición, un
fragmento de conocimiento gramatical previo que reduce considerablemente el número de alternativas que podrían existir para la última palabra. Además hay restricciones semánticas (de significado) que reducen
aún más el número de alternativas. De hecho, sólo una palabra tiene
una probabilidad muy alta de ser colocada en el espacio en blanco en la
oración —la palabra "teatro". Usted puede descubrir por sí mismo que
"teatro" es la palabra más probable para ese contexto haciendo una en-
cuesta entre sus amigos; usted encontrará que cuatro de cinco piensan
que "teatro" es la manera más apropiada de concluir la oración. "Tea-

tro", sin embargo, no es la palabra más probable en todos los contextos; al final de una secuencia como *Se acordó que él me encontraría en* _____ , la palabra "estación" tiene una probabilidad mucho más alta de ocurrir que "teatro" y cierta cantidad de otras palabras.

Ahora podemos someter a prueba nuestra hipótesis de que el conocimiento previo produce la reducción del número de aspectos visuales que se requiere para identificar una palabra en un contexto significativo. Proyectemos las dos palabras en una pantalla, y pidamos a dos grupos de personas que traten de identificarlas. A un grupo le proyectaremos la palabra "teatro" después de decirles las otras palabras de la primera oración y la palabra "estación" después de proporcionarles las palabras de la segunda oración. Para el segundo grupo invertiremos el orden, proyectando "estación" después de la primera oración y "teatro" después de la segunda. Usted notará, por supuesto, que las dos palabras son igualmente factibles en cada contexto. No hay nada absurdo en ir a la estación después de cenar o acordar una cita en el teatro. Sólo que estas combinaciones son menos probables. Nuestra suposición experimental es que si más personas se las ingenian para identificar una palabra de una exposición breve en una ocasión más que en otra, entonces deben estar identificándola con menos información visual; están haciendo uso de otras fuentes de información.

El resultado del experimento no debería tener ninguna sorpresa en este punto. Una proporción mucho más grande de observadores es capaz de reconocer la palabra "teatro" a partir de una breve exposición si sigue a la primera oración más que si sigue a la segunda. Y más personas identifican la palabra "estación" después de la segunda oración en lugar de la primera. Debe señalarse que los observadores no están adivinando; están haciendo uso de la información visual porque no responden "teatro" cuando se presentan *estación*. Pero la cantidad de información que se requiere para identificar cualquier palabra depende de la secuencia de palabras que siga, del sentido que el lector puede predecir.

Para enfatizar el punto, veamos una vez más si puede usted identificar los elementos impresos en nuestro pretest **estación** . Probablemente ahora puede hacerlo. Si no puede, entonces no debe tener dificultad en el contexto "Hubo una reunión feliz en la **estación** .".

Una evidencia precisa de que el significado puede ser utilizado para evitar la identificación de *cualquier* palabra es el hecho de que los lectores fluidos pueden extraer palabras del texto a una velocidad que evitaría absolutamente la identificación de palabras individuales. Muchas personas pueden seguir el significado de una novela o de un artículo periodístico a una velocidad de mil palabras por minuto, la cual es cuatro veces más rápida que la velocidad probable que alcanzarían si estuvieran identificando cada palabra, incluso con el auxilio del significado. Existe la falsa concepción prevaleciente de que para este tipo de lectura rápida el lector debe estar identificando sólo una de cada cuatro palabras y que esto le proporciona información suficiente al menos para tener una idea de lo que se está leyendo. Pero es muy fácil demostrar que identificar una palabra de cada cuatro no contribuye mucho para la comprensión de un pasaje. Este es un ejemplo extraído de una revisión fílmica: *Muchos* ——— *sido* ——— *cara* ——— *asunto* ——— *agrio* ——— *si* ——— *para*... El pasaje es aún menos fácil de comprender si las palabras seleccionadas están en grupos, con espacios mucho más grandes entre ellas correspondientemente. Es un poco más fácil de comprender a qué se refiere un pasaje si se proporciona una *letra* cada cuatro letras más que una palabra de cada cuatro y, por supuesto, mi argumento es que la lectura de mil palabras por minuto es posible únicamente si las omisiones ocurren en el nivel de los rasgos. Un lector hábil puede necesitar discriminar sólo una fracción de los aspectos disponibles en cada palabra, pero no si todos estos rasgos están concentrados en una sola letra.

No se debe pensar después del análisis anterior que hay un tipo especial de rasgo distintivo del significado impreso, diferente de los rasgos distintivos de las letras y las palabras. No existe ningún "rasgo semántico", por ejemplo, que *casa* y *residencia* tienen físicamente en común lo que esperaríamos **encontrar** en las marcas de tinta en la página. Lo que hace distintivos a los rasgos visuales en lo que al significado se refiere es precisamente lo que también los hace distintivos para las letras y las palabras individuales —las alternativas particulares que ya existen en la incertidumbre del lector. Los mismos rasgos que pueden utilizarse para distinguir la letra *m* de la letra *h* también distinguirán a la palabra *miel* de la palabra *hiel*, y al significado de *llegamos al motel* del significado de *llegamos al hotel*. No es posible decir cuáles son los rasgos específicos que los lectores emplean para distinguir significados; esto dependería de lo que el lector esté buscando y, en cualquier caso, no es posible describir los rasgos de las letras o de las palabras. La situación únicamente se complica más por el hecho de que no podemos decir lo que es un significado.

Como señalé en el capítulo 6, en el análisis del abismo entre las estructuras superficiales y la estructura profunda del lenguaje, el significado reside más allá de las palabras. Uno no puede *decir* cuál es el significado general, como tampoco podemos decir cuál es el significado de una palabra o de un grupo de palabras particulares, excepto diciendo otras palabras que en sí mismas son estructura superficial. El significado en sí nunca puede ser expuesto. Esta incapacidad para limitar el significado no es un defecto teórico ni un descuido científico. No esperaríamos que algún día un maravilloso descubrimiento nos daría la posibilidad de decir qué son los significados. El significado, me repito, no puede ser atrapado en una red de palabras.

Un lector no comprende la palabra escrita *mesa* diciendo la palabra hablada "mesa", ya sea en voz alta o en silencio, como tampoco la palabra hablada "mesa" puede ser comprendida en sí repitiéndola simplemente a uno mismo. ¿Comprendería la palabra inglesa *"table"* diciéndosela a usted mismo si no comprendiera el idioma? No es posible comprender la palabra mesa escrita ni hablada diciendo en silencio a uno mismo "un mueble de cuatro patas y superficie superior plana", o cualquier otra definición que llegue a la mente porque, por supuesto, la comprensión de la definición en sí todavía tendría que ser explicada. No puede haber ninguna comprensión y ninguna explicación a menos que la trama del lenguaje se escape. Las *palabras* reales, escritas, o habladas, siempre son secundarias al significado, a la comprensión. No necesitamos repetir la palabra *"mesa"* en cualquier forma para comprender la palabra más de lo que necesitamos decir "mesa" para reconocer un objeto como una mesa antes de que podamos decir el nombre por el cual es conocido.

Normalmente no nos percatamos de identificar palabras individuales cuando leemos porque no estamos pensando en las palabras en ningún caso. El lenguaje escrito (como el habla) es *transparente* —miramos a través de las palabras reales para captar el significado, y a menos que haya anomalías notables del significado, o que tengamos problemas en la comprensión, no estamos conscientes de las palabras en sí mismas. (Cuando atendemos deliberadamente a palabras específicas, por ejemplo en la cuestión sutil de leer poesía, esto es una consecuencia de formular un tipo diferente de pregunta en primera instancia. Los sonidos que podemos dar a las palabras no contribuyen mucho a una interpretación literal cuando establecemos un tipo diferente —complementario o alternativo— de modo gramatical o significado.)

Por supuesto, la identificación de palabras es necesaria para la lectura en voz alta, pero como he tratado de demostrar, la identificación de palabras en esta forma depende de la identificación del significado. La voz queda atrás de la comprensión, y siempre es susceptible, en algún grado, de divergir del texto real. La sustitución de palabras, e incluso frases con significados apropiados, nuevamente no es algo de lo que el lector estará consciente; el principal interés del lector, incluso en la lectura en voz alta, debe estar en el sentido del pasaje. Tendrían que señalarse los errores en la lectura por un oyente que está siguiendo tanto el texto como la lectura. Los errores de lectura de este tipo normalmente no se cometen con las palabras que no forman parte del texto significativo, por ejemplo, las palabras que tienen que leerse cuando se encuentran aisladas o en listas, pero entonces no hay manera de que el significado pudiera buscarse o utilizarse en primera instancia. Además, en tales circunstancias los lectores habitualmente tienen la comodidad de examinar suficiente información visual para identificar palabras individuales con precisión (dando a las palabras un rótulo más que un significado) porque nada se pierde al leer con lentitud.

La subvocalización (o la lectura en silencio) no puede contribuir en sí misma al significado o a la comprensión, como tampoco a la lectura en voz alta. Efectivamente, como la lectura en voz alta, la subvocalización sólo puede realizarse con una velocidad y una entonación normales si la comprensión le precede. No nos escuchamos murmurando partes de palabras o fragmentos de frases y después las comprendemos. La subvocalización frena a los lectores e interfiere en la comprensión. El hábito de la subvocalización puede romperse sin ninguna pérdida de comprensión (Hardyck y Petrinovich, 1970). Además, la mayoría de las personas subvocalizan menos de lo que piensan. Cada vez que "escuchamos" para saber si estamos subvocalizando, la subvocalización está obligada a ocurrir. Nunca podemos escucharnos sin subvocalizar, pero eso no significa que subvocalicemos todo el tiempo. ¿Por qué subvocalizamos? El hábito simplemente puede ser una reminiscencia de nuestros primeros días, quizá de cuando se esperaba que leyéramos en voz alta; un maestro sabe que los niños están trabajando si sus dedos se mueven constantemente a lo largo de los renglones y sus labios se están moviendo al unísono. La subvocalización también puede tener una función útil al proporcionar una "repetición" que ayude a la retención de las palabras en la memoria de corto término que no pueden ser inmediatamente comprendidas o tratadas de otra manera. Pero en tales casos la subvocalización indica falta de comprensión más que su ocurrrencia. Existe una tendencia general a subvocalizar cuando la lectura se hace difícil, cuando podemos predecir menos.

Los lectores normalmente no atienden a lo impreso con sus mentes en blanco, sin ningún propósito previo y sin ninguna expectativa de lo que podrían encontrar en el texto. Los lectores habitualmente buscan el significado más que esforzarse por identificar letras o palabras. La manera en que los lectores buscan el significado no es considerar todas las posibilidades, ni hacer conjeturas arriesgadas acerca de una sola, sino que más bien predicen dentro del rango de alternativas más probables. De esta manera los lectores pueden superar las limitaciones del procesamiento de información del cerebro y también la ambigüedad inherente al lenguaje. Los lectores pueden derivar significado directamente del texto porque mantienen expectativas acerca del significado del mismo. El proceso normalmente es tan natural, tan continuo y sin esfuerzo como la manera en que le damos sentido a cualquier otro tipo de experiencia en nuestras vidas. No vamos a través del mundo diciendo "allí hay una silla; allá está una mesa; una silla es algo en que me puedo sentar", haciendo un esfuerzo por darle sentido a cada unidad (bit) de información que nuestros sistemas sensoriales dirigen hacia el cerebro. En cambio, miramos hacia aquellos aspectos de nuestro ambiente que harán significativo al mundo para nosotros, especialmente con respecto a nuestros propósitos e intereses particulares. La comprensión no es cuestión de asignar nombres a lo absurdo y hacer un esfuerzo por darle sentido al resultado, sino de operar en el reino de la significatividad todo el tiempo.

APRENDIZAJE DE LA IDENTIFICACIÓN DEL SIGNIFICADO

Los señalamientos que concluyeron el análisis anterior deberían haber hecho a este análisis bastante innecesario. No hay necesidad de una explicación especial acerca de la manera en que los niños aprenden a identificar el significado del texto ya que no está involucrado ningún proceso especial. Para ellos no hay nada en el lenguaje que no sea significativo, ya sea hablado o escrito. Perciben el lenguaje hablado buscando el significado, no concentrándose en los sonidos de las palabras.

Hay una ilustración clásica de la prioridad que el significado tiene cuando los niños aprenden a hablar. Aun cuando los niños traten de "imitar", es el significado lo que ellos imitan, no los sonidos insignificativos. McNeill (1967) ha reportado una conversación entre una madre y su hijo semejante a ésta:

Niño: Mi coche está "rompido".
Madre: Se dice "roto".
Niño: Mi coche está "rompido".
(ocho repeticiones de este diálogo)
Madre: Escucha con atención: se dice "roto" y no está "rompido"
Niño: ¡Ah! Mi choche rompido.

Aun cuando se les pida a los niños que realicen un ejercicio de lenguaje, ellos esperan que tendrá sentido. Como el niño del ejemplo anterior, tardan mucho tiempo en comprender la tarea si se requiere que atiendan a una estructura superficial, no al significado. No es necesario que se les diga a los niños lo contrario, que busquen el significado; ésa es su manera natural (y la única) de aprender el lenguaje en primera instancia. Efectivamente, no atenderán voluntariamente a ningún ruido que no tenga sentido para ellos.

Así como no es necesario decirles a los niños que busquen el significado en el lenguaje hablado o escrito, de la misma manera no es necesario que aprendan procedimientos especiales para encontrar el significado. La predicción es la base de la identificación del significado, y todos los niños que pueden comprender el lenguaje de su propio ambiente deben ser expertos en la predicción. Además, las mismas restricciones de la lectura —la constante posibilidad de la ambigüedad, la visión tubular y la sobrecarga de la memoria— únicamente pueden servir como advertencias para los lectores aprendices de que la base de la lectura debe ser la predicción.

Ciertamente no hay necesidad de una explicación especial de la manera en que debe enseñarse la comprensión. La comprensión no es un tipo nuevo de destreza que deba aprenderse para realizar la lectura, sino la base de todo aprendizaje. Puede parecer que en la escuela se les enseña a los niños lo *contrario* de la comprensión, se les instruye en lugar de que se ocupen en "decodoficar" correctamente y no hacer "conjeturas" si no están seguros. Incluso se puede esperar que los niños aprendan con materiales y ejercicios específicamente diseñados para desalentar o evitar el uso de la información no visual. Retomaré estos aspectos generales en el siguiente capítulo.

Por supuesto, hay una diferencia entre la comprensión del lenguaje escrito y la comprensión del habla o de otros tipos de eventos en el mundo, pero estas no son diferencias de proceso. Las diferencias son simplemente que el lector debe usar los rasgos distintivos de lo impreso para comprobar predicciones y reducir la incertidumbre. Los niños necesitan familiarizarse con estos rasgos distintivos de lo impreso y con la manera en que se relacionan con el significado. Esta familiaridad y comprensión no se pueden enseñar, como tampoco las reglas del lenguaje hablado, sino que la instrucción formal es similarmente innecesaria y, de hecho, imposible. La experiencia que los niños necesitan para encontrar el significado en lo impreso sólo se puede adquirir a través de la lectura significativa, tal como los niños desarrollan su aptitud en el habla mediante el uso y la audición del habla significativa. Y hasta que los niños son capaces de hacer significativa la lectura por su propia cuenta, son claramente dependientes de lo que leen, o al menos de ser asistidos en la lectura.

Un punto final. No es necesario que los lectores, especialmente los principiantes, comprendan el significado de *todo* lo que están intentando leer. Ya sea que los adultos estén leyendo novelas y otros textos largos o menús o anuncios publicitarios, siempre tienen la libertad de saltarse pasajes bastante grandes e ignorar ciertamente muchos detalles, ya sea porque no son comprensibles o simplemente porque no son relevantes para sus intereses o necesidades. Cuando los niños están aprendiendo el lenguaje hablado parecen ser capaces de seguir las conversaciones adultas y los programas de televisión sin comprender cada una de las palabras. Una comprensión del tema, un interés general y la habilidad para extraer sentido sobre la base de unas cuantas partes comprensibles pueden ser más que suficiente para retener la atención de un niño. Tal comprensión parcial material es efectivamente la base del aprendizaje; nadie pondrá atención a ningún aspecto del lenguaje, hablado o escrito, a menos que contenga alguna información que sea novedosa. Para los niños, una gran cantidad que no es comprensible será tolerada por la oportunidad de descubrir algo que sea nuevo. Pero rara vez se les da crédito a los niños por su habilidad para ignorar lo que no pueden comprender y por atender únicamente a aquéllo de lo cual aprenderán.

Desafortunadamente, el derecho que tienen los niños de ignorar lo que no pueden comprender puede ser la primera de sus libertades que se ve coartada cuando entran a la escuela. En cambio, probablemente, la atención deba concentrarse en lo que el niño encuentra incomprensible para "desafiarlos" a un aprendizaje ulterior. Cualquier cosa que un niño ya sepa probablemente tendrá que ser dejada a un lado y etiquetada como "demasiado fácil". Paradójicamente, muchos materiales de lectura están elaborados intencionalmente de una manera no significativa. Obviamente, en tales casos no hay manera en que los niños puedan desarrollar su habilidad para buscar e identificar significados en el texto.

IDENTIFICACIÓN MEDIADA DEL SIGNIFICADO

La lectura habitualmente involucra extraer significado de manera *inmediata* o directa del texto sin consciencia de las palabras individuales ni de sus significados alternativos posibles. Hay ocasiones, sin embargo, en que el significado del texto o de las palabras particulares no puede ser comprendido inmediatamente. En estas ocasiones, se puede intentar la identificación mediada del significado, la cual involucra la identificación de palabras individuales antes de la comprensión de una secuencia significativa de palabras como un todo. Propongo dividir el análisis en dos partes, la primera interesada en la identificación mediada del significado de secuencias completas de palabras, tales como frases y oraciones, y la segunda en la identificación mediada del significado de palabras individuales ocasionales.

Ya he afirmado que la primera es raramente posible. El significado de una oración como un todo no se comprende integrando los significados de palabras individuales (capítulo 6). Las palabras individuales poseen demasiada ambigüedad —y por lo común también funciones gramaticales alternativas— que sin alguna expectativa previa acerca del significado hay poca oportunidad incluso de empezar la comprensión. Además, las limitaciones del procesamiento de la información visual y de la memoria son difíciles de superar si el lector intenta identificar y comprender cada palabra como si no tuviera nada que ver con las adyacentes y proviniera de muchos miles de alternativas. Así, aunque algunas teorías de la lectura y muchos métodos de instrucción de la misma parecieran basarse en la suposición de que la comprensión del texto escrito se realiza mediante una palabra por vez, este análisis discute muy poco acerca de ese tema. Intentar construir una comprensión de tal manera debe considerarse como altamente ineficiente y con nulas probabilidades de éxito. Ciertamente, las computadoras no pueden ser programadas para ocuparse del lenguaje de esta manera. En cambio, las computadoras necesitan algún conocimiento previo del mundo, es decir, la habilidad para derivar un significado posible del texto y, por consiguiente, identificar inmediatamente el significado.

Pero el segundo sentido de la identificación mediada del significado —donde el pasaje es comprensible en general y quizá sólo una palabra no es conocida ni comprendida— es una característica más general y útil de la lectura. En este caso, la cuestión no es tratar de usar los significados de palabras individuales para construir el significado del todo, sino más bien de utilizar el significado del todo para proporcionar un posible significado de una palabra individual. Y no sólo es esto posible: lo consideraría como la base de gran parte del aprendizaje del lenguaje que llevamos a cabo.

No he visto cifras, pero me parece probable que la mayor parte del vocabulario de la mayoría de los adultos que leen y escriben debe provenir de la lectura. No es necesario comprender miles y miles de palabras para comenzar a aprender a leer; básicamente, todo lo que se necesita es una familiaridad general con las palabras y las construcciones en el material escrito a partir del cual se espera que uno aprenda y, por lo tanto, no todas aquéllas. Y parece poco probable que nuestra comprensión de muchas de las palabras que hemos aprendido como resultado de la lectura se deba atribuir a miles de consultas en el diccionario o a preguntarle a alguien qué podría ser la palabra. Aprendemos el significado a partir del texto mismo.

La evidencia de que aprendemos por coincidencia nuevas palabras mientras leemos proviene de aquellas palabras cuyo significado o referencia conocemos bien pero que no estamos seguros de su pronunciación correcta, así que no hay manera en que podríamos haberlas aprendido a partir del habla. Me estoy refiriendo a cómo se pronunciarían en inglés palabras como *Penelope* (Penny-loap?), *misled* (mizzled? myzelled?) y *gist* (como guest o jest?), y quizá *slough, orgy* y *gaol*. Existe lo que yo llamo fenómeno *facky-tious* (*tious* para rimar con "pious") después de que en una ocasión la madre de un amigo comentó que no había escuchado la palabra "facky-tious" esos días. Mi amigo confesó que él no podía recordar la última vez que escuchó la palabra y preguntó qué significaba. Se le dijo que "un poco arrogante o sarcástico". Algo ocurrió. "Tú dirás *facetious* (gracioso)", él dijo. "No", replicó su madre meditativamente, "aunque las dos palabras tienen un significado similar. Piénsalo," ella agregó, "no creo haber visto nunca la palabra *facetious* impresa."

La cuestión, por supuesto, está en que ella tiene el significado correcto de facky-tious, la cual nunca había escuchado en el habla y obviamente nunca le había preguntado a nadie acerca de ella. La respuesta debe ser que ella la había aprendido de la manera en que la mayoría de nosotros aprendemos el significado de muchas de las palabras que conocemos, dando sentido a las palabras a partir de su contexto, utilizando lo que ya se conoce para comprender y aprender lo que no es familiar. La identificación mediada del significado a partir del contexto es algo que los lectores fluidos probablemente hacen todo el tiempo, sin estar conscientes, y no sólo es la base de la comprensión, sino también del aprendizaje.

El aprendizaje de nuevas palabras sin interferencia en la comprensión general del texto es otro ejemplo de la manera en que los niños —y todos los lectores— pueden aprender continuamente a leer por medio de la lectura. El vocabulario que se desarrolla como una consecuencia de la lectura proporciona una base permanente de conocimiento para la determinación del significado probable y la pronunciación de palabras nuevas. Si usted conoce tanto la pronunciación como el significado de *auditor* y *visual*, probablemente tenga pocas dificultades para comprender y decir una palabra nueva como *audiovisual*. Entre más grande sea su capital, más rápidamente puede incrementarlo —se trate de palabras o de riqueza material. La mejor manera de adquirir un vocabulario amplio y útil para la lectura es mediante la lectura comprensiva. Si el texto tiene sentido, la mediación y el aprendizaje se ocupan de sí mismos.

PREDICCIONES E INTENCIONES-GLOBALES Y FOCALES

Hasta esta parte del libro he hablado como si las predicciones fueran formuladas y tratadas de una en una. Cuando leemos, una predicción particular puede oscilar sobre una serie de significados, palabras o letras alternativas. Cuando conducimos podemos predecir la posición futura de nuestro carro con respecto a un camión que se aproxima, un peatón o una señal que esperamos ver. Pero todo esto ha sido sobresimplificado. Las predicciones son múltiples; habitualmente manejamos más de una en un momento dado. Algunas predicciones son rechazadas; nos conducen a través de pérdidas de tiempo y espacio. Otras predicciones ocurren al mismo tiempo y son más transitorias, surgen y son desechadas relativamente rápido. Las predicciones se encuentran en capas e intercaladas.

Considere nuevamente la analogía de conducir un carro por la ciudad. Tenemos una intención y una predicción generales de que llegaremos a cierto destino, formulando un número de predicciones relativamente generales acerca de las señales que encontraremos a lo largo de la ruta. Llamemos *globales* a estas predicciones, ya que tienden a influir sobre todo el viaje. No importa cuánto podría haber variado nuestra trayectoria exacta debido a las exigencias que surgen en el camino, virando para evitar a un peatón o desviándonos por una calle lateral debido al tráfico, estas predicciones globales extralimitadas tienden a llevarnos siempre hacia la meta que pretendemos.

Pero mientras que las predicciones globales influyen en cada decisión hasta que nuestra meta pretendida es alcanzada, simultáneamente hacemos predicciones más detalladas relacionadas con eventos específicos durante el curso del viaje. Llamemos *focales* a las predicciones de esta naturaleza, dado que nos interesan durante periodos cortos únicamente y no tienen consecuencias durables para el viaje como un todo. Las predicciones focales deben ser formuladas, por lo común, muy de repente, con respecto al camión que se aproxima, o al peatón, o como una consecuencia de una desviación menor. En contraste con las predicciones globales, habitualmente no podemos ser específicos con respecto a las predicciones focales antes de que el viaje comience. Sería inútil tratar de predecir antes de empezar la ubicación específica de los incidentes que probablemente ocurrirán en el camino. A pesar de que la ocasión para una predicción focal probablemente surja de una serie particular de circunstancias locales, la predicción misma todavía será influída por nuestras predicciones globales acerca del viaje como un todo. Por ejemplo, las predicciones focales modificadas que resultarán si tenemos que hacer un rodeo inesperado todavía serán influídas por nuestra intención extralimitada de alcanzar eventualmente un destino particular.

Ahora quiero sugerir que formulamos predicciones globales y focales similares cuando leemos. Mientras leemos una novela, por ejemplo, podemos manejar cierta cantidad de predicciones muy diferentes de manera simultánea, algunas globales, que pueden persistir durante todo el libro; otras mucho más focales, que pueden surgir y ser eliminadas tan a menudo como cada fijación. Comenzamos un libro con predicciones extremadamente globales acerca de su contenido a partir de su título y quizá a partir de lo que hemos escuchado acerca de él con anterioridad. Algunas ocasiones hasta las predicciones globales pueden fallar —descubrimos que un libro no trata de lo que habíamos anticipado. Pero habitualmente las predicciones globales acerca del contenido, tema y tratamiento pueden persistir a lo largo del libro.

En un nivel ligeramente más detallado, probablemente todavía habrán expectativas muy globales que surgirán y serán elaboradas en cada capítulo. Al principio del libro únicamente podemos hacer tales predicciones acerca del primer capítulo, pero en el curso de la lectura del primer capítulo surgen expectativas acerca del segundo, y así sucesivamente hasta el final. En cada capítulo habrán predicciones mucho más focales acerca de los párrafos, cada uno será una fuente principal de predicciones acerca del siguiente. En los niveles más bajos, dentro de cada párrafo, habrán predicciones acerca de las oraciones y dentro de las oraciones algunas predicciones acerca de las palabras.

Las predicciones del nivel más bajo surgen más repentinamente; rara vez haremos predicciones focales acerca de las palabras antes de formularlas ante la oración que estamos leyendo, ni predicciones acerca de las oraciones antes de hacerlas ante un párrafo, ni predicciones acerca de los párrafos antes de formularlas ante un capítulo. Entre más focal sea la predicción, más pronto surge (dado que está basada en antecedentes más inmediatos) y más pronto será eliminada (en vista de que tiene pocas consecuencias de rango amplio). En general, entre más focal sea una predicción, menos puede ser formulada específicamente de antemano. Probablemente usted no prediciría el contenido de esta oración antes de haber leído la oración anterior, aunque el contenido del presente capítulo como un todo fué probablemente predecible a partir del capítulo anterior. Por otra parte, las predicciones en varias capas informan mutuamente. Mientras las predicciones en el nivel focal se determinan principalmente por la situación particular en la cual surgen, también son influídas por nuestras expectativas más globales. Sus predicciones focales acerca de mi siguiente oración dependerán en cierta medida de su comprensión de la presente oración, pero también de sus expectativas acerca de este párrafo, este capítulo, y el libro como un todo. Pero, de manera similar, las predicciones globales que hacemos en el nivel del libro y del capítulo deben ser constantemente probadas y, si es necesario, modificadas por los resultados de nuestras predicciones en los niveles más focales. Su comprensión de una oración podría cambiar su punto de vista de un libro completo. Todo el proceso es a la vez extremadamente complejo y muy dinámico, pero en la figura 11.3 trataré de ilustrarlo con un diagrama considerablemente simplificado y estático.

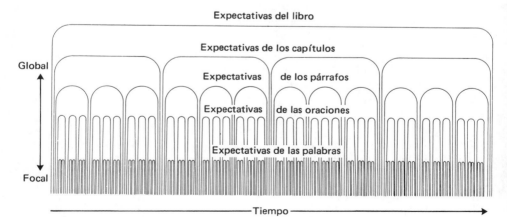

Figura 11.3. Niveles de predicción en la lectura de un libro.

En general, las expectativas de la figura 11.3 deben ser consideradas como desarrolladas de izquierda a derecha; el pasado influye en nuestras expectativas del futuro. Pero frecuentemente puede ayudar en todos los niveles de predicción en la lectura para mirar anticipadamente. El significado se puede buscar de muchas maneras. Similarmente, debería haber líneas verticales sobre todo el diagrama, como los resultados de las predicciones focales tienen su efecto en las predicciones globales, y las expectativas globales ejercen su influencia en las predicciones globales específicas.

No tomemos el diagrama muy literalmente. No es necesario predecir en cada nivel todo el tiempo. Podemos volvernos inseguros de lo que trata un libro como un todo y, por un momento, mantener nuestras predicciones más globales en el nivel del capítulo o incluso en un nivel más bajo mientras tratamos de comprender hacia dónde podría estar dirigiéndose el libro. Algunas veces podemos tener bastantes problemas con un párrafo para el que encontramos imposible mantener predicciones en el nivel capitular. En el otro extremo, podemos encontrar un capítulo o un párrafo bastante predecibles, o muy irrelevantes, de tal manera que omitimos las predicciones y las pruebas en los niveles más bajos en conjunto.

En lenguaje llano, lo pasamos por alto, Un libro es completamente incomprensible sólo cuando no podemos formular ninguna predicción. Tampoco debería pensarse que existen límites claramente definidos entre los diferentes niveles de predicción; la distinción global-focal no describe alternativas sino puntos extremos de un rango continuo de posibilidades. Una mejor analogía de la lectura de una novela que mi paseo en auto por la ciudad podría ser el tejido de un tapete sustancialmente estructurado de colores sutilmente sombreados.

En la analogía del manejo del carro tiendo a utilizar las palabras "predicción" e "intención" de manera intercambiable. Cuando conducimos, nuestras predicciones de largo alcance reflejan nuestras intenciones acerca del lugar a donde queremos ir, acerca de qué tan rápido queremos llegar ahí, y de la ruta que preferimos. Es instructivo considerar el análisis de la predicción en la lectura que acabo de presentar desde el punto de vista de las intenciones del escritor. En cierta medida, las predicciones y las intenciones pueden ser vistas como reflejos unas de las otras.

Habitualmente, los escritores comienzan con las intenciones globales de lo que tratará el libro como un todo y acerca de la manera en que el tema será tratado. Estas intenciones globales determinan entonces las intenciones más focales acerca de cada párrafo, y dentro de cada párrafo, intenciones focales muy detalladas concernientes a las oraciones y las palabras. Y así como las predicciones más focales del lector (o del conductor) tienden a surgir en un tiempo más corto y a ser eliminadas más rápidamente, de la misma manera las intenciones focales del escritor se extienden sobre un rango más pequeño en ambas direcciones. Lo que quiero decir en esta oración está determinado de manera más específica por lo que escribí en el anterior y fijará, en cambio, una considerable restricción sobre la manera en que redactaré la siguiente oración. Pero estas restricciones focales están en el nivel del detalle. Mi intención en cada oración que escribo está influída por las intenciones más globales del párrafo como un todo y, por supuesto, mi intención en cada párrafo refleja el tema que he seleccionado para el capítulo y, más generalmente, para el libro.

Puede ser a partir de la perspectiva de las predicciones y las intenciones que uno puede percibir mejor la íntima relación entre los lectores y los escritores. Podría decirse que un libro se comprende (al menos desde el punto de vista del escritor) cuando las predicciones del lector reflejan las intenciones del escritor en todos los niveles. Ciertamente, un aspecto importante de la escritura es la manipulación intencional de las predicciones del lector. Un escritor de libros de texto debe tratar de conducir a los lectores en un sentido socrático, de tal manera que las respuestas a una serie de preguntas predictivas establezcan las predicciones exitosas que los lectores deben hacer. En un contexto más dramático, un autor puede esforzarse por mantener un grado particular de incertidumbre en las predicciones del lector en todos los niveles a lo largo de un libro. Y en una historia de misterio, un autor podría conducir muy deliberadamente a los lectores hacia predicciones inapropiadas de tal modo que la consecuencia inevitable de las predicciones que fallan —la sorpresa— se convierte en una parte de la experiencia de la lectura.

Pero los lectores también deberían tener intenciones de su propia actividad. Cuando leemos un libro por su valor literario puro o incluso por sus méritos como proveedor de entrenamiento, podemos supeditar voluntariamente nuestras expectativas al control del autor o poeta. Pero ciertamente para los libros de texto, como el presente —por ejemplo—, los lectores no deberían estar buscando únicamente cierta información para sus propios fines particulares, muy independientemente de las intenciones del autor, sino que deberían estar constantemente en guardia para resistir que sus predicciones sean controladas completamente por los argumentos del autor. La mente crítica siempre reserva algunas cuestiones de sí misma. Y en toda la lectura, como he repetido varias veces en mi afirmación de que la comprensión es relativa, no hay un límite para que haya una particularidad en las predicciones que los lectores hacen en todos los niveles, reflejando sus intereses personales, sus propósitos y sus expectativas.

Algunas de las restricciones sobre los autores en todos los niveles son muy convencionales. Los escritores de prosa y de poesía deben

modificar muchas de sus intenciones para que se adapten a las exigencias estilísticas particulares del medio en el cual trabajan. De la misma
manera podría esperarse que los tipos de predicciones que los lectores
hacen en varios niveles también deberían reflejar estos formalismos.
Pienso que tales aspectos residen en la base de los debates acerca de la
manera "correcta" de leer poesía o literatura. Son cuestiones difíciles.
Por otra parte, creo que debe hacerse una distinción entre lo que un
niño tiene que aprender para leer —un tema que ha tenido un interés
central en este libro— y lo que se espera que en ocasiones el niño debe
ser capaz de hacer como un resultado de la lectura. "Trazar inferencias" y "evaluar razonamientos", por ejemplo, me parece que caen en
la última categoría. No obstante, no quisiera sugerir que existe una
decisión definida claramente entre los procesos y las consecuencias de
la lectura. Ciertamente no quisiera apoyar una distinción entre la "lectura" por una parte, y el "pensamiento" por la otra. La lectura no debe
ser considerada como diferente del pensamiento o carente del mismo.
Muchas de las llamadas "destrezas de nivel superior" que se asocian con
la lectura crítica de la literatura y la poesía parecen ser mejor consideradas como cuestiones o predicciones especializadas que son planteadas
desde perspectivas más allá del alcance de este libro. Semejantes perspectivas no alteran la naturaleza fundamental de la lectura, pero pueden
aumentar inmensurablemente su riqueza.

Resumen

La comprensión, el objetivo básico de la lectura, también facilita
el proceso de la lectura de dos maneras. La **identificación inmediata
del significado** hace innecesaria la identificación previa de palabras individuales, y la comprensión de un pasaje como un todo facilita la comprensión y, si es necesario, la identificación de palabras individuales.
La identificación inmediata del significado reduce la probabilidad de
visión de túnel, de la sobrecarga de la memoria y de la ambigüedad causada por el exceso de confianza en la información visual. La predicción
que es la base de la comprensión puede ser llevada a cabo en cierta cantidad de niveles intercalados de manera simultánea.

Las notas del capítulo 11 comienzan en la página 241.

La lectura
y su aprendizaje

Los principales temas de este libro han tendido ha organizarse en parejas, no como alternativas ni como temas opuestos, sino como consideraciones complementarias. Se planteó la afirmación inicial, por ejemplo, de que una comprensión de la manera en que los niños aprenden a leer tendría que ser aproximada desde dos puntos de vista —la naturaleza de la lectura fluida y la manera en que todos los niños aprenden. Una comprensión de la lectura fluida requeriría por si misma de perspectivas gemelas —la manera en que el lenguaje funciona y las capacidades y limitaciones del cerebro humano. Este capítulo final intentará revisar brevemente y consolidar estos temas principales, comenzando con el análisis de la lectura y continuando con la manera en que los niños aprenden a leer. Una sección de conclusiones ofrecerá algunos comentarios sobre el tema que muchos lectores considerarían como el más importante: la instrucción de la lectura y el papel de los maestros.

LECTURA

Todo el énfasis se ha puesto en la comprensión y el significado. No ha habido ninguna definición formal de lectura, porque como otras palabras comúnes en nuestro lenguaje, la palabra "lectura" puede tener una variedad de significados que dependen del contexto en el cual ocurre. Algunas veces, por ejemplo, el verbo "leer" implica claramente comprensión; sería redundante, si no es que burdo, decirle a un amigo "éste es un libro que podrías leer y comprender". Pero en otras ocasiones el verbo no implica comprensión; nuestro amigo podría responder "ya he leído ése libro y no lo comprendí". Obviamente, hay poco que ganar formulando tales preguntas abastractas como "¿La lectura involucra comprensión (o pensamiento, o razonamiento inferencial) o no?" Todo depende del contexto en el cual se usen las palabras. En sus detalles específicos, el acto de la lectura misma depende de la situación en la cual se realiza y de la intención del lector. Considere, por ejemplo, las diferencias entre la lectura de una novela, un poema, un texto sobre estudios sociales, una fórmula matemática, un directorio telefónico, una receta, un anuncio publicitario, una señal de tránsito. Siempre es mejor tratar de *describir* la situación que tratar de *definir* lo que las palabras significan.

Una descripción general de lo que está ocurriendo en todos los ejemplos anteriores podría ser la información que el lector está buscando para responder a preguntas que variarán de acuerdo a la situación particular. Esto conduce a una definición que ofrecí, que la comprensión se obtiene cuando se responden las preguntas que uno plantea. Los fundamentos gemelos de la lectura tienen que ser capaces de formular preguntas específicas (hacer predicciones) en primera instancia, y saber cómo y dónde mirar en lo impreso para que al menos haya una oportunidad de obtener respuesta a estas preguntas. ¿Qué son estas preguntas? Obviamente pueden oscilar desde el precio de un artículo en un catálogo, hasta el estilo, simbolismo y visión del mundo del autor de una novela. He evitado cualquier intento de catalogar y caracterizar todas estas preguntas diferentes debido a su naturaleza muy específica —y a veces muy especializada. En cambio, me he centrado en tres tipos de preguntas que todos los lectores fluidos son capaces de formular y responder en la mayoría de las situaciones de lectura, relacionadas con la identificación de letras, de palabras y del significado. Estos tres tipos de pregunta se ven como alternativas, las cuales no pueden ser planteadas simultáneamente, es necesario que el lector intente formularlas en secuencia. La lectura no es cuestión de identificar letras para reconocer palabras que den pauta a la obtención del significado de las oraciones. La identificación del significado, he afirmado, no requiere de la identificación de palabras individuales, así como la identificación de palabras no requiere de la identificación de letras. Efectivamente, cualquier esfuerzo por parte de un lector por identificar palabras una por una, sin sacar ventaja del sentido del todo, indica una falla en la comprensión y probablemente no tendrá éxito. De la misma manera, cualquier intento por identificar, y quizá "pronunciar", letras individuales es improbable que conduzca a una identificación de palabras eficiente.

Desde esta perspectiva no tendría sentido tratar de decir si lo impreso consiste básicamente en letras, palabras o significados. Lo impreso constituye contrastes visuales discriminables, por ejemplo, marcas de tinta sobre el papel, que tienen el potencial de responder a ciertas preguntas —normalmente implícitas— que los lectores podrían plantear. Lo impreso es *información visual*, de la cual los lectores pueden seleccionar *rasgos distintivos* y tomar decisiones entre las alternativas en que están interesados. Los lectores encuentran letras en lo impreso cuando formulan un tipo de pregunta y seleccionan la información visual relevante; ellos encuentran palabras en lo impreso cuando plantean otro tipo de pregunta y utilizan la misma información visual de una manera diferente; y encuentran significado en lo impreso, con la misma información visual, cuando hacen un tipo de pregunta diferente otra vez. Debería parecerle extraño a un lector formular preguntas acerca de letras específicas (excepto cuando las letras mismas tienen una relevancia particular, por ejemplo las iniciales de una persona o la dirección de una brújula *N, S, E,* u *O*). También debería ser extraño para un lector atender específicamente a las palabras, a menos que nuevamente haya una razón particular para identificar una palabra, por ejemplo un nombre.

Es interesante ver cómo la gente emplea la información visual en las carátulas de sus relojes para responder preguntas más que para identificar números particulares. La próxima vez que usted note que alguien mira un reloj o un despertador pregúntele qué hora es. Habitualmente la persona tiene que mirar otra vez porque en la primera mirada la pregunta no estaba interesada en el tiempo exacto, sino con el hecho de que podría haber terminado el descanso para tomar un café, o cuánto falta para el almuerzo, o si la persona tenía tiempo para llegar a una cita.

La comprensión, entonces, es relativa; depende de la obtención de una respuesta a la pregunta que se plantee. Un significado particular es la respuesta que un lector obtiene a una pregunta específica. El significado, por consiguiente, también depende de las preguntas que sean formuladas. Un lector "obtiene el significado" de un libro o un poema desde el punto de vista del escritor (o de un maestro) sólo cuando el lector hace preguntas que el escritor (o el maestro) implícitamente esperan contestar, y cuentan con un fondo esperado de conocimiento previo. Los debates sobre el significado del texto, o la manera "correcta" de comprenderlo, son disputas sobre las preguntas que deberían ser formuladas. Una destreza particular de los escritores (y de los maestros), normalmente basada en una experiencia, una comprensión y una sensibilidad excepcionales, es conducir al lector a plantear preguntas que consideran apropiadas. Por lo tanto, la base de la lectura fluida es la habilidad para encontrar respuestas en la información visual de lo impreso a las preguntas particulares que son enunciadas. Lo impreso tiene sentido cuando los lectores pueden relacionarlo con lo que ya conocen (incluyendo aquéllas ocasiones en que el aprendizaje ocurre, es decir, cuando hay una modificación comprensible de lo que el lector ya conoce). Y la lectura es interesante, y relevante, cuando puede ser relacionada con lo que el lector quiere saber.

El papel del lector

Debería ser evidente, por lo tanto, que la comprensión y el aprendizaje dependen del conocimiento previo, o de lo que el lector ya conoce. He llamado a este conocimiento previo relevante *información no visual*. A lo largo de este libro he tratado de enfatizar que la lectura sólo es posible cuando el lector puede contar con la suficiente información no visual para tratar de reducir la cantidad de información visual que debe ser atendida en el texto, o al menos para utilizar la información visual lo más económica y eficientemente como sea posible. La información no visual disminuye la incertidumbre que el lector tiene de antemano y reduce la cantidad de información visual que se necesita para eliminar la incertidumbre restante. Éste es un resumen de las razones por las cuales el equilibrio entre la información visual y la no visual es crítico:

1. El sistema visual puede sobrecargarse si se requiere de demasiada información visual para eliminar la incertidumbre del lector, y se producirá visión tubular. La información no visual reduce las alternativas.
2. La memoria a corto término también se sobrecargará por la necesidad de prestar atención a los pequeños fragmentos del texto, y la posibilidad de comprensión se verá muy disminuida. La información no visual asegura que la memoria a corto término se interesará en lo que tenga sentido.
3. La memoria a largo término funciona eficientemente sólo cuando la lectura es significativa, cuando la información nueva puede ser integrada directamente a lo que el lector ya conoce. La información no visual es la base del aprendizaje y del recuerdo efectivos.
4. La lectura debe ser rápida y no excesivamente cauta. La lectura lenta (menos de 200 palabras por minuto, a menos que el texto ya se haya comprendido) interfiere en la comprensión y el aprendizaje porque sobrecarga al sistema visual y a la memoria. La información no visual permite la lectura rápida (y es de hecho la única manera de hacer posible la lectura lenta).
5. El lenguaje es intrínsecamente ambiguo. Esto es básicamente la distinción entre la estructura superficial y la estructura profunda del lenguaje hablado y del lenguaje escrito. La información no visual, a través de la eliminación de las alternativas improbables de antemano, asegura que el significado es extraído del texto en el nivel de la estructura profunda y que el lector no se enredará en los detalles inútiles de la estructura superficial.

Para cristalizar todos los puntos anteriores, la lectura fluida implica maximizar lo que mejor puede hacer el cerebro, a saber, la utilización de lo que ya sabe, y minimizar lo que el cerebro hace de manera menos eficiente, es decir, el procesamiento de una gran cantidad de información nueva, especialmente cuando la información novedosa tiene poco sentido.

APRENDIENDO A LEER

Sólo hay una manera de resumir todo lo que un niño debe aprender para convertirse en un lector hábil, y ésa es decir que el niño debe aprender a usar la información no visual en forma eficiente cuando atiende a lo impreso. Para aprender a leer no se requiere de la memorización de los nombres de las letras, o de las reglas fonéticas, ni de grandes listas de palabras, las cuales de hecho son tomadas en cuenta en el curso del aprendizaje de la lectura, y pocas de las cuales tendrán sentido para un niño que carece de alguna experiencia de lectura. Aprender a leer tampoco es cuestión de aplicarse en todo tipo de ejercicios y disciplinas, lo cual únicamente puede distraer e incluso quizá desalentar al niño de la tarea de aprender a leer. Y finalmente aprender a leer no es cuestión de que un niño confíe en la instrucción, porque las destrezas esenciales de la lectura —a saber, los usos eficientes de la información no visual— no se pueden enseñar.

En un sentido, aprender a leer es para los niños muy semejante al problema del gato y el perro. Nadie puede enseñarles directamente cuáles son las categorías relevantes, los rasgos distintivos y las interrelaciones, no obstante que los niños son perfectamente capaces de resolver el problema por sí mismos a condición de que tengan las oportunidades para generar y someter a prueba sus propias hipótesis y obtener la retroalimentación apropiada. En un sentido bastante literal, aprender a leer es como aprender el lenguaje hablado. Nadie puede empezar incluso a explicar a los niños cuáles son los rasgos esenciales del habla que deben ser aprendidos, dejando únicamente la construcción de·un curso de estudio que ellos deben seguir; a pesar de lo complejo que es este problema, los niños lo resuelven, sin ningún esfuerzo o dificultad evidentes, a condición nuevamente de que tengan la oportunidad de ejercitar su habilidad de aprendizaje innata. Todo lo que los niños requieren para aprender el lenguaje hablado, tanto para producirlo por sí mismos y, de manera más fundamental, para comprender cómo lo usan otros, es tener experiencia en el uso del lenguaje. Los niños aprenden fácilmente lo que se **refiere** al lenguaje hablado cuando están involucrados en su uso, cuando el lenguaje tiene posibilidad de tener sentido para ellos. Y de la misma manera los niños tratarán de comprender la manera de leer estando involucrados en su uso, en situaciones donde tiene **sentido para ellos y donde pueden generar y someter a prueba sus hipótesis.**

No debe ser una causa de alarma el que no podamos decir con exactitud qué tiene que aprender un niño para leer, o que no se puede encontrar un método de instrucción inequívoco para dirigir el progreso de un niño en el aprendizaje de la lectura. No fue posible especificar el contenido o curso del aprendizaje del lenguaje hablado de un niño determinado (o la diferencia entre gatos y perros para ese caso). Pero es posible especificar las *condiciones* bajo las cuales un niño aprenderá a leer, y estas son nuevamente las condiciones generales que se necesitan para aprender cualquier cosa —la oportunidad para generar y comprobar hipótesis en un contexto significativo. Y para reiterar el tema constante, la única manera en que un niño puede hacer esto de la lectura es leyendo. Si surge la pregunta de cómo puede esperarse que los niños lean antes de que hayan aprendido a leer, la respuesta es muy simple. Al principio —y en cualquier otra ocasión que sea necesario— la lectura tiene que ser realizada por los niños. Antes de que los niños adquieran cualquier aptitud en la lectura, todo tendrá que ser leído para ellos, pero cuando su habilidad aumente sólo necesitarán ayuda.

Una de las cosas hermosas acerca del lenguaje escrito que tiene sentido (para el niño) es que, en una medida creciente, el lenguaje mismo proporcionará una asistencia para el aprendizaje del niño. Los adultos con voluntad de ayudar no siempre son necesarios. El lenguaje escrito significativo, como el habla significativa, no sólo proporciona sus propias claves para el significado, de tal manera que los niños pueden generar hipótesis de aprendizaje apropiadas, sino que también proporciona la oportunidad para efectuar comprobaciones. Si un niño no está seguro acerca del significado probable de lo que está atendiendo en ese momento, el contexto (antes y después) puede proporcionar las claves. Y el contexto posterior proporcionará la retroalimentación acerca de si las hipótesis del niño eran correctas o equivocadas. Leer un texto que tiene sentido es como andar en bicicleta; los niños no necesitan que se les diga cuándo lo están haciendo mal.

Hagamos una lista de las ventajas que un niño tiene cuando lee un lenguaje escrito significativo: desarrolla un vocabulario, extrae sentido de las relaciones letra-sonido, desarrolla la habilidad de la identificación mediada de palabras y del significado, adquiere velocidad, evita la visión tubular, elude la sobrecarga de la memoria, confía en el sentido, incrementa la información no visual relevante y la usa más eficientemente; los aspectos claves de la lectura no se pueden enseñar. Y siempre el niño será la mejor guía para el aprendizaje de la manera más eficiente, porque los niños no limitarán voluntariamente su visión, no sobrecargarán la memoria, ni tolerarán lo absurdo. Los niños tampoco tolerarán la *carencia de aprendizaje*, de tal manera que no hay razón para esperar que estarán satisfechos con lo que se vuelva simple para ellos, como tampoco debe esperarse que permanezcan en situaciones en donde no es posible el aprendizaje ni la comprensión.

También es fácil hacer una lista de las condiciones que se necesitan para que los niños saquen ventaja de las oportunidades de aprendizaje que la lectura de un texto significativo proporciona. Sólo hay cuatro: acceso a un material de lectura significativo e interesante (idealmente escogido por el propio niño), asistencia donde sea necesaria (y sólo en la medida que se requiera), una disposición para tomar los riesgos necesarios (la ansiedad incrementa la proporción de información visual que un lector necesita), y la libertad para cometer errores. Como punto final, no hay nada que aprender si usted no conoce ya todo, y en cualquier caso, una hipótesis es una hipótesis sólo si existe la posibilidad de que sea incorrecta. Uno sólo aprende la alternativa correcta descubriendo cuáles alternativas son inadecuadas.

No he dicho nada acerca de la motivación, no porque no sea importante, sino porque no es algo que pueda ser promovido o mantenido artificialmente, ciertamente no por medio de "reforzadores" extrínsecos tales como recompensas materiales irrelevantes, mejores calificaciones o pasar de año, o incluso el elogio extravagente. Toda la satisfacción que un niño necesita está en el aprendizaje mismo. Ninguna de aquéllas es necesaria para que un niño aprenda el lenguaje hablado. No es el aprendizaje, ni la comprensión, lo que destruye la motivación. ¿Y los ímpetus en primera instancia? ¿Porqué los niños se echan a cuestas la enorme tarea de aprender el lenguaje hablado, que lleva tanto tiempo? No creo que para comunicarse. Los niños no pueden comprender este uso del lenguaje hasta que han adquirido parte de él. Y ciertamente no para satisfacer sus necesidades materiales ni para controlar las conductas de otros. Los niños nunca son mejor apreciados como cuando pueden hacer uso del lenguaje; después se les puede decir que esperen, que lo hagan sin ayuda o que lo hagan por sí mismos. Hasta los adultos que se equivocan en el lenguaje pueden sentir la urgencia de regresar a sus primeros días, sin lenguaje y con maneras más asertivas de tratar de obtener sus metas. Pienso que sólo puede haber una razón por la cual los niños se dedican al aprendizaje del lenguaje hablado: *existe*, en el mundo que los rodea. Cuando lo aprenden ven su sentido, su utilidad, su significatividad. Y debido a que el lenguaje es significativo, porque cambia al mundo, y no arbitrario ni caprichoso, no sólo hace que los niños tengan éxito en aprenderlo, sino que quieran aprenderlo. Los niños no se detienen en su aprendizaje de todo lo que es significativo para ellos, a menos que el aprendizaje se convierta en algo muy difícil o demasiado costoso, en cuyo caso el aprendizaje mismo pierde su sentido.

Los niños necesitan a los adultos como modelos; ellos se esforzarán por aprender y comprender todo lo que los adultos hagan —a condición de que vean que los adultos disfrutan haciéndolo. Si el lenguaje escrito significativo existe en el mundo del niño, y es usado visiblemente con satisfacción, entonces el niño se esforzará por conocer su misterio; eso está en la naturaleza de la niñez. No hay necesidad de explicaciones especiales acerca de porqué los niños deberían querer aprender a leer, sólo porque ellos podrían llegar a la conclusión de que es inútil o demasiado costoso hacerlo.

Todo esto ha sido muy general. He afirmado que no se necesitan teorías especiales para explicar cómo y porqué los niños aprenden a leer. No hay nada único acerca de la lectura, ya sea desde el punto de vista de las destrezas de lenguaje involucradas (no diferentes en principio de aquéllas de la comprensión del lenguaje hablado), las destrezas visuales involucradas (no diferentes de la discriminación de cualquier aspecto del mundo visual) ni de los procedimientos de aprendizaje implícitos. Hay, sin embargo, dos conocimientos especiales que los niños deben tener para aprender a leer. Los conocimientos son fundamentales, en el sentido de que los niños que no los poseen están obligados a encontrar absurda la instrucción de la lectura y, por lo tanto, no tendrán éxito en el aprendizaje de la misma. A pesar de que estos conocimientos no sólo no son enseñados en la escuela, mucho de lo que constituye la instrucción formal de la lectura podría verse como lo contrario a estos conocimientos, y, por lo tanto, es probable que los inhiba. Los conocimientos, que analizaré en seguida, son, primero, que lo impreso es significativo, y segundo, que el lenguaje escrito no es lo mismo que el hablado.

Conocimiento 1: Lo impreso es significativo

No es necesario explicar porqué el conocimiento de que lo impreso es significativo es esencial para aprender a leer. Después de todo, la lectura *es* una cuestión de darle sentido a lo impreso, y la significatividad es la base del aprendizaje. El problema que nos interesa es cómo podrían los niños adquirir inicialmente el conocimiento, o al menos hipotetizar —que lo impreso es significativo, que las diferencias en lo impreso hacen una diferencia en el mundo. Y así como los niños deben y comienzan a aprender el lenguaje hablado descubriendo que el significado puede ser extraído del habla —antes de que tengan las destrezas en el lenguaje que producirían el habla— de la misma manera debe ser posible para los niños probar y comprobar la hipótesis de que lo impreso es significativo incluso antes de que sean capaces de leer una palabra. En otros términos, las raíces de la lectura son previas a la lectura, y el tema ahora es el niño "prelector".

En el capítulo 7 examiné la posibilidad de que los niños estén tan inmersos en el lenguaje escrito como lo están en el habla, y que todo lo impreso en el mundo que los rodea es potencialmente significativo;

cada fragmento hace una diferencia. Todas las señales, instrucciones y etiquetas impresas cotidianas pueden portar algún significado; el contexto proporciona la oportunidad para que se generen y comprueben las hipótesis acerca de su propósito. Por lo tanto, el aprendizaje autodirigido es posible con el lenguaje escrito y hablado, a condición de que el conocimiento inicial se logre y se mantenga el hecho de que lo impreso es significativo.

Muy poco de lo impreso es significativo en la escuela, en el sentido de que no sería posible sustituir una palabra por otra. Un maestro escribe las palabras *mesa* o *silla* en el pizarrón, pero también podría escribir *caballo* o *vaca*. Las palabras en las listas de palabras, o las oraciones en muchas "historias" podrían ser cambiadas sin que ningún niño note algo "equivocado". Quizá lo impreso más significativo en las escuelas son los nombres de los maestros, y los rótulos altamente significativos *niño, niñas* y *dirección*, en las diferentes puertas.

Para captar el sentido de cualquier aspecto del lenguaje los niños deben extraer el significado, lo cual significa que deben percibir el propósito de éste. En la escuela, esta necesidad implica que los niños deberían ser capaces de comprender no sólo el contenido de la instrucción —los materiales que se espera que lean— sino también el propósito de la instrucción en sí. Los maestros pueden entender la razón de un ejercicio o procedimiento particular (aunque no invariablemente ocurre así), pero si los niños no pueden ver el sentido de la empresa, entonces, para nuestros propósitos, puede ser considerado razonablemente como incomprensible. Una breve lista de los aspectos fundamentalmente incomprensibles de la instrucción de la lectura a la cual los niños pueden ser expuestos incluiría:

1. La descomposición de las palabras habladas en "sonidos". La palabra hablada "gato", en algunos contextos, puede tener sentido, pero los sonidos "guh", "a", "tuh" y "o" no lo tienen.

2. La descomposición de palabras escritas en letras. La palabra impresa *gato*, en algunos contextos, puede tener sentido —se refiere a un objeto en el mundo real con el cual pueden interactuar significativamente los niños. Pero las letras g, a, t, y o se refieren a símbolos visuales especializados que no tienen nada que ver con ninguna otra cosa en la vida del niño.

3. La relación de las letras con los sonidos. Decirle a un niño, que no tiene ninguna idea de la lectura, que ciertas formas peculiares llamadas letras —las cuales carecen de una función evidente en el mundo real— están relacionadas con sonidos que no tienen una existencia indepentiente manifiesta en el mundo real debe ser el más puro disparate.

4. Tareas y ejercicios no significativos. Hay muchos candidatos para

esta categoría, desde decidir cuál de tres patos está dando la cara de la manera equivocada hasta subrayar letras mudas en las palabras, de tal modo que no intentaré dar una lista. Los niños pueden aprender a desempeñarse con altas calificaciones en tareas aburridas, repetitivas y absurdas (especialmente si son lectores competentes) pero tal habilidad especializada no los convertirá en lectores.

Los tipos de actividad anteriores pueden hacer más complicado el aprendizaje de la laectura a través de su misma incomprensibilidad, así como más ardua y absurda de lo necesario. No es hasta que los niños han comenzado a leer que tienen la oportunidad de darle sentido a semejantes actividades. Los niños que no tienen el conocimiento de que el lenguaje escrito debe tener sentido nunca pueden conseguirlo, mientras que los niños que sí lo tienen pueden ser convencidos de que está equivocado.

Conocimiento 2: El lenguaje escrito es diferente del hablado

El primer conocimiento estaba interesado principalmente en el lenguaje escrito en forma de palabras sencillas (o pequeños grupos de palabras) como rótulos y señales. Estos tipos de modalidad impresa funcionan de una manera muy parecida a la del lenguaje hablado cotidiano del hogar dado que las claves del contexto para el significado (y las restricciones sobre la interpretación) son proporcionadas principalmente por la situación física en la cual ocurren. Ahora quiero considerar el *texto* escrito, en donde las restricciones sobre la sustituibilidad y la interpretación no son fijadas por el ambiente físico, sino por la sintaxis y la semántica del texto en sí. Como analicé en el capítulo 6, el lenguaje escrito y el hablado no son evidentemente lo mismo, y probablemente por una muy buena razón, que incluye el hecho de que el lenguaje escrito se ha adaptado especialmente para ser leído.

Los niños que esperan que el lenguaje escrito sea exactamente lo mismo que el habla, probablemente tendrán dificultades en la predicción y la comprensión del texto y, por consiguiente, en aprender a leer. Ellos deben estar familiarizados con el lenguaje escrito. No importa que no puedan decir con exactitud cuáles son exactamente las diferencias entre el lenguaje hablado y el escrito. No podemos dar una lista de las reglas del lenguaje hablado; sin embargo, los niños aprenden a darle sentido al habla. La inmersión en el lenguaje funcional, la posibilidad de darle sentido, una experiencia plena y la oportunidad de obtener retroalimentación para comprobar hipótesis parecerían ser tan fáciles de satisfacer con el lenguaje escrito como con el hablado. De hecho, el lenguaje escrito parecería tener varias ventajas; en vista del número de pruebas que pueden ser conducidas en la misma pieza de material, se puede ensayar una segunda hipótesis si la primera falla. En virtud de su consistencia interna, el texto mismo puede proporcionar retroalimentación relevante acerca de la adecuación de las hipótesis.

¿Cómo podrían adquirir y desarrollar el conocimiento de que el habla y el lenguaje escrito no son lo mismo para los niños que todavía no pueden leer? Sólo por medio de la lectura, o al menos escuchando el lenguaje escrito leído en voz alta. Cuando las predicciones de un niño sobre el lenguaje escrito fallan porque están basadas en el conocimiento del lenguaje hablado, entonces existe la ocasión para que surja el conocimiento de que lenguaje escrito y el hablado no son precisamente iguales. Y un proceso similar de comprobación de hipótesis desarrollará una comprensión de los formalismos particulares del lenguaje escrito cuando éste sea escuchado y comprendido, aumentado considerablemente, por supuesto, cuando los niños se vuelvan capaces de realizar cada vez mejor sus propias lecturas.

El tipo de lectura que mejor familiarizaría a los niños con el lenguaje escrito son las *historias* coherentes, desde artículos en los periódicos y en las revistas hasta los cuentos de hadas tradicionales, historias de misterio y de aventuras, e incluso mitos. Todos estos tipos de historias son verdaderamente *lenguaje* escrito —producidas con un propósito en un medio convencional y distinguibles de la mayoría de los textos escolares por su longitud, sentido y riqueza sintáctica y semántica. No hay evidencia de que sea más difícil para los niños la comprensión de tales tareas complejas (cuando las están leyendo) que la comprensión del habla adulta compleja que escuchan a su alrededor y a través de la televisión.

Habitualmente no se les proporciona a los niños ningún material escrito complejo en la escuela como parte de su instrucción en la lectura por la razón obvia de que no se puede esperar que lo lean por sí mismos. Dado que la mayor parte del material en el que los niños podrían estar interesados —y a partir del cual probablemente aprenderían— tiende a ser demasiado difícil para que lo lean por sí mismos, se produce un material menos complejo con la esperanza de que los niños lo encontrarán "más simple". Y cuando estos textos especialmente confeccionados para los niños también parecen confundir a los principiantes, la suposición que puede hacerse es decir que la falla reside en los niños, o en su "desarrollo del lenguaje".

Desde luego, probablemente sea cierto que el lenguaje de tales textos es desconocido para la mayoría de los niños. Pero esta inadecuación no necesita tener sus raíces en el tipo particular de lenguaje hablado con el que el niño está familiarizado, ni siquiera en la experiencia posiblemente limitada del niño con lo impreso. La razón probablemente está más asociada con la falta de familiaridad del niño con el lenguaje artificial de los libros escolares, ya sea desde la variedad truncada "mi mamá me ama y me mima" hasta la más florida "bajando la colina, tomados de la mano, saltaron Susy y su amigo". Esto es tan diferente de cualquier otra forma de lenguaje, hablado o escrito, que es probablemente más seguro ubicarlo en la categoría exclusiva de "lenguaje escolar".

Por supuesto, semejante material tiende a ser muy impredecible para muchos niños, quienes consecuentemente, tienen enormes dificultades para comprenderlo y leerlo. Irónicamente, se puede concluir que el lenguaje escrito es intrínsecamente difícil para los niños, quienes estarían mejor si abandonaran el aprendizaje del "lenguaje hablado redactado". El texto está basado entonces en la intuición de un escritor profesional de libros de texto o de un maestro de escuela acerca de lo que constituye el lenguaje hablado —o una destreza más compleja, un dialecto de ese lenguaje o incluso el lenguaje de los niños. Todos éstos son problemas que confundirían a un lingüista profesional. El resultado es que el lenguaje escrito de manera difícil todavía no tiene ninguna de las ventajas del habla, dado que tendrá que ser comprendido fuera de contexto. Los niños pueden aprender a recitar semejante material impreso, pero no hay evidencia de que se convertirán en lectores al hacerlo. Cualquier conocimiento que podrían tener de antemano acerca de la naturaleza del lenguaje escrito es probable que sea debilitado, y, peor aún, podrían llegar a convencerse de que la primera experiencia con lo impreso en la escuela es un modelo de todo el lenguaje escrito que se encontrarán a lo largo de sus vidas —una convicción que sería tan desalentadora como engañosa.

EL PAPEL DEL MAESTRO

A lo largo de este libro he dado evidencias acerca de la naturaleza del lenguaje y acerca de las capacidades y limitaciones del cerebro humano a partir de los experimentos, observaciones y análisis de los científicos en varios campos de la lingüística y la psicología. He tratado de vincular estas muestras en una imagen coherente que podría reflejar y hacer referencia a las sutiles complejidades de la lectura. Y he llegado a las conclusiones prácticas de que la lectura no se puede enseñar formalmente, que los niños únicamente aprenden a leer leyendo, pero que a condición de que los niños tengan la oportunidad adecuada para explorar y comprobar sus hipótesis en un mundo de materiales impresos significativos, ellos pueden y tienen éxito en aprender a leer. Ahora que vamos a considerar las implicaciones educacionales de semejante imagen de la lectura, podría preguntarse si existe algún papel de los maestros en ella. Mi objetivo final será afirmar que los maestros desempeñan una función crítica en ayudar a los niños a aprender a leer, y que debemos tener más confianza en ellos debido a que los sistemas de instrucción formal —materiales y programas preparados de antemano— no merecen demasiada confianza. Los temas son complejos y merecen un mayor espacio del que tengo disponible. Mis intentos son tan breves y comprensivos que pueden sonar más prescriptivos de lo que me gustaría que lo fueran. Los siguientes puntos son consideraciones susceptibles de ser objetadas pero que no pueden, creo yo, ser pasadas por alto.

El punto de vista de la lectura que he presentado no considera al maestro como un promotor de habilidades escolares ni como un dispensador de rutinas instruccionales, sino como un facilitador y guía. Únicamente los maestros pueden desarrollar la intuición, comprensión y conocimiento que se requiere para ayudar a los niños a que aprendan a leer. No sólo deben comprender la naturaleza de la lectura fluida y de la manera general como los niños aprenden, sino que deben tener una conciencia simpatizante de los niños particulares de quienes son responsables y una sensibilidad para detectar sus sentimientos, intereses y habilidades individuales en cualquier momento particular. Todo esto, obviamente, es más difícil para un maestro que la instrucción programada. Pero ningún programa formal de instrucción puede merecer la suficiente confianza por sí mismo para satisfacer todos estos intereses.

Efectivamente, entre más formal y estructurado sea el programa, más importante se hace la comprensión de un maestro para asegurar que será relevante y adecuado para las necesidades de un niño. La instrucción programada a menudo puede ser considerada como la privación sistemática de la información.

La práctica de la lectura

La función más importante de los maestros de lectura se puede resumir en unas cuantas palabras: Asegurar que los niños tengan la oportunidad de leer. Cuando los niños aprecien poca relevancia en la lectura, entonces los maestros deben proporcionar un modelo. Y cuando los niños tengan dificultad en la lectura, los maestros deben asegurarse de que se les ayude. En parte, esta asistencia puede proporcionarse desarrollando la confianza de los niños para leer por sí mismos, a su manera, corriendo el riesgo de cometer errores y teniendo la voluntad de ignorar lo que sea completamente incomprensible. Incluso las interpretaciones personales ilógicas son mejores que no hacer ninguna; los niños descubren pronto los errores que hacen una diferencia. Pero los niños también buscarán ayuda de otros de vez en cuando, ya sea para responder a preguntas específicas o para ayudarlos en la lectura en general. Tal lectura en pro del niño puede ser proporcionada por el maestro, un ayudante, por otros niños o por grabaciones.

Los maestros siempre deben esforzarse por asegurar que la lectura sea fácil, permitiendo que los niños juzguen si los materiales o las actividades son demasiado difíciles, muy incomprensibles o bastante insípidas. Cualquier cosa que los niños no logren escuchar, ni comprender, de algún material que les leamos, debe ser un material inadecuado que no debemos esperar que puedan leer. La preferencia de un niño es un criterio mucho mejor que cualquier fórmula de amenidad, y los niveles escolares no tienen realidad en la mente de un niño. Los maestros no necesitan temer que los niños se empeñarán tanto por leer que no habrá nada más por aprender; eso sería aburrido. Los niños aprenden cosas acerca de la lectura en la medida en que leen, pero nunca pueden aprender a leer si no leen.

No existe una fórmula simple para garantizar que la lectura será fácil; ni existen materiales o procedimientos garantizados para no interferir en el progreso de un niño. En lugar de ello, los maestros deben comprender las situaciones que hacen difícil la lectura, ya sea inducidas por el niño, el maestro o la tarea. Por ejemplo: la concentración en los detalles visuales que causarán visión tubular; la sobrecarga de la memoria a corto término por poner atención a fragmentos de texto que tienen poco sentido; obstrucciones en la memoria a largo término (de tal manera que el niño puede responder después a muchas preguntas, o escribir "reportes"); intentos de pronunciar palabras a expensas del significado; lectura lenta; ansiedad de no cometer un error; falta de asistencia cuando un niño la necesite para obtener el sentido o incluso para la identificación de palabras; o una "corrección" demasiado insistente que puede ser irrelevante para el niño y que a la larga puede inhibir la autocorrección que es una parte esencial del aprendizaje. Todas estas maneras en que la lectura puede hacerse más difícil se pueden caracterizar como limitaciones del grado en que los niños pueden utilizar la información no visual.

Y, por lo contrario, lo que hace fácil a la lectura para los niños es la facilitación del uso de la información no visual por parte del maestro. No sólo debe adentrarse el niño en cada situación de lectura con una información no visual relevante —equipado con una adecuada comprensión previa— sino que también se debe sentir con la libertad de utlizarla. Constantemente se deben desarrollar la confianza y el fondo de conocimientos de un niño, pero esto ocurrirá como una consecuencia de la lectura. El maestro no sólo debe tratar de evitar los materiales o las actividades que sean absurdas para el niño, sino que debe procurar una estimulación activa para que el niño pueda predecir, comprender y disfrutar. El peor hábito que cualquier aprendiz puede adquirir es tratar al texto como si no tuviera sentido. En donde haya un desajuste, en donde hay poca probabilidad de que un niño comprenderá el material, se debe preferir un cambio de material más que tratar de cambiar al niño.

Para los niños mayores pude haber una renuencia a cambiar de material porque se espera que cierto contenido sea aprendido, pero los maestros todavía tienen una alternativa. Los estudiantes no pueden aprender dos cosas al mismo tiempo; no pueden aprender simultáneamente a leer y a conocer algún tema desconocido como la historia o las matemáticas. Si la intención del maestro es mejorar la lectura, entonces los estudiantes deben contar con un material que puedan comprender con facilidad. Si la intención es ampliar el conocimiento de un tema, lo cual a su vez hará más fácil la lectura, entonces hasta que el estudiante pueda leerlo con alguna fluidez se le debe enseñar de alguna otra manera, mediante pláticas, películas, trabajo en el pizarrón o instrucción individual. Las dos pueden ser enseñadas *concurrentemente* —las matemáticas no necesitan esperar a que haya una aptitud en la lectura, como tampoco la lectura necesita esperar que hayan destrezas en las matemáticas— pero no pueden ser aprendidas de manera simultánea.

Los maestros algunas veces tratan de resolver los problemas de manera difícil, por ejemplo, esperando que los lectores deficientes mejoren mientras que, de hecho, están leyendo menos que los lectores más hábiles. Cuando los niños tienen problemas para comprender el texto, se les pueden proporcionar tareas con palabras aisladas, mientras que los problemas con la identificación de palabras pueden provocar que la atención a la identificación de letras y el sonido se mezclen. Pero las letras (y sus interrelaciones fónicas) se reconocen y aprenden de mejor manera cuando forman parte de palabras, y las palabras son reconocidas y aprendidas más fácilmente cuando se encuentran en secuencias significativas. Los buenos lectores tienden a ser buenos en la identificación de letras y de palabras, y en las tareas fónicas, pero estas destrezas más específicas son una consecuencia, no una causa, de la buena lectura (Samuels, 1971). Los buenos lectores también tienden a comprender la jerga técnica de la lectura tal como *letra, palabra, verbo, oración, párrafo,* pero nuevamente esto es el resultado de la capacidad para leer. La práctica con las definiciones no produce lectores (Downing y Oliver, 1973-74).

Muchos lectores deficientes cometen errores de "inversión", diciendo "p" por *q* y "b" por *d,* o quizá "zorra" por *arroz* o "sal" por *las.* Esto no es cuestión de "ver hacia atrás" (lo cual es una imposibilidad) sino un conocimiento erróneo de los aspectos distintivos en una tarea de discriminación difícil. Ningún objeto visual tiene un nombre diferente dependiendo de si se muestra hacia la derecha o hacia la izquierda, y las inversiones son un error común incluso de los lectores fluidos en las situaciones en donde hay información visual limitada, por ejemplo, en los tipos de experimentos descritos en los capítulos 3 y 8. Los buenos lectores habitualmente no cometen errores de inversión, debido en parte a que han tenido bastantes experiencias, pero también porque hay muchas otras claves que pueden utilizar. El texto todavía sería comprensible si cada *d* y *b* fueran intercambiadas —el texto tobavía sería comprensidle si cada *b* y *d* fueran intercambiabas— y ciertamente lo sería si fueran ignoraxas por completo o impresas con una *x*. Pero si los niños tienen dificultades con las inversiones —lo cual únicamente es probable que suceda cuando están leyendo fuera de contexto (o leyendo como si el contexto no les dijera nada)— se les puede eliminar la lectura del texto completo y darles ejercicios con palabras individuales. Se les puede pedir que practiquen con palabras como *baño* y *daño*, las cuales nunca serían confundidas en un contexto significativo pero son relativamente similares cuando se presentan aisladas. Si continúan exhibiendo dificultad con las palabras, entonces se les puede proporcionar a los niños la tarea mucho más difícil de distinguir *b* y *d* aisladas (mientras se les priva de algunas señales de relación importantes) e incluso una letra sola (lo cual elimina incluso la posibilidad de comparación).

Los niños también pueden ser confundidos por la instrucción, que es tan innecesaria como inútil, a menudo como una consecuencia de una moda teórica entre los especialistas. Cuando, por ejemplo, Noam Chomsky popularizó la lingüística transformacional como un método técnico para el análisis del lenguaje, mucha gente pensó que los niños no aprenderían a leer a menos que se convirtieran en lingüistas en miniatura, y muchos niños desperdiciaron su tiempo haciendo ejercicios transformacionales que no tenían una diferencia evidente con su habilidad para el lenguaje. Después de que los psicólogos se interesaron en la noción teórica de los rasgos distintivos se hicieron varios esfuerzos por enseñar a los niños los rasgos distintivos de las letras, aunque ninguno de ellos podía demostrar convincentemente qué podrían ser estos rasgos. Los niños que tenían dificultad con el alfabeto o con estos ejercicios a veces eran diagnosticados como niños con discriminación de aspectos deficiente, aunque no habían reportado ninguna dificultad con cuchillos y tenedores, ni con Chevrolets y Volkswagens. Los programas y materiales de lectura basados en la fónica han prosperado cada vez que los lingüistas se han interesado particularmente en las correspondencias letra-sonido del lenguaje, y más recientemente se han estado moviendo hacia la enseñanza de la "predicción" como si fuera algo extraño a la experiencia de la mayoría de los niños. En todos estos casos, los conceptos que los científicos han encontrado de utilidad como elementos hipotéticos en sus intentos por comprender su disciplina se han convertido, con poca justificación, en algo que un niño debe aprender como un prerrequisito para el aprendizaje de la lectura. (No se ha explicado cómo los niños aprendieron a leer antes de que estos conceptos fueran ideados.) Actualmente hay un reconocimiento creciente de la importancia de la comprensión como la base del aprendizaje, pero al mismo tiempo hay un sentimiento de que la comprensión debe ser enseñada en sí misma, que puede ser analizada en una serie de "destrezas de comprensión" que supuestamente se pueden enseñar sin comprensión.

No estoy diciendo que no deba enseñarse nada, que los niños no deben aprender el alfabeto o construir vocabularios visuales, ni siquiera que las relaciones entre la ortografía de las palabras y sus sonidos se deban ocultar. Pero todos estos son derivados de la lectura que le dan más sentido cuando la lectura es aprendida y comprendida en sí misma. Es inútil para el maestro y para el niño trabajar en habilidades que no facilitarán el aprendizaje de la lectura y que serán más fácilmente realizadas cuando se desarrolle la aptitud en la lectura. Ciertamente no es el caso de que los maestros nunca deban corregir. Pero la corrección, e incluso el consejo, pueden ser ofrecidos prematuramente. Un niño se detiene mientras lee en voz alta y la mitad de los alumnos gritan la siguiente palabra aunque el lector pueda estar pensando en algo más de seis palabras anteriores o después de que se detiene. Pero *ninguna* corrección es nociva si, una vez hecha, el niño puede ignorarla, si es incomprensible o irrelevante. Los problemas surgen cuando las correcciones y las explicaciones debilitan la confianza de los niños o los detienen en sus actos para propósitos que podrían ser extraños. El maestro siempre debe preguntar "¿comprende el niño?" o "¿qué es lo que aquí está cusando confusión?"

Los primeros pasos

¿Cómo comienza un maestro a enseñar la lectura? No creo que haya una primera lección; la lectura no se secciona de esa manera. Los niños comienzan a leer con la primera intuición de que lo impreso es significativo o la primera vez que escuchan que se está leyendo en voz alta una historia. La lectura ha comenzado con la primera palabra que un niño puede reconocer. La información no visual es tan importante que la lectura potencial se amplía con cada expansión del conocimiento de un niño acerca del mundo o del lenguaje hablado. (Pero no hay una necesidad particular de un conocimiento previo amplio del mundo o del lenguaje hablado para que un niño comience a leer sólo lo suficiente para darle sentido al primer material impreso que se habrá de leer. Mucho del conocimiento y de las destrezas de lenguaje de los lectores fluidos es nuevamente una consecuencia de la capacidad de leer y escribir, más que su causa.)

La lectura no es intrínsecamente diferente de todas las demás actividades. A menos que la instrucción sea de alguna manera inusual, la lectura debe mezclarse suavemente dentro de todas las demás empresas intelectuales, lingüísticas o visuales de la vida de un niño pequeño. No existe un día mágico en que un "prelector" se convierta súbitamente en un "aprendiz", así como no hay un día especial en que el aprendizaje concluya y el lector se gradúe. Nadie es un lector perfecto y todos podemos continuar aprendiendo. Siempre es posible encontrar algo que un lector hábil será incapaz de leer, ya sea debido al lenguaje o al tema (una cuestión de información no visual una vez más). La única diferencia con los lectores menos hábiles es que hay más cosas que no pueden leer. Pero hasta en los principiantes es posible encontrar algo —una palabra incluso, quizá en una historia familiar— que serán capaces de leer con fluidez. Aprender a leer puede considerarse como dar sentido cada vez a más tipos de lenguaje en un mayor número de contextos; fundamentalmente una cuestión de experiencia.

Métodos y materiales

No existe ningún "método" de enseñanza de la lectura que se ocupe satisfactoriamente de las consideraciones anteriores. Ni debe esperarse que se desarrolle algún método inequívoco, a pesar de los millones de dólares que se destinan en ese sentido. Mientras que algunos métodos de enseñanza de la lectura son obviamente peores que otros (debido a que están basados en teorías muy débiles acerca de lo que es la lectura, tales como la decodificación de las letras en sonidos), la creencia de que podría existir un método perfecto para enseñar a todos los niños es contraria a toda la evidencia acerca de la multiplicidad de diferencias individuales que cada niño tiene en la lectura.

La investigación sirve de muy poco en la selección de los métodos apropiados. La investigación nos dice que todos los métodos de enseñanza de la lectura parecen funcionar en algunos niños pero que ninguno funciona con todos. Algunos maestros parecen tener éxito con cualquier método que empleen. Debemos concluir que el método de instrucción no es un problema crítico. (Los investigadores reconocen este punto y en sus estudios controlan la "variabilidad" introducida primeramente por las distintas habilidades de los niños, y en segundo lugar, por las influencias variantes de los maestros.) No sería particularmente falso afirmar que muchos niños aprenden a leer —y muchos maestros tienen éxito en ayudarles— a pesar del método instruccional que se utilice.

Una cosa que no necesitamos investigar para explicárnosla es que millones de niños aprendieron a leer antes de los programas de lectura de la sofisticada era espacial que se están desarrollando o promoviendo actualmente, a menudo sobre la base de teorías sin apoyo o poco elaboradas del aprendizaje de la lectura. Muchos niños de dos y tres años de edad han aprendido a leer, de la misma manera que lo han hecho muchos adultos iletrados. Los niños de los hogares más pobres han aprendido a leer de la misma manera que lo han hecho los niños de todas las culturas. Los niños que no son muy inteligentes han aprendido a leer (mientras que por su parte muchos niños brillantes, incluso de hogares "privilegiados", han fracasado). Se necesita una investigación mucho más amplia antes de que podamos esperar comprender lo que realmente ayudó a esos millones de niños a leer, en ocasiones a pesar de dificultades sustanciales. Puede tener que ver menos con la programación de segunda división y más con las etiquetas de los envases de lo que creemos.

Los maestros no deben confiar en ningún método, sino en su propia experiencia y en sus habilidades de enseñanza. Nadie está en una mejor posición que un maestro cuando se trata de identificar las necesidades, intereses o dificultades de un niño particular en un momento específico. Los maestros no deben preguntarse qué deben hacer, sino qué necesitan saber para poder tomar decisiones productivas. Aunque los maestros no encuentren respuestas a sus preguntas "prácticas" —y no hay escasez de expertos que les asesoren ni de productores de materiales que promuevan sus mercancías— la responsabilidad final descansa en el maestro. El maestro también debe decidir en cuál experto confiar y qué materiales ocupar.

No estoy diciendo que los maestros no deban estar familiarizados con los materiales, programas y técnicas instruccionales; sino que los profesores también deben decidir cómo y cuándo utilizar materiales y técnicas particulares con niños específicos en momentos determinados, y tales decisiones requieren conocimientos y comprensión. Los cirujanos no se caracterizan principalmente por el número o sofisticación de los instrumentos que tienen a su disposición; en una emergencia los mejores cirujanos podrían trabajar con los instrumentos que encontraran en una cocina bien equipada. Lo que hace a un cirujano, por supuesto, es la habilidad para usar apropiadamente los instrumentos, una habilidad que no surge de preguntar a los expertos qué es lo mejor.

Tampoco estoy recomendando que los maestros confíen ciegamente en todo lo que hacen, aunque generalmente tengan éxito. Es demasiado fácil para los maestros, y para el público en general, otorgar crédito a lo que no lo merece. Imaginemos que se nos enseña —o que enseñamos— con un método particular todo el tiempo, y que el aprendizaje de la lectura se atribuye completamente a ese método, como si los maestros y los niños no hicieran nada más que fuera relevante para la lectura que trabajar durante el curso particular. Pero el método mismo puede tener poco que ver con el éxito, y puede ser incluso un obstáculo. La experiencia y la intuición en las que considero que los maestros deben confiar están más relacionadas con lo que los niños individuales han encontrado fácil de entender y con lo que han encontrado difícil, comprensible o absurdo, interesante o aburrido, inspirante o insustancial. Una vez más debo afirmar que para comprender qué ayuda a los niños a leer, uno debe ser sensible a las complejidades tanto de los niños como de la lectura.

Nada de esto significa que todos los niños aprenderán fácilmente a leer; siempre ha habido evidencia de que tal cosa es improbable que suceda. Pero no creo que el fracaso debe atribuirse a la *dislexia,* una enfermedad que únicamente ataca a los niños que no pueden leer y que invariablemente es curada cuando pueden hacerlo. He señalado que no hay nada único acerca de la lectura, ni visualmente ni en lo que al lenguaje se refiere. No hay defectos visuales evidentes que sean específicos de la lectura, pero esto no significa que no existan anomalías visuales generales que interferirán en el aprendizaje de la lectura. Los niños que necesitan anteojos no encontrarán fácil la lectura hasta que su defecto visual sea corregido. Los pocos niños que tienen dificultad para aprender a comprender el habla, o para aprender cualquier cosa, también puede encontrar difícil el aprendizaje de la lectura.

Pero no hay evidencia convincente de que los niños que pueden ver normalmente, con o sin anteojos, y que han adquirido una aptitud eficiente en el lenguaje hablado que les rodea, podrían ser física o congénitamente incapaces de aprender a leer. No se puede negar que algunos niños que parecen "normales" e incluso brillantes en todos los demás aspectos pueden fracasar en aprender a leer. Pero pueden haber otras razones de este fracaso que no presupongan ninguna disfunción orgánica por parte del niño. Los niños no aprenden a leer cuando no quieren hacerlo, o cuando no ven algo útil en ello, o cuando son hostiles al maestro, a la escuela o al grupo social o cultural en el que perciben que el maestro y la escuela pertenecen. Los niños no aprenden a leer cuando esperan fracasar, o cuando creen que aprender a leer será demasiado costoso, o cuando la imagen preferida de sí mismos, por cualquier razón, no es la de un lector. Los niños no aprenden a leer si tienen una idea equivocada acerca de lo que es la lectura; si han aprendido —o se les ha enseñado— que la lectura no tiene sentido.

Sobre el cambio del mundo

Mi punto final quizá es obvio: que las teorías de la lectura no pueden cambiar el mundo. Los tipos de situaciones que he caracterizado como situaciones que hacen más difícil la lectura, y, por lo tanto, probablemente interfieran en el aprendizaje de la lectura de los niños, son hechos de la vida en muchos salones de clases; que muchos maestros sienten que pueden hacer muy poco acerca de ello. Se deben aplicar pruebas; la instrucción debe ser dirigida hacia los textos; los niños deben ser categorizados y puestos en filas; los maestros deben ser responsables; ciertos currícula deben seguirse; los padres y los administradores deben ser pacíficos; el trabajo debe ser gradual; la competencia y la ansiedad son inevitables. Y es verdad, todas estas consideraciones interfieren en los maestros y en los niños en la tarea de aprender a leer. Pero entonces tenemos que reconocer que, relativamente poco de lo que ocurre en la escuela, se relaciona directamente, de hecho, con el proceso real del aprendizaje, de la lectura o de cualquier otra cosa. Gran parte del tiempo del maestro se dirige necesariamente al manejo en el salón de clases, muchas actividades que el maestro realizó están encaminadas a satisfacer directrices u otras demandas que provienen de fuentes externas, y pocos de ellos disponen del tiempo necesario o los recursos para proporcionar un ambiente de aprendizaje ideal para los niños durante todo el tiempo.

Una teoría de la lectura no cambiará todo esto (aunque podría servir probablemente a cualquier persona que intente aminorar sus efectos). El tipo de cambio que hará una diferencia en las escuelas no vendrá de mejores teorías ni de mejores materiales, ni siquiera de maestros mejor preparados, sino únicamente de las personas que actúen hacia el cambio. El problema de mejorar la instrucción de la lectura, a la larga, es una cuestión política. Pero ya sea que los maestros puedan cambiar su mundo o no, estarán en mejores condiciones en la medida en que comprendan mejor la lectura y la manera en que los niños aprenden a leer. Los maestros que no pueden librar a los niños de las interrupciones o de las actividades irrelevantes al menos pueden protegerlos. Los profesores pueden tomar sus propias decisiones razonables acerca de las condiciones que probablemente interferirán con el aprendizaje de la lectura y de las condiciones que probablemente la promoverán, y ver que esta última no sea completamente abrumada. Afortunadamente, la mayoría de los niños parecen capaces de tolerar una buena cantidad de tedio, ansiedad e incluso lo absurdo en el proceso de aprender a leer. Las actividades extrañas pueden no ayudarlos a aprender a leer, pero los niños a menudo no toman esas actividades muy seriamente. Quizá los maestros podrían capitalizar más ésta flexibilidad innata de los aprendices pequeños. Reconociendo las condiciones que favorecen el aprendizaje, y por supuesto haciendo todo lo posible por proporcionarselas, los maestros también podrían considerar una posible confianza en los niños con respecto al resto. Ellos podrían dejar en claro, por ejemplo, que las tareas diseñadas para mejorar la ejecución en una cierta prueba, y la ejecución en la prueba misma, no tienen nada que ver, de hecho, con la lectura, y no deben ser consideradas como una parte de la lectura o de su aprendizaje. Los niños comprenden el ritual.

Lo que importa para el progreso en la lectura es la propia capacidad de un niño para derivar sentido y placer de cualquier modalidad impresa en el mundo. Los maestros pueden notar que siempre hay tiempo para esto. Los maestros y los niños pueden ser verdaderos compañeros en la empresa de comprender la lectura.

Resumen

Las circunstancias que facilitan la comprensión en la lectura también facilitan su aprendizaje. Estas circunstancias se pueden resumir como la posibilidad de emplear información no visual relevante sin obstáculos ni ansiedad. Los maestros desempeñan un papel crucial en ayudar a los niños a aprender a leer modificando las circunstancias, respondiendo a las necesidades de los niños, y haciendo significativa a la lectura en un grado en que los programas de instrucción formales, con sus objetivos necesariamente limitados, difícilmente puede esperarse que lo hagan.

Las notas del capítulo 12 comienzan en la página 244-247.

Notas

Cambios en la segunda edición en inglés

Todos los capítulos han sido reescritos sustancialmente, con mayores revisiones o adiciones a las secciones sobre identificación mediada de palabras (nuevo capítulo 10) y sobre la comprensión (nuevos capítulos 5 y 11). El marco de referencia básico es el mismo con las siguientes excepciones: los primeros capítulos sobre el ojo y el cerebro (antes capítulos 7 y 8) han sido consolidados, condensados y desplazados hacia adelante (nuevo capítulo 3). El capítulo "conductismo" sobre el aprendizaje de hábitos (antes capítulo 5) ha sido eliminado, transfiriendo algún material a las notas del nuevo capítulo 7. El nuevo capítulo 7, sobre el aprendizaje también contiene y estudia el material sobre el aprendizaje del lenguaje (antes capítulo 4) el cual también ha sido eliminado. La pequeña sección sobre la memoria en el antiguo capítulo 6 ahora ha sido ampliada en un capítulo por derecho propio (nuevo capítulo 4). El anterior capítulo sobre los rasgos (antes capítulo 11) ha sido eliminado completamente, principalmente porque siento que el análisis de los rasgos semánticos no contribuía al argumento general.

He tratado de resolver el eterno problema de una unión armoniosa entre la amenidad de estilo y la documentación con una separación legal. La parte principal del texto en cada capítulo es lo menos técnica como me ha sido posible, mientras que las referencias específicas a la investigación y a los aspectos teóricos detallados han sido separados en las siguientes notas. La elaboración de los temas en las notas me ha permitido ampliar considerablemente cierta cantidad de referencias que ya he citado. Una lista completa de referencias ahora aparece en la posición convencional al final del libro, en donde también se ha añadido un glosario.

Medición de la información y de la incertidumbre

Sólo una pequeña proporción de las notas de este libro·tendrán un matiz matemático. Pero una breve introducción a algunos conceptos elementales de la medición en la teoría de la información será útil para los capítulos subsecuentes cuando tratemos de estimar la velocidad a la que el cerebro puede procesar la información visual, y también la incertidumbre de las letras y las palabras del español (o del inglés) en circunstancias diferentes.

Es necesario dar algunos rodeos en cuanto a asignar cifras reales a la información y a la incertidumbre, porque aunque ambas son medidas con respecto a las alternativas, la medida no es simplemente el número de alternativas. En lugar de ello, la información se calcula en términos de una unidad llamada *bit*, la cual siempre reduce a la mitad la incertidumbre en cualquier ocasión particular. Por lo tanto, el jugador de barajas que descubre que la pinta más fuerte de un adversario es rojo (diamantes o corazones) obtiene un bit de información, y lo mismo ocurre con un niño que trata de identificar una letra que se le ha dicho que pertenece a la segunda mitad del alfabeto. En el primer caso, dos alternativas son eliminadas (las de pinta negra), y en el segundo caso trece alternativas son eliminadas (y trece o catorce todavía permanecen). En ambos casos la proporción de incertidumbre reducida es la mitad y, por consiguiente, la cantidad de información recibida es considerada como un bit.

La incertidumbre de una situación en bits es igual al número de veces que una pregunta "sí o no" tendría que ser formulada y respondida para eliminar toda la incertidumbre **si cada respuesta** redujera la incertidumbre a la mitad. Por consiguiente, hay dos bits de incertidumbre en el ejemplo del juego de barajas porque dos preguntas eliminarán todas las dudas, por ejemplo: *Pl. ¿Es de pinta negra? P2. Si la respuesta es sí, ¿son tréboles? (Si la respuesta es no, ¿son corazones?)*, o *P1. ¿Son espadas o diamantes? P2. Si la respuesta es sí, ¿son espadas? (Si la respuesta es no, ¿son corazones?).*

Usted puede notar que no importa cómo son planteadas las preguntas, a condición de que permitan una respuesta si-no que eliminará la mitad de las alternativas. La calificación final es importante. Obviamente, una simple pregunta al azar tal como "¿son tréboles?" eliminará todas las alternativas si la respuesta es "sí", pero todavía dejará al menos una y posiblemente más preguntas para ser formuladas si la respuesta es "no". La manera más eficiente de reducir la incertidumbre cuando la respuesta únicamente puede ser "sí" o "no" es mediante una división binaria, esto es, dividiendo las alternativas en dos conjuntos iguales. De hecho, la palabra *bit*, que en inglés coloquial significa pedacito, es una abreviación de las palabras *binary digit* (dígito binario), o un número que representa una opción entre dos alternativas.

La incertidumbre de las 26 letras del alfabeto inglés reside en algún lugar entre cuatro y cinco bits. Cuatro bits de información permitirán la selección entre 16 alternativas, no las suficientes, el primer bit reducirá este número a 8, el segundo a 4, el tercero a 2, y el cuarto a 1. Cinco bits seleccionarán entre 32 alternativas, ligeramente muchas, el primero elimina 16 y los otros cuatro eliminan el resto de la incertidumbre. En resumen, X bits de información seleccionarán entre 2 alternativas. Dos bits seleccionarán entre $2^2 = 4$, 3 bits entre $2^3 = 8$, cuatro bits entre $2^4 = 16$, y así sucesivamente. Una pregunta determina únicamente $2^1 = 2$ alternativas, y la ausencia de preguntas requiere que usted sólo tenga una alternativa con la cual comenzar ($2^0 = 1$). Veinte bits ("veinte preguntas") son teóricamente suficientes para distinguir entre $2^{20} = 1\ 048\ 576$ alternativas. Existe una fórmula matemática que demuestra que la incertidumbre teórica de las 26 letras del alfabeto es casi de 4.7 bits, aunque, por supuesto, no es fácil saber cómo podríamos formular ésas 4.7 preguntas. (La fórmula es que la incertidumbre de X alternativas es $\log_2 X$, la cual se puede consultar en una tabla de logaritmos de la base 2. $\log_2 26 = 4.7$, dado que $26 = 2_{4.7}$.) ¿Puede usted calcular la incertidumbre en una baraja de 52 cartas? Dado que 52 es dos veces 26, la incertidumbre de las cartas debe ser de un bit más que la del alfabeto, o 5.7 bits.

Medición de la redundancia

Será útil abordar la cuestión de la redundacia un poco más profundamente, en parte debido a la importancia del concepto de redundancia para la lectura, pero también porque el análisis de la manera en que son computados los *bits* de incertidumbre o información contenía una sobresimplificación que ahora puede ser rectificada. Consideremos dos aspectos de la redundancia, denominados *distribucional* y *secuencial*.

La redundancia distribucional está asociada con la probabilidad relativa de que cada una de las alternativas en una situación particular puede ocurrir. Sorprendente como puede parecer, hay menos incertidumbre cuando las alternativas no son igualmente probables, cuando hay redundancia. El simple hecho de que las alternativas no sean igualmente probables constituye una fuente de información adicional que reduce la incertidumbre de la serie de alternativas como un todo. La redundancia que ocurre debido a que las probabilidades de las alternativas no son distribuidas igualmente se llama, por consiguiente, redundancia distribucional.

La incertidumbre es más grande cuando cada alternativa tiene una probabilidad de ocurrencia igual. Considérese el juego de lanzar una moneda al aire en donde sólo hay dos alternativas, águila o sol, y hay, de hecho, iguales probabilidades de que caiga cualquiera de las dos caras de la moneda. La informatividad de conocer que un lanzamiento particular de la moneda produjo un águila (o sol) es un bit, debido a que siempre la incertidumbre resultante es reducida a la mitad. Pero ahora supóngase que el juego no es imparcial, y que la moneda caerá águila nueve veces de diez. ¿Cuál es la incertidumbre del juego ahora (para alguien que conoce la propensión de la moneda)? La incertidumbre difícilmente es mayor que cuando las probabilidades eran 50-50, debido a que entonces no había razón para escoger entre águila o sol, mientras que con la moneda arreglada sería tonto apostar a que va a caer sol. De la misma manera, probablemente habrá mucho menos información si se nos dice el resultado de un lanzamiento particular de la moneda arreglada. No se elimina demasiada incertidumbre si se nos dice que la moneda cayó en águila porque eso es lo que hemos estado esperando todo el tiempo. De hecho, la informatividad de un águila puede ser computada como casi .015 bit comparado con 1 bit si el juego fuera imparcial. Es verdad que hay mucho más información en el evento relativamente improbable de que se nos dijera que un lanzamiento produjo un sol —un total de 3.32 bits de información comparados con 1 bit de un sol cuando las águilas y los soles son igualmente probables— pero podemos esperar un sol sólo una vez cada 10 lanzamientos. La cantidad de información *promedio* disponible a partir de la moneda arreglada será de novenos del .015 bit de información del águila y un décimo de los 3.32 bits de información del sol, los cuales al sumarse son aproximadamente de .35 bit. La diferencia entre 1 bit de incertidumbre (o de información) de la moneda con probabilidades 50-50, y el .35 bit de la moneda arreglada con probabilidades 90-10, es la redundancia distribucional.

Las primeras afirmaciones de que cada bit de información divide a la mitad el número de alternativas, y que el número de bits de incertidumbre es el número de preguntas sí-no que tendrían que ser formuladas y respondidas para eliminar todas las alternativas, se sostienen sólo cuando todas las alternativas son igualmente probables. Si algunas alternativas son menos probables que otras, entonces se tiene que calcular una cantidad de incertidumbre o de información *promedio*, tomando en cuenta tanto el número de alternativas como la probabilidad de cada una. Debido a que la incertidumbre y la información están en su máximo cuando las alternativas son igualmente probables, la incertidumbre promedio de las situaciones en donde esto no ocurre es necesariamente menor que el máximo, y la redundancia se presenta.

La afirmación de que la incertidumbre de las letras del idioma inglés es de 4.7 bits es perfectamente verdadera en cualquier situación que incluya 26 alternativas igualmente probables —por ejemplo, extrayendo una letra de un sombrero que contiene un ejemplo de cada una de las 26 letras del alfabeto. Pero las letras del español no ocurren en el lenguaje con la misma frecuencia; algunas de ellas, tales como *e, t, a, o, i, n, s,* ocurren mucho más a menudo que las otras. De hecho, la *e* ocurre 40 veces más a menudo que la letra menos frecuente *z*. Debido a la desigualdad, la incertidumbre promedio de las letras es un poco menor que el máximo de 4.7 bits que sería si las letras ocurrieran con la misma frecuencia. La incertidumbre real de las letras, considerando su frecuencia relativa, es de 4.07 bits, siendo la diferencia de casi .63 bit la redundancia distribucional de las letras del inglés, una medida de la informatividad esperada que se pierde porque las letras no ocurren de una manera igualmente frecuente. Si las letras fueran utilizadas con la misma frecuencia, podríamos alcanzar los 4.07 bits de incertidumbre que las 27 letras comúnmente tienen con un poco más de 16 letras. Podríamos ahorrarnos casi 9 letras si pudiéramos encontrar un manera (y un acuerdo) para utilizar el resto con la misma frecuencia.

Las palabras también tienen una redundancia distribucional en el inglés. Uno de los hallazgos más antiguos y aún no muy bien comprendidos de la psicología experimental se refiere a "el efecto de la frecuencia de las palabras", el cual implica que las palabras más comúnes del idioma inglés pueden ser identificadas con menos información visual que las palabras menos frecuentes (Broadbent, 1967; Howes y Solomon, 1951). Los cálculos de la redundancia distribucional de las letras y de las palabras del idioma inglés están contenidos en Shannon (1951) y se discuten en Cherry (1966) y Pierce (1961).

La *redundancia secuencial* existe cuando la probabilidad de una letra o palabra está limitada por la presencia de las letras o palabras circundantes en la misma secuencia. Por ejemplo, la probabilidad de que la letra *L* seguirá a la *T* en las palabras inglesas no es de una en 26 (lo cual sería el caso si todas las letras tuvieran la misma oportunidad de ocurrir en cualquier posición) ni de casi una en 17 (tomando en cuenta la redundancia distribucional), sino de casi una en 8 (ya que únicamente 8 alternativas son probables que ocurran siguiendo a *T* en inglés; a saber, *H, R* o una vocal). Por lo tanto, la incertidumbre de cualquier letra que siga a *T* en una palabra inglesa es de casi 3 bits ($2^3 = 8$). La incertidumbre promedio de todas las letras en las palabras inglesas es casi de 2.5 bits (Shannon, 1951). La diferencia entre esta incertidumbre promedio de 2.5 bits y una posible incertidumbre de 4.07 bits (después de que lo haya permitido la redundancia distribucional) es la *redundancia secuencial* de las letras en las palabras inglesas. Un promedio de 2.5 bits de incertidumbre significa que las letras en las palabras tienen una probabilidad de casi una en seis en vez de una en 26. Esta cifra, por supuesto, es sólo un *promedio* calculado en muchos lectores, muchas palabras y muchas posiciones de las letras. No hay un declive progresivo en la incertidumbre de letra a letra, de izquierda a derecha, en todas las palabras. Una palabra en inglés que comienza con *q*, por ejemplo, tiene una incertidumbre de cero sobre la siguiente letra *u*, una incertidumbre de casi un bit para las dos vocales que pueden seguir a *u*, y luego, quizá, cuatro bits de incertidumbre para la siguiente letra, la cual podría ser una de más de una docena de alternativas. Otras palabras tienen otros patrones de incertidumbre diferentes, aunque en general la incertidumbre de cualquier letra desciende entre más letras se conozcan de esa palabra, no importa el orden. Debido a las limitaciones en los patrones de deletreo del inglés —debido en parte a la manera en que se pronuncian las palabras— hay ligeramente más incertidumbre al comienzo de una palabra que al final, y menos incertidumbre en la mitad (véase Bruner y O'Dowd, 1958).

Habrán muchas referencias a la redundancia secuencial de las letras y palabras inglesas en los capítulos subsecuentes de este libro (y algunos cálculos adicionales en algunas de las notas). La redundancia ortográfica (deletreo) de lo impreso a la que me he referido comprende tanto la redundancia distribucional como la secuencial de las letras *dentro* de las palabras, mientras que la redundancia sintáctica (gramática) y la redundancia semántica (significado) son principalmente redundancia secuencial *entre* palabras.

Teoría de la detección de señales

Como he dicho, los observadores (ya sean operadores de radar o lectores) siempre tienen la oportunidad de reducir el número de sus errores absolutos mientras se incrementan las "pérdidas" o de alcanzar el máximo de éxitos mientras se incrementa el número de "falsas alarmas". En efecto, los observadores pueden colocarse en cualquier punto a lo largo de una curva que oscila desde cero falsas alarmas (pero cero éxitos) hasta el 100% de éxitos (pero un máximo de falsas alarmas). Esta curva es llamada *característica operante del receptor* o curva COR, y varía en cada individuo y situación. En cualquier ocasión, un observador puede escoger en dónde será colocado en la curva COR, el nivel crítico seleccionado que depende de los costos relativos percibidos de los éxitos, pérdidas y falsas alarmas. Pero para cambiar la curva COR como un todo, para mejorar la proporción de éxitos, pérdidas y falsas alarmas, se requiere una mejoría en la claridad de la situación (por ejemplo, mejor iluminación) o en la habilidad del observador (por ejemplo, más destreza). La estimulación o "reforzamiento" tiene el efecto de mover al observador en una curva COR hacia arriba, así como la ansiedad moverá al observador hacia abajo, pero sólo un cambio en la habilidad, por ejemplo un incremento en la disponibilidad de información no visual, cambiará la curva COR en su totalidad.
penetrar en el ruido y extraer señales que portan información en lo que Cherry (1966) llama el *problema del coctél*. El ejemplo ilustra un punto que frecuentemente se menciona en este libro y es el de que el conocimiento previo del perceptor contribuye en mucho a la comprensión. El problema es este: ¿Cómo pueden los oyentes en una multitud de personas que están hablando en voz alta al mismo tiempo arreglárselas para seguir lo que una persona está diciendo y excluir todo lo demás? El canal de comunicación de cada oído del oyente está saturado de ruido (literal y técnicamente), sin embargo, la persona puede seleccionar la información que proviene de sólo una fuente de entre el ruido. Y esta voz "seleccionada" es la única que se escucha, a menos que alguien más diga algo particularmente relevante para la persona, tal como el nombre del oyente, en cuyo caso se demuestra que el oyente ha estado controlando realmente todas las conversaciones al mismo tiempo, "escuchando sin oir". Nadie ha sido capaz todavía de inventar una máquina que, usando el mismo canal de comunicación, pueda desembrollar más de una voz en un momento determinado. Incluso el receptor humano puede separar mensajes entremezclados, y no porque provengan de diferentes voces, o de diferentes direcciones (se ha demostrado experimentalmente que podemos seguir un mensaje aún si las palabras sucesivas son producidas por voces diferentes), sino siguiendo el sentido y la sintáxis del mensaje que se está atendiendo. Semejante proeza puede ser realizada sólo si los oyentes aportan su propio conocimiento del lenguaje para extraer un mensaje de todo el ruido irrelevante en el cual se encuentra.

Lectura complementaria

Para la teoría de la comunicación y la teoría de la información en general, véase Pierce (1961) y Cherry (1966). Attneave (1959) analiza específicamente las aplicaciones de la teoría de la información en la psicología. Miller (1964) reedita algunos artículos breves útiles sobre la teoría de la información y la teoría de la detección de señales. Un texto introductorio a la psicología que emplea conceptos de ambos dominios teóricos es el de Lindsay y Norman (1972). Garner (1962, 1974) también desarrolla descripciones psicológicas desde un punto de vista de la teoría de la información. Un artículo clásico sobre la teoría de la detección de señales es el de Swets, Tanner y Birdsall (1961); en un nivel más popular véase Swets (1973) y, más técnicamente, Pastore y Scheirer (1974).

Notas del capítulo 3, Entre el ojo y el cerebro, págs. 36-54.

Límites del procesamiento de información visual

El hecho de que exista un límite en la cantidad de lo impreso, que puede ser identificado en un solo momento, variando según el uso que un lector pueda hacer de la redundancia, no es exactamente un descubrimiento reciente. La ilustración en este capítulo de cuánto puede ser identificado a partir de una simple mirada en una fila de letras al azar, de palabras al azar y de secuencias significativas de palabras, se deriva directamente de las investigaciones de Cattell (1885, reeditado en 1947) y de Erdmann y Dodge (1898). Descripciones de muchos estudios experimentales similares fueron incluidas en un notable e iluminativo volumen por Huey (1908, reeditado en 1967), el cual en la actualidad aún es relevante y es la única obra clásica en la psicología de la lectura. Una buena cantidad de la investigación reciente sobre percepción en la lectura es básicamente la replicación de los primeros estudios con un equipo más sofisticado; nada se ha demostrado que los objete. Sin embargo, la investigación pionera fue ignorada por los psicólogos experimentales durante casi medio siglo, y todavía es bastante desconocida en el campo de la educación, en parte porque el conductismo inhibió a los psicólogos del estudio de los "fenómenos mentales" (véanse las notas del capítulo 6) y en parte porque las aproximaciones "sistemáticas" u "operacionalizadas" a la instrucción de la lectura gradualmente se han concentrado en la decodificación y en el ataque a las palabras —la "visión tubular" extrema— a expensas de la comprensión.

Las matemáticas de la teoría de la información, introducidas en las notas del capítulo 2, se pueden aplicar directamente a los hallazgos de Cattell para demostrar que los lectores que identifican sólo cuatro o cinco letras al azar, un par de palabras al azar o una secuencia significativa de cuatro o cinco palabras, están procesando cada vez la misma cantidad de información visual. Las diferencias entre las tres condiciones se pueden atribuir a las cantidades variantes de información no visual con que los lectores son capaces de contribuir, derivadas de la redundancia distribucional y secuencial dentro de lo impreso.

La condición de las letras al azar sugiere que el límite de una simple mirada (el equivalente de un segundo de tiempo de procesamiento) es de casi 25 bits de información. El cálculo está basado en un máximo de cinco identificaciones de letras de casi cinco bits de incertidumbre cada una (2^5 bits = 32 alternativas). En las secuencias de letras al azar, por supuesto, no hay redundancia distribucional ni secuencial que un lector pueda utilizar. El hecho de que 25 bits por segundo sea efectivamente un límite general de la velocidad de procesamiento humano de información ha sido afirmado por Quastler (1956) a partir de estudios no sólo sobre identificación de letras y de palabras, sino de la ejecución también de pianistas y de "calculistas de descargas eléctricas" (véase también Pierce y Karlin, 1957).

¿Cómo es posible entonces identificar dos palabras al azar, consistiendo el promedio de cada una de ellas de 4.5 letras, con sólo 25 bits de información visual? Nueve o diez letras en cinco bits cada una parecerían requerir aproximadamente

50 bits. Pero como señalé en las notas del capítulo 2, debido a la redundancia distribucional y a la secuencial, la incertidumbre promedio de las letras en las *palabras* inglesas es de casi 2.5 bits cada una (Shannon, 1951) haciendo un promedio total de incertidumbre de las letras en dos palabras al azar de algo más bajo de 25 bits. Desde una perspectiva diferente, las palabras al azar tomadas de un conjunto de 50 000 alternativas tendría una incertidumbre de entre 15 y 16 bits cada una ($2^{.5} = 32\ 768$, $2^{16} = 65\ 536$), pero debido a la redundancia distribucional entre las palabras —y probablemente también porque las palabras inusuales no es factible que sean empleadas en los estudios sobre la lectura— de nuevo podemos aceptar como probable lo estimado por Shannon acerca de que la incertidumbre promedio de las palabras sin limitaciones sintácticas ni semánticas (redundancia secuencial) es de casi 12 bits por palabra. Así que si examinamos la condición de las palabras al azar desde el punto de vista de la incertidumbre de las letras en las palabras (casi 2.5 bits por letra) o de la incertidumbre de las palabras aisladas (casi 12 bits por palabra) el resultado es todavía que el lector está haciendo la identificación de casi nueve o diez letras o dos palabras con aproximadamente 25 bits de información visual. El hecho de que tanto el número de letras identificadas como el ángulo efectivo de visión doble en la condición de palabras al azar, comparados con las cuatro o cinco letras que pueden ser percibidas en la condición de letras al azar, refleja el uso que el lector puede hacer de la redundancia. En otras palabras, el observador en la condición de palabras aisladas contribuye con el equivalente de 25 bits de información no visual que lo capacitan dos veces más de lo que es visto en una simple mirada. Cualquier persona que carezca de la información no visual relevante tendría que confiar en la información visual sola y, por lo tanto, habría visto sólo la mitad cuando mucho.

En los pasajes significativos y gramaticales del inglés hay considerable redundancia secuencial entre las palabras mismas. Los oradores y los autores no son libres de escoger cualquier palabra que les guste cada vez que quieran, al menos no si ellos esperan que sus mensajes tengan sentido. A partir de análisis estadísticos de grandes pasajes de texto y también mediante una técnica de "juego de adivinación" en la que a las personas realmente se les pedía que adivinaran letras y palabras, Shannon calculó que la incertidumbre promedio de las *palabras* en secuencias significativas era de casi siete bits (una reducción de casi la mitad sobre las palabras aisladas) y que la incertidumbre promedio de las *letras* en secuencias significativas era de ligeramente más de un solo bit (nuevamente reduciendo a la mitad la incertidumbre de las letras en palabras aisladas). Sobre esta base, uno esperaría que los observadores en la condición de secuencias de palabras significativas vieran cuando mucho dos veces nuevamente comparada con la de las palabras aisladas, lo cual es, por supuesto, el resultado experimental. Una frase u oración de cuatro o cinco palabras puede ser vista en una sola mirada, un total de 20 letras o más. Esto es cuatro veces más grande de lo que puede ser visto en la condición de letras al azar, pero todavía sobre la base de la misma cantidad de información visual; cuatro o cinco letras al azar en casi cinco bits cada una, o 20 letras en una secuencia significativa en poco más de un bit cada una. Pero, en otra manera, cuando en las secuencias de lectura de palabras significativas en el texto el lector puede contribuir al menos con tres partes de información no visual (en la forma de conocimiento previo de la redundancia) por una parte de información visual, ocurre que cuando mucho cuatro veces pueden ser percibidas.

Para un análisis más detallado del argumento anterior, véase Smith y Holmes (1971). Otros exámenes de la incertidumbre y de la redundancia en el idioma inglés son incluidos en Garner (1962, 1974) y en Miller, Bruner y Postman (1954); los últimos utilizan "aproximaciones al inglés" cuidadosamente construidas. McNeill y Linding (1973) proporcionan una demostración reciente de que lo que los oyentes perciben en el lenguaje hablado también depende de cuánto pueden buscar o están buscando —sonidos individuales, sílabas o palabras completas.

La velocidad en la toma de decisiones visuales

Setenta años después de las primeras demostraciones sobre un límite de cuánto puede ser visto en una sóla mirada, otros estudios taquistoscópicos demostraron que el límite no se puede atribuir a ninguna restricción en la cantidad de información visual que el ojo puede reunir de la página, ni debido a que los observadores olviden las letras o las palabras que ya han sido identificadas antes de que las puedan reportar. Más bien el tropiezo ocurre cuando el cerebro trabaja para procesar lo que transitoriamente es una cantidad considerable de información visual inconclusa, organizando "la visión" después de que los ojos han hecho su trabajo. La toma de decisiones perceptuales toma tiempo, y existe un límite de la cantidad de información visual enviada de regreso por los ojos que permanece disponible para el cerebro.

Los sujetos en el tipo de experimento taquistoscópico que he descrito, a menudo sienten que han visto potencialmente más de lo que son capaces de reportar. La breve presentación de la información visual deja una "imagen" vagamente definida que se desvanece antes de que los sujetos sean completamente capaces de atender a ella. La validez de esta observación ha sido establecida por una técnica experimental llamada *recuerdo parcial* (Sperling, 1960) en la que a los sujetos se les pide que reporten únicamente cuatro letras de una presentación de probablemente doce, de tal manera que el reporte requerido se encuentre dentro de los límites de la memoria a corto término (véase capítulo 4). Sin embargo, los sujetos no saben *cuáles* cuatro letras deben reportar hasta después de la presentación visual, de tal modo que deben trabajar a partir de la información visual que permanece disponible para el cerebro después de que su fuente ha sido eliminada de enfrente de los ojos. De un solo golpe la técnica experimental evita cualquier complicación de la memoria manteniendo el reporte requerido en un pequeño número de ítems, mientras que al mismo tiempo comprueba si de hecho los observadores tienen información acerca de los 12 ítems durante un breve momento después de que el trabajo de los ojos ha sido completado.

La técnica experimental involucra la presentación de doce letras de prueba en tres hileras de cuatro letras cada una. Inmediatamente después de que la presentación de 50 mseg ha terminado, se presenta un tono. El sujeto ya sabe que un tono alto indica que las letras en la hilera superior tienen que ser reportadas, un tono bajo implica que debe reportarse la hilera inferior, mientras que un tono intermedio indica la señal para reportar la hilera intermedia. Cuando este método de recuerdo parcial es empleado, los sujetos normalmente pueden reportar las cuatro letras requeridas, indicando que durante un tiempo breve ellos al menos tienen acceso a la información visual de las hileras acerca de las doce letras. El hecho de que los sujetos puedan reportar cuatro letras, no indica que hayan identificado todas las doce, sino simplemente que tienen tiempo para identificar cuatro de ellas antes de que la información visual se desvanezca. Si el tono clave se demora más de medio segundo después del final de la presentación, el número de letras que puede ser reportado disminuye vertiginosamente. La "imagen" es la información visual no procesada que decae por el tiempo acerca de las cuatro letras que han sido identificadas.

Otra evidencia de que la información visual permanece disponible en la memoria durante casi un segundo, y que el segundo completo es necesario si tiene que ser identificado un reporte máximo de cuatro o cinco letras, ha provenido de los estudios sobre "enmascaramiento" descritos en este capítulo (por ejemplo, Averbach y Coriell, 1961; Smith y Carey, 1966). Si un segundo sistema u ordenamiento visual es presentado al ojo antes de que el cerebro haya terminado de identificar el número máximo de letras que pueda a partir de la primera entrada de información visual, entonces la cantidad reportada de la primera presentación disminuye. La segunda entrada de información visual borra la información de la primera presentación.

Sin embargo, puede ser tan perturbante para la lectura si la información visual llega al ojo muy lentamente como si llega muy aprisa. Kolers y Katzman (1966), Newman (1966), y Pierce y Karlin (1957) han demostrado una velocidad óptima de casi seis presentaciones por segundo para la recepción de información visual sobre letras o palabras individuales; en velocidades rápidas el cerebro no puede mantenerse trabajando óptimamente y en velocidades lentas habrá tendencias a una pérdida mayor de los primeros ítemes a través del olvido. Estos estudios y los primeros cálculos de Quastler tienden a apoyar el punto de vista de que la "velocidad de lectura normal" de entre 200 y 300 palabras por minuto (Tinker, 1965; S. Taylor, 1971) es la óptima; la lectura lenta es algo más que ineficiente, es en realidad casi perturbadora para la comprensión.

Existe otro conjunto de evidencia histórico que conduce a la misma conclusión de que la percepción es un proceso de juicio que toma tiempo, cuya cantidad de tiempo necesario depende del número de alternativas entre las cuales el cerebro tiene que escoger. Éstos son los estudios de *tiempos de reacción*, o de *latencia* entre la presentación de la información visual a un sujeto y la respuesta de identificación. La latencia siempre se incrementa con el número de alternativas dentro de una categoría. Por ejemplo, los sujetos tardan un promedio de 410 mseg para nombrar una letra del alfabeto (cualquiera de 26 alternativas) pero sólo 180 mseg para decir si una luz fue encendia (una simple opción sí-no). Es interesante cómo las palabras cortas podían ser identificadas más aprisa (388 mseg) que las letras individuales —y nadie ha explicado nunca de manera satisfactoria porqué esto ocurre así. He tomado estas cifras de una sección amplia e interesante sobre la visión y los movimientos oculares del compendio *Psicología Experimental* de Woodworth y Schlosberg (1954); algunos detalles aún más básicos acerca de los primeros estudios sobre la lectura están incluídos en la edición original de Woodworth (1938).

Movimientos oculares en la lectura

Ciertos estudios clásicos sobre la naturaleza de los movimientos oculares y la velocidad de los cambios de fijación en la lectura son reportados en Tinker (1951, 1958). S. Taylor, Frackenpohl y Pettee (1960) reportan la estabilización de las velocidades de fijación durante el cuarto grado escolar. Llewellyn Thomas (1962) analiza los movimientos oculares de los lectores veloces, quienes muestran la información visual sobre una área más amplia que aquéllos tienen que examinar para superar las limitaciones de mover sus fijaciones a lo largo de las líneas impresas y moverlas hacia arriba y hacia abajo del centro de las páginas (sin incrementar, sin embargo, la velocidad de sus fijaciones). Estudios más recientes sobre los movimientos oculares en la lectura, que involucran un equipo y una teoría sofisticados, son proporcionados por Hochberg (1970), Rayner (1975), y Spragins, Lefton y Fisher (1976). Hochberg ha tenido influencia entre un grupo de psicólogos experimentales al desarrollar el punto de vista de que la lectura es un proceso altamente selectivo en la medida en que el cerebro determina de antemano el mejor lugar para que cada fijación caiga. De manera más general, y muy técnicamente, Treisman (1969) ha señalado que la percepción es más eficiente cuando el observador controla lo que los ojos buscarán. Garner (1966) también ha resumido cierta cantidad de experimentos que demuestran la naturaleza selectiva de la percepción.

Podría preguntarse porque la velocidad de fijación más general y eficiente en la lectura parece ser de casi cuatro por segundo cuando la información de una sola mirada persiste por un segundo o más y, efectivamente, un segundo se requiere para procesar toda la información que puede ser leída en una fijación individual. No ha habido una buena investigación que responda a esta pregunta, pero mi hipótesis estaría relacionada con el punto de vista de que el cerebro está menos interesado en la comprensión del último bit de información de cada fijación que con la recepción de un influjo llano de información visual seleccionada en la medida en que construye su propia imagen coherente del texto. La prolongación de una fijación en la lectura es similar a una mirada fija sin pestañear hacia un cuadro u otra escena, no es una señal de que se esté procesando más información visual, sino más bien de que el observador puede derivar poco sentido de lo que esté observando.

Lectura complementaria

Para una visión más general, Gregory (1966) constituye una introducción breve, amena y bien informada, mientras que para mayores detalles técnicos se puede consultar un excelente artículo de Hochberg que está incluido en una útil colección de Haber (1968). Existen algunos buenos textos de psicología con una base del procesamiento de información en sus análisis de la percepción visual, especialmente Neisser (1967), Lindsay y Norman (1972), Calfee (1975), y Massaro (1975).

Notas del capítulo 4, Obstrucciones de la memoria, págs. 55-66.

Teorías de la memoria

Uno de los intentos más originales y coherentes para distinguir las características de corto y largo término de la memoria fue realizado por Norman (1969), recientemente revisado y ampliado dentro de un análisis comprensivo de los procesos y los contenidos de la memoria (Norman, 1976). La perspectiva subyacente también penetra en el texto introductorio de psicología de Lindsay y Norman (1972). Un artículo básico más técnico es el de Baddeley y Patterson (1971) y hay revisiones útiles de Shiffrin (1975) y Schneider y Shiffrin (1977), quienes enfatizan particularmente la relación entre la memoria a corto término y la atención. Hay, por supuesto, puntos de vista alternativos. Craik y Lockhart (1972) han propuesto un influyente modelo de *niveles de procesamiento*, señalando que las diferentes "etapas" de corto y de largo término de la memoria son, de hecho, reflejos de diferentes "niveles" o "profundidades" en las cuales el procesamiento se efectúa. El procesamiento adicional, desde este punto de vista, requería de la identificación de palabras más que de letras, o de significados más que de palabras, utilizando a menudo los reportes de evidencia para explicar las teorías de las etapas. Por otra parte, no es claro que la identificación de palabras sea un nivel profundo de percepción o de memoria, o que involucre un mayor procesamiento más que la identificación de letras; los efectos de la memoria de corto y de largo término se pueden hallar tanto en las letras como en las palabras. El argumento no es realmente acerca de la evidencia, sino acerca de la manera en que es interpretada con mayor utilidad. El mismo comentario se aplica a una interesante proposición de Tulving (Tulving y Thomson, 1973; Tulving y Watkins, 1975) de que existen dos tipos diferentes de memoria, pero no los tipos propuestos por los teóricos de las etapas o profundidades. En lugar de ello, Tulving distingue una memoria *episódica*, la cual está interesada en el orden o secuencia de los eventos, y una memoria *semántica* (similar a lo que me he estado refiriendo como memoria a largo término) en donde los "hechos" son almacenados independientemente del orden en el que fueron adquiridos. La mayoría de la gente, por ejemplo, puede responder inmediatamente a preguntas de si John F. Kennedy y Charles de Gaulle están muertos, pero no proporcionan una respuesta inmediata a la pregunta de quién murió primero. Tulving sostiene algo que pocos psicólogos cognoscitivos actuales afirmarían, que la cualidad de una memoria particular depende de los procesos involucrados en el aprendizaje original. Para una revisión reciente de la investigación sobre la memoria episódica y la memoria semántica, véase Friendly (1977).

La noción de que la memoria es constructiva, o reconstructiva, más que un simple recuerdo de la información original también tiene una larga historia en la psicología, cuyo clásico es Bartlett (1932). Argumentos más recientes de que las perspectivas presentes influyen el recuerdo de eventos pasados son ofrecidos por Cofer (1973) y Mandler y Johnson (1977).

Encadenamiento

Las dos obstrucciones o cuellos de botella evidentes de la memoria, la capacidad limitada de la memoria a corto término y la entrada lenta en la memoria a lar**go término pueden ser evitados por la estretegia** conocida como encadenamiento, o la organización de la información en la unidad más compacta (más significativa). Por ejemplo, es más fácil retener y recordar la secuencia de dígitos 1491625364964 como los primeros ocho números cuadrados, o las letras EFMAMJJASOND como las iniciales de los meses del año, que tratar de recordar cualquier secuencia de una docena o más elementos no relacionados. Pero es un error pensar que normalmente percibimos primero y después encadenamos; no leemos más las letras *c, a, b, a, l, l* y *o*, las cuales son encadenadas después en la palabra *caballo*, que cuando percibimos una nariz, orejas, ojos y boca particulares, que luego las encadenamos para dar lugar a la cara de un amigo. Más bien el tamaño o la calidad de un encadenamiento está determinado por lo que estamos buscando en primera instancia (nuevamente el problema de "los niveles de procesamiento"). La palabra "encadenar" se ha convertido en un modismo en la educación; algunos maestros preguntan, "¿cómo podemos enseñar a los niños a encadenar?" o incluso, "¿qué hago con un niño que no puede encadenar?" Pero por el encadenamiento no es algo que usted aprenda a hacer, sino más bien una simple consecuencia de lo que ya conoce; si usted puede reconocer *caballo* como una palabra, no hay problema de encadenamiento en primera instancia. El encadenamiento también tiene su propio artículo clásico en la literatura psicológica, escrito con el olfato sugerido por su título, "El mágico número siete, más o menos dos" (Miller, 1956). Otro artículo informativo y leíble sobre el mismo tema es el de Simon (1974).

Un medio de encadenamiento importante y común es emplear la imaginación para recordar; existe una literatura sustancial que demuestra el hecho no sorprendente de que nuestro recuerdo de oraciones particularmente gráficas que hemos escuchado o leído está probablemente más relacionado con escenas que imaginamos a partir de las descripciones proporcionadas por las palabras que con las palabras mismas (Bransford y Franks, 1971; Bransford, Barclay y Franks, 1972; Barclay, 1973; Sachs, 1974). Estos artículos serán relevantes para los argumentos posteriores de que el significado reside más allá de las palabras en cualquier caso; siempre que es posible para cualquier persona, incluyendo a los niños, hay una tendencia a recordar el significado de las palabras más que las palabras en sí. Pero mientras recordamos algunas secuencias de palabras en términos de las imágenes que evocan, a menudo también recordamos escenas o imágenes en términos de sus descripciones.

Recordamos pájaros volando sobre un pueblo pero no si eran gaviotas o palomas, ni cuántos había. No hay nada notable en cualquier aspecto de esto: naturalmente tratamos de recordar de la manera más eficiente posible. Si una escena es más fácil de recordar, o recordada más eficientemente, en términos de una descripción es debido, quizá a que estamos interesados en cosas particulares más que en la escena como un todo, entonces la memorización ocurrirá concordantemente. Nuestro recuerdo no sólo es influido por la manera en que aprendimos o percibimos en primera instancia, sino que la manera de memorización tenderá a reflejar el modo más probable en que quisiéramos recordar o usar la información en el futuro. Para análisis importantes del papel de la imaginación en la memoria, véase Paivio (1971) y Brooks (1968), y para un análisis técnico de la relación de las palabras con las imágenes véase Reid (1974).

La memoria de los niños

No existen evidencias de que los niños tengan memorias más deficientes o menos bien desarrolladas que las de los adultos. Simon (1974) afirma que los niños tienen la misma capacidad de memoria que los adultos, pero no encadenan de manera tan eficiente; sin embargo, probablemente existe un prejuicio adulto detrás de la noción de encadenamiento "eficientemente" en primera instancia. Tendemos a encadenar, o a percibir y recordar en unidades ricas y significativas —aquéllo que es más rico y significativo para nosotros. El recuerdo de cadenas de letras y números sin relación, lo cual es la prueba mediante la cual los niños son habitualmente juzgados como poseedores de memorias inferiores a las de los adultos, no es la más significativa de las tareas, especialmente para los niños. El número de dígitos que un niño puede repetir después de oírlos una vez se incrementa de un promedio de dos a la edad de 2.5 años, a seis a la edad de diez (y a ocho para los estudiantes de secundaria). Pero más que suponer que la capacidad de la memoria de los niños crece con su altura y su peso, se puede afirmar que los niños pequeños han tenido poca experiencia, y ven poco sentido, en repetir secuencias de números, especialmente antes de que se hayan acostumbrado a utilizar el teléfono. El volumen de la memoria de los adultos se puede incrementar mágicamente enseñándoles algunos trucos o estrategias, por ejemplo, recordar secuencias de números no como dígitos individuales (dos, nueve, cuatro, tres, siete, ocho...) sino como pares de dígitos (veintinueve, cuarenta y tres, setenta y ocho...). Los adultos están tan familiarizados con los números de dos cifras a través de su uso de los pesos y los centavos que separar dígitos, como 2 y 9, puede encadenarse en una unidad individual 29. La práctica mejora la ejecución en cualquier tarea de memoria, pero no parece mejorar la memoria más allá de la destreza particular dentro de áreas o actividades no relacionadas. El mejor auxilio para la memoria de cualquier persona de cualquier edad es una comprensión general de la estructura y propósito que están detrás de la memorización requerida. Los jugadores hábiles de ajedrez pueden recordar la posición de todas o la mayor parte de las piezas en un tablero después de sólo un par de miradas, mientras que los principiantes pueden recordar las posiciones de sólo unas pocas piezas, pero únicamente si las piezas están ordenadas como parte de un juego real. Si las piezas están organizadas al azar, entonces el jugador hábil no puede recordar más que el principiante, porque en tal situación la experiencia de cientos de juegos y posiciones del jugador no tiene relevancia ni utilidad.

Baer y Wright (1975) afirman que la memoria de los niños no es inferior a la de los adultos, sino que ellos *codifican* (u organizan la memoria) de manera diferente. Huttenlocher y Burke (1976) hablan de la dificultad adicional (menos experiencia) de los niños en la identificación de ítemes, y especialmente información acerca del orden en las tareas de la memoria en primera instancia. Paris y Carter (1973) reportan que los niños emplean la imaginación en el recuerdo de oraciones tal como lo hacen los adultos (véase también G. Olson, 1973).

Lectura complementaria

Klatzky (1975) proporciona una introducción relativamente no técnica al área altamente técnica de la memoria, y Norman (1972) se recomienda ampliamente aunque más bien para estudiantes avanzados. Existe un buen resumen en Calfee (1974), que se ocupa del análisis de la lectura desde un punto de vista un poco diferente de la aproximación asumida en este libro. Acerca de la estructura o contenidos de la memoria, lo cual se acerca más al tema de interés del siguiente capítulo —existen útiles revisiones así como algunos puntos de vista particulares en Tulving y Donaldson (1972), Anderson y Bower (1973), y Crowder (1976). En contraste, existe un artículo muy fácil de comprender de Jenkins (1974) que se refiere a su conversión de un punto de vista *asociacionista* tradicional de la memoria a una aproximación cognoscitiva con más significado, intitulado "¿recuerda todo aquello de la vieja teoría de la memoria? Bien, ¡olvídelo!"

Notas del capítulo 5, Conocimiento y comprensión, págs. 67-80.

Teorías de la comprensión

La comprensión no es un tema que haya atraído demasiada atención entre los psicólogos hasta hace poco tiempo, con la notable excepción de Piaget. La noción de que el cerebro de toda persona contiene una estructura de conocimiento acerca del mundo, dentro de la cual toda la información de entrada es asimilada, constituye un aspecto central de la teoría de Piaget. Los escritos de Piaget son voluminosos y no siempre comprensibles; uno podría comenzar con un libro *La construcción de la realidad en el niño* (Piaget, 1954), o con uno de sus trabajos en colaboración, tales como Piaget e Inhelder (1969). De manera alternativa, existen algunas introducciones generales de utilidad al pensamiento de Piaget, por ejemplo, Flavell (1963), Firth (1969), y Ginsburg y Opper (1969).

Paradójicamente, la computadora ha proporcionado un gran ímpetu a muchos psicólogos interesados en la comprensión, no necesariamente porque el cerebro sea conceptualizado como un tipo de computadora (aunque tal noción parece subyacer a algunas teorías), sino porque la computadora ha proporcionado una herramienta útil para simular las estructuras del conocimiento y los procesos de la memoria. Algunos experimentalistas creen que las teorías acerca de los procesos mentales "carecen de rigor", a menos que puedan ser reproducidas en una computadora para comprobar que por lo menos son "factibles", mientras que otros encuentran que tal requerimiento es restrictivo si no es que disparatado. No puede haber duda de que algunos modelos muy ingeniosos aunque limitados de los procesos cognoscitivos han sido explorados a través de simulaciones en la computadora; por ejemplo, véase Norman y Rumelhart (1975), Meyer y Schvaneveldt (1976), Kintsch (1974), y E. Smith, Shoben y Rips (1974), así como a algunos teóricos de la memoria enlistados en las notas del capítulo anterior. Como ya he señalado, hay un alto grado de superposición entre los estudios recientes sobre la memoria y los de la estructura del conocimiento humano. Todos están de acuerdo en que la base de la comprensión, ya sea del lenguaje o del mundo en general, debe ser alguna organización interna de conocimiento (o creencias) acerca del mundo. Uno de los primeros libros clásicos sobre la interacción entre el mundo y el cerebro, que presagia los análogos de computadora pero que permanece en disposición no técnica, es el de Miller, Galanter y Pribram (1960). Para un artículo breve pero originador de pensamientos acerca de los fundamentos del conocimiento de la comprensión, véase Attneave (1974).

Karl Popper es un filósofo que sostiene un proceso activo de la comprensión y el aprendizaje similar a los análisis del presente volumen; él sugiere que el conocimiento que cada uno de nosotros (y de nuestras culturas) ha acumulado es un registro de los problemas que tenemos que resolver. Popper tiende a ser repetitivo y de estilo difícil en sus escritos técnicos (por ejemplo, Popper, 1973), pero sus puntos de vista están expresados más concisamente en una atractiva autobiografía (Popper, 1976) y aún más claramente en una biografía (Magee, 1973).

La predicción, como la he analizado en este capítulo, no es un tema que haya sido ampliamente explorado, aunque existe una extensa literatura psicológica sobre las consecuencias de la expectativa, por ejemplo en el reconocimiento de palabras (Broadbent, 1967) y en el reconocimiento de patrones (Garner, 1970). Bruner (1957) escribió un artículo de influencia sobre la "aptitud perceptual", y Neisser (1977) ha publicado más recientemente un libro que explora la noción de que la percepción se base en la información anticipada del ambiente.

El trabajo estándar sobre el hecho de que no tenemos acceso directo al conocimiento almacenado en nuestras cabezas es el de Polany (1966), y existe un artículo relevante, más reciente, de Nisbett y Wilson (1977).

Lectura complementaria

Las ideas básicas en éste y en los siguientes dos capítulos son presentadas con mayor amplitud en F. Smith (1975 a). Miller y Bruner son quizá los dos psicólogos que más han escrito sobre una amplia variedad de temas relevantes para la comprensión y el aprendizaje desde un punto de vista cognoscitivo, del procesamiento de información (y en realidad han estimulado mi propio pensamiento). Para ejemplos de sus investigaciones sobre la organización y los procesos del conocimiento humano véase Bruner (1973) y Miller y Johnson-Laird (1975).

Notas del capítulo 6, Lenguaje — hablado y escrito, págs. 81-95.

Teorías lingüísticas

La influyente teoría de la *gramática generativa transformacional* de Noam Chomsky es, de hecho, una teoría del modo de las funciones del lenguaje en la mente humana, un intento de describir el tipo de conocimiento que subyace a las destrezas del lenguaje. La teoría ha tenido cierta cantidad de modificaciones, por Chomsky y otros, desde su primera publicación (N. Chomsky 1957), y continuamente ha provocado tanto objeciones como entusiasmo. Posteriormente analizaré una aproximación teórica alternativa, llamada *semántica generativa*, la cual ofrece, a mi criterio, mejores directrices hacia un entendimiento de la comprensión. Pero primero examinaré la gramática de Chomsky, debido en parte a su significatividad histórica y teórica, y en parte porque todavía es la base de lo que se considera como "gramática nueva" en muchas escuelas. En ocasiones, partes de esta gramática son enseñadas a los niños en la creencia evidente de que su desarrollo del lenguaje se facilitará si ellos se convierten en lingüistas precoces. Pero el mismo Chomsky nunca ha afirmado que los niños deben ser instruidos en lo que es, después de todo, un intento parcial de describir lo que todos los usuarios del lenguaje, desde los niños en edad escolar hasta Chomsky mismo, saben implícitamente, a saber, los mecanismos del lenguaje que hablan.

La noción básica de Chomsky es que la gramática es el puente entre la estructura superficial y la estructura profunda. Estos últimos términos son empleados de diversas maneras por diferentes teóricos. En este libro los estoy utilizando en su sentido más limitado —considerando a la estructura superficial como los sonidos observables del habla o las marcas de tinta en lo impreso, y la estructura profunda como el significado, más allá del reino del lenguaje mismo. Chomsky mantiene a la estructura profunda como parte del lenguaje, seguramente alojada dentro de su sistema gramatical, la entrada a un sistema semántico subyacente (significado) que "interpreta" las abstracciones de la estructura profunda. De manera similar, la estructura superficial es para Chomsky otra abstracción intangible en el polo opuesto de su sistema gramatical, la entrada a un sistema fonológico (sonido), que "interpreta" las estructuras superficiales en el habla real. Otros lingüistas, como los semánticos generativos que analizaré, proponen que debe haber varias capas o niveles de profundidad en el lenguaje, con formas abstractas de oraciones sufriendo cierta cantidad de cambios hipotéticos cuando surgen de los abismos del significado a la superficie del sonido realizado.

El punto de vista de Chomsky, entonces, es que el eslabón entre las estructuras profunda y superficial, y en última instancia entre el significado y el sonido (o lo impreso), es la *gramática*, la cual consta de dos componentes: (1) un *léxico*, o "diccionario" de *entradas léxicas* (en general, las palabras del habla); y (2) una *sintáxis*, o conjunto de *reglas*, para la selección y ordenamiento de las entradas lexicográficas. Estas reglas sintácticas no deben ser confundidas con las "reglas gramaticales" tradicionales, las cuales son los preceptos en el salón de clases para el uso "correcto" del lenguaje; constituyen un sistema de lenguaje dinámico que Chomsky ve en la cabeza de toda persona, produciendo y comprendiendo oraciones. El léxico y la sintáxis que poseen distintas personas dependen del lenguaje que emplean. En este sentido, existe la misma gramática en la mente de una persona que siempre produce oraciones con doble negación como la hay en otra persona que nunca diría "yo no tengo ningún...".

La gramática de Chomsky es un dispositivo que *genera* oraciones. Con sólo unas pocas reglas y una cantidad pequeña de palabras se puede producir un número infinito de enunciados, todos "gramaticales" (según las reglas de construcción sintáctica), y todos potencialmente nuevos para el usuario del lenguaje. Por lo tanto, la teoría ofrece una descripción de cómo podrían las personas ser capaces de producir y comprender oraciones que nunca han escuchado anteriormente. Daré una ilustración muy simple para demostrar la productividad y creatividad potenciales de la gramática generativa inclusive más pequeña. Esta gramática consistirá de sólo tres reglas sintácticas y un léxico de ocho palabras. El componente sintáctico siempre está en la forma de "reglas de reescritura", indicadas por la flecha sencilla $\longrightarrow$ la cual significa que un símbolo en el lado izquierdo de la flecha debe ser reemplazado o "reescrito" por los símbolos de la derecha. Estas son tres reglas de reescritura:

1. $O \longrightarrow FN + FV$
2. $FV \longrightarrow V + FN$
3. $FN \longrightarrow D + N$

La variedad real de las letras como símbolos es puramente por conveniencia; podrían ser llamadas X, Y y Z pero, en lugar de ello, O es utilizada para "oración" FN para "frase nominativa", FV para "frase verbal", N para "nombre", V para "verbo" y D para "determinador".

Las ocho entradas lexicográficas podrían ser escogidas de la siguiente manera:

$N \longrightarrow$ *perro, gato, hombre*
$V \longrightarrow$ *persigue, espanta, ignora*
$D \longrightarrow$ *el, un*

Para producir una oración gramatical, simplemente ponemos la gramática a trabajar, comenzando con la O (porque queremos una oración) y siguiendo las instrucciones de las reglas de reescritura. La regla 1 dice que eliminemos O y la reemplazemos por $FN + FV$; la regla 2 cambia a FV por $V + FN$, proporcionándonos $FN + V + FN$, y la regla 3 (aplicada dos veces) reescribe cada FN como $D + N$, proporcionándonos una "cadena terminal" de los símbolos $D + N + V + D + N$. Entonces entramos al léxico, en donde podemos ejercitar la elección. Para el primer D quizá podríamos seleccionar *el*, y para el primer N *perro*. V puede ser reescrito como *persigue*, el segundo D como *un* y el segundo N como *gato*, proporcionándonos la oración *el perro persigue un gato*; eminentemente gramatical, como estará usted de acuerdo. Con diferentes selecciones léxicas habríamos producido *un hombre espanta (a) el gato* o *el gato ignora (a) el perro* o, en realidad, un total de no menos de 108 oraciones ($2 \times 3 \times 3 \times 2 \times 3$ alternativas), todas ellas gramaticales. Añada unas cuantas reglas más (Chomsky estimó casi un ciento) para las estructuras de las oraciones alternativas, y un léxico mayor, y usted tendría —teóricamente— una gramática con el poder productivo de la mente humana.

Algunas de las reglas adicionales serían *transformacionales* más que *generativas*, lo cual es la razón por lo que a veces la gramática de Chomsky es llamada con una u otra de las denominaciones sola, y en ocasiones con las dos juntas. Una regla transformacional opera en las secuencias completas de símbolos de la izquierda de la flecha, en lugar de operar de una en una como lo hace una regla generativa. La flecha transformacional posee un eje doble $\Rightarrow$. Por consiguiente, una regla transformacional tomaría una secuencia como la $D_1 + N_1 + V + D_2 + N_2$ que acabamos de producir (los números inferiores son necesarios para seguir la pista de las diferentes D's y N's) y reorganizarla como sigue:

$$D_1 + N_1 + V + D_2 + N_2 \Rightarrow D_2 + N_2 + es + V + por + D_1 + N_1.$$

Por lo tanto, *el perro persigue (a) un gato* sería "transformada" (con una modificación adicional leve del verbo que he ignorado en aras de la simplicidad) en *un gato es perseguido por el perro* —una oración pasiva perfectamente gramatical. Similarmente, *un hombre espanta (a) el gato* sería transformada con la misma regla a *el gato es perseguido por un hombre*. De hecho, cada oración activa que nuestra gramática generativa original produjo, podría ser transformada en una pasiva mediante esta simple regla transformacional, duplicando de un solo golpe el número de oraciones que la gramática podría producir. Una segunda regla transformacional, digamos para las oraciones negativas, cuadruplicaría el número total de oraciones posibles (positivas activas, negativas activas, positivas pasivas, negativas pasivas) mientras que una tercera regla transformacional, digamos para las interrogativas, proporcionaría ocho veces el poder, permitiendo oraciones tan complejas como *¿No es un gato perseguido por el perro?* Tres reglas generativas, ocho centradas lexicográficas y tres reglas transformacionales, produciendo un total de $108 \times 8 = 864$ oraciones posibles. Otras reglas transformacionales permiten combinaciones de las oraciones (*el perro persigue (a) un gato, el gato está cojeando* $\Rightarrow$ *el perro persigue (a) un gato cojo*) haciendo al potencial de salida de la gramática prácticamente infinito, debido a que no hay límite teórico para la longitud de las oraciones.

Todo esto está simplificado en extremo. Para experimentar la complejidad del Chomsky inalterado usted debe examinar su obra directamente (por ejemplo, N. Chomsky 1957, 1965, 1972, 1975), y también N. Chomsky y Halle (1968) en el cual hace algunos comentarios sobre la ortografía relevante para la lectura. Una breve y clara explicación de las posiciones teóricas de Chomsky, y sus cambios radicales, en 1957 y 1965, junto con un análisis de la investigación psicolingüística relacionada, puede ser encontrada en un excelente trabajo de Greene (1972). Una descripción más técnica de la gramática transformacional está en Jacobs y Rosenbaum (1968).

Una frecuente crítica en contra de la teoría de Chomsky tiene que ver con su tratamiento del significado. De hecho, Chomsky ignora al significado, al menos en lo que se refiere a su gramática. Él afirma que la gramática trabaja sin hacer referencia al significado. Pero existen, de hecho, muchas oraciones cuya gramática no puede ser decidida si el significado es desconocido. Una oración como *el niño abre la puerta* no puede involucrar las mismas reglas generativas que *la llave abre la puerta*, dado que usted no podría decir *el niño y la llave abren la puerta* (y *la puerta abre* es nuevamente otro caso). Pero usted sólo puede explicar la diferencia entre lo que el niño hace para abrir la puerta y lo que la llave realiza haciendo referencia al significado, no a la gramática. De manera similar, la oración *Sara fue empapada por la fuente* es pasiva (una transformación de *la fuente empapó a Sara*) pero *Sara fue sentada por la fuente* no es pasiva (no es una transformación de *la fuente sentó a Sara*), aunque las mismas señales sintácticas parecerían estar presentes. En estas y en muchos otros tipos de oraciones muy familiares, el significado debe ser comprendido antes de que la gramática pueda ser determinada; la gramática no es el puente hacia el significado.

Además, la gramática de Chomsky podría ser considerada como muy productiva. Cualesquiera reglas que generaran una oración como *el auto fugitivo espanta al inválido enojón* también generará algo absurdo como *el inválido fugitivo espanta al auto enojón*. Pero la teoría de Chomsky no está interesada en el sentido. No explica cómo terminamos habitualmente una oración que más o menos expresa el significado que queremos comunicar, ni cómo es extraído el significado de las palabras que no son rotuladas como "nombre" o "verbo" de antemano. No es fácil notar cómo trabaja el sistema al revés para la comprensión. Mientras que la gramática de Chomsky puede *describir* la aptitud gramatical de los usuarios del lenguaje, no explica convincentemente cómo son producidas y comprendidas las oraciones particulares en ocasiones específicas, ni lo afirma efectivamente.

Las teorías semánticas generativas, en contraste, se interesan exclusivamente en la manera en que el lenguaje se desarrolla fuera del significado. Estas teorías consideran que la sintáxis se subordinará al significado o se hará cargo del significado en conjunto. Las oraciones no son vistas como ordenamientos de estructuras sintácticas, sino como expresiones o *proposiciones* relacionadas, por supuesto, con las intenciones de cualquier persona que las produzca. Las proposiciones pueden ser analizadas en términos de *relaciones de caso* entre los distintos nombres en una oración, ya sea expresada o comprendida, y el verbo. Por ejemplo, la estructura profunda (significado) de una oración particular podría centrarse en el verbo *abrir* el cual tiene diferentes relaciones de "caso" con nombres tales como *niño* (el agente de la acción de abrir), *llave* (el instrumento para abrir), *puerta* (el objeto que se abre), etc. Estas y otras relaciones están representadas en el diagrama de la siguiente página:

El diagrama representa el significado, no la estructura superficial. Cada relación (indicada con flechas) es una relación de caso, de las cuales hay quizá una docena en conjunto, dependiendo sus nombres y el número del teórico particular. La estructura superficial real de una expresión resultará de varias transformaciones aplicadas a las estructuras de base (o relaciones de caso). En español, por ejemplo, el agente y el objeto de una proposición son habitualmente indicados por el orden de las palabras, mientras que el caso instrumental puede ser representado por una

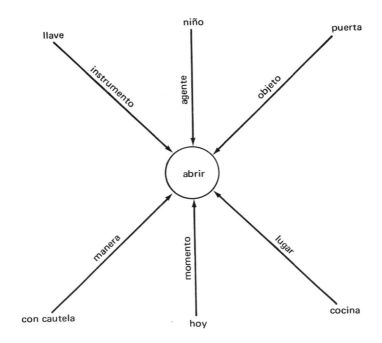

preposición tal como *con* o *por*, el caso locativo por *en*, la manera por *a* (*a escondidas*) o por un adverbio (*cautelosamente*) usted notará que a menudo existen alternativas, la elección dependerá de la información precisa que el productor del lenguaje desea comunicar —y en que algunas formas son ambiguas y pueden representar más de una relación de caso. No es necesario que todas las relaciones de caso subyacentes tengan que ser expresadas realmente. Cuando leemos, *la ventana rota*, habitualmente asumimos que hubo un agente (alguna persona) que rompió la ventana, y también, quizá, un instrumento (una piedra). En la oración en inglés *John was anxious to leave*, John es el sujeto de la estructura profunda, mientras que en *John was asked to leave*, pese a la similitud de la estructura superficial, John es el objeto de la estructura profunda y un sujeto está implicado (alguien que le pidió a John que saliera).

Las teorías semánticas generativas tienen pocos problemas para explicar cómo actuamos normalmente para producir oraciones que parecen (al menos para el que las produce) expresar el significado que se pretende, debido, por supuesto, a que ellas parten del significado. Y no es necesario para tales teorías ir en dirección contraria para lograr la comprensión, a condición de que el escucha o el lector sean capaces de hacer predicciones; el escucha o el lector comenzarán aproximadamente desde la misma base del significado que el productor de una oración, y no es probable que estén conscientes, como el productor, de la ambigüedad potencial.

Un artículo clásico sobre semántica generativa es llamado "el caso del caso" (Fillmore, 1968), y existe una exposición más elaborada en Fillmore y Langendoen (1971). La gramática de casos ha sido ampliada a través de secuencias de oraciones en párrafos por Grimes (1975). Otros análisis más técnicos son proporcionados por Perfetti (1972) y Chafe (1970). Excelentes revisiones de las gramáticas de casos y sus conceptos generalmente son proporcionadas de manera coincidente por Brown

(1973), en su excelente volumen sobre el aprendizaje del lenguaje del niño, y por Anderson y Bower (1973), en un libro acerca de la memoria. Muchos libros introductorios sobre la semática contienen análisis relativamente no técnicos de las teorías generativas (por ejemplo, Palmer, 1976; véase también Carroll y Freedle, 1972). Un análisis más amplio de los temas de estas notas hasta aquí, y su relación con la teoría de la comprensión que he presentado, será econtrado en F. Smith (1975a).

Existen, por supuesto, otros tipos de teoría acerca del lenguaje, en especial la de B. F. Skinner (1957), quien considera la producción y comprensión del lenguaje en términos de conexiones estímulo-respuesta. Una crítica violenta de los puntos de vista de Skinner es una revisión clásica de N. Chomsky (1959), y hay un poco más acerca de Skinner en las notas del capítulo 7.

Algunos términos técnicos

Uno podría pensar que no debería haber demasiada complicación acerca del hecho de que los elementos básicos del lenguaje son los sonidos. La palabra "río", por ejemplo, está formada por tres sonidos distintivos /r/, /í/ y /o/ (es un acuerdo útil el que los sonidos del lenguaje sean impresos entre líneas oblicuas //). Con unas pocas excepciones molestas, cada sonido del lenguaje está representado por una letra particular del alfabeto, de tal manera que el número de sonidos alternativos en español debe ser de casi 27. Desafortunadamente, ninguna de las afirmaciones anteriores es correcta.

El idioma inglés, por ejemplo, posee más sonidos funcionalmente diferentes que las letras de su alfabeto, casi 40. Estos sonidos tienen el nombre especial de *fonemas*. Como veremos posteriormente, varias letras pueden representar un fonema sencillo y varios fonemas pueden ser representados con una letra individual o combinación de letras. Es necesario ser prudentes al hacer afirmaciones acerca de el número total de fonemas, debido a que depende de quién está hablando y cuándo. Todos los dialectos tienen aproximadamente el mismo número de fonemas, pero no siempre los mismos, de tal manera que las palabras que son individualmente distinguibles en algunos dialectos tales como "guard" y "god", pueden ser indistinguibles en otros, a menos que estén en un contexto significativo. A menudo pensamos que hacemos distinciones entre palabras cuando de hecho no las hacemos —la redundancia en el contexto es comúnmente suficiente para indicar cuál alternativa pretendemos. Muchos hablantes cultos del inglés carecen de fonemas para distinguir entre "Mary", "marry" y "merry", o "cot", "caught" y "court". Diga estas palabras una por una y pregúntele a un oyente si puede deletrear lo que acaba usted de decir. Usted puede encontrar que el oyente no puede observar todas las diferencias que usted piensa que hace. Los fonemas a menudo desaparecen del habla casual o coloquial.

Un fonema no es tanto un sonido sencillo sino una colección de sonidos, los cuales suenan igual. Si esa descripción parece complicada, una definición más formal no parecerá mucho mejor —un fonema es una clase de sonidos íntimamente relacionados que constituyen la unidad más pequeña del habla que distinguirá a un enunciado de otra. Por ejemplo, la /r/ al comienzo de la palabra "río" la distingue de palabras como "tío", "mío", "fío" y "lío". En inglés, la /b/ al comienzo de la palabra "bed" distingue a ésta de palabras como "fed", "led" y "red", la /e/ intermedia distingue a "bed" de "bad", "bide" y "bowed", y la /d/ distingue a la palabra de tales alternativas como "bet" y "beg". De tal modo que cada uno de los tres elementos en "bed" servirá para distinguir la palabra de otras, y cada uno es también la unidad más pequeña que puede hacer esto. Cada uno es una *diferencia significativa*. No importa si la /b/ pronunciada al principio de "bed" es un poco diferente de la /b/ en el comienzo de "bad" o si la /b/ en "bed" es pronunciada de maneras diferentes en distintas ocasiones. Todos los sonidos diferentes que yo podría hacer que fueran aceptables como el sonido al principio de "bed" y "bad", y que sirvieran para distinguirlas de "fed" y "fad", etc., serían calificados como el mismo fonema. Un fonema no es un sonido, sino una variedad de sonidos cualquiera de los cuales es aceptable para los oyentes como representando el mismo contraste. Los sonidos reales que son producidos se llaman *fonías*, y los conjuntos de fonías "íntimamente relacionadas" que sirven como el mismo fonema son llamados *alofonías* unas de las otras (o del fonema particular). Las alofonías son sonidos que el oyente aprende para considerarlas como equivalentes y para escucharlas de la misma manera.

Cuando se utiliza equipo electrónico para analizar los sonidos escuchados del mismo modo, se pueden encontrar diferencias muy marcadas, dependiendo del sonido que los sigue. Por ejemplo, la /d/ en "dim" es básicamente un sonido agudo, mientras que su alofonía al principio de "doom" es de tono mucho más bajo y descendente (Liberman y col., 1957). Una grabación confirmará que las dos palabras no tienen el sonido /d/ en común. Si son grabadas, es imposible cortar la cinta para separar /im/ o /omm/ de la /d/. Cualquiera de las dos permanece con un sonido /di/ o /doo/ distinto, o el sonido /d/ desaparece completamente, dejando dos tipos de silbido muy diferentes entre sí. Otros fonemas se comportan de maneras igualmente ilógicas. Si la primera parte de la palabra grabada "pit" es cortada y embonada en el frente del final /at/ de una palabra tal como "sag" o "fat", la palabra que se escucha no es "pat", como podríamos esperar, sino "cat". La /k/ del comienzo de "keep" forma "top" cuando es unida a la /op/ de "cop" y forma "poop" cuando se combina con la /oop/ de "coop".

Existe una manera simple de demostrar que los sonidos que normalmente escuchamos de la misma manera pueden ser muy diferentes. Diga la palabra "pin" cerca de la palma de su mano y sentirá un distinto resoplido en la /p/; sin embargo, el resoplido está ausente cuando usted dice la palabra "spin". En otras palabras, la /p/ en "pin" no es la misma que la /p/ en "spin" —y las dos son diferentes de la /p/ en "limp". Si usted no pone atención cuidadosa en la manera en que dice las palabras, probablemente no detectará la diferencia. Normalmente la diferencia se ignora, debido a que no es significativa. Otros pares de palabras inglesas proporcionan una demostración similar, por ejemplo, "kin" y "skin", o "team" y "steam". Usted también puede ser capaz de detectar una diferencia entre /k/ en "cool" y /k/ en "keen", una diferencia que es alofónica en inglés y fonética en árabe, o en la /l/ al principio y final de "level". Los japoneses a menudo tienen dificultades, para distinguir entre palabras inglesas tales como "link" y "rink" debido a que no existe un contraste absoluto entre la /l/ y la /r/ en su idioma (la misma confusión presentan con palabras en español que empiezan con ésas letras). En resumen, un fonema no es algo que esté presente en el nivel superficial del lenguaje hablado —es algo que el oyente construye. No escuchamos sonidos diferentes cuando oímos el habla, sino que en lugar de ello escuchamos diferencias significativas, fonemas en lugar de fonías. Las distinciones anteriores pueden ser ilustradas adicionalmente haciendo referencia a la escritura, en donde una situación comparable se mantiene. Así como la palabra "sonido" es ambigua en el habla, dado que puede referirse a una fonía o a un fonema, de la misma manera la palabra "letra" es ambigua en la escritura. Llamamos "a" a una letra del alfabeto, como distinta de "b", "c", "d", etc., pero también hablamos acerca de *a*, A, **a** , etc., como letras per se, aunque todas ellas representan de alguna manera la misma "letra". En el primer caso, la letra del alfabeto "a" constituye realmente un nombre categórico de una variedad de símbolos escritos tales como *a*, A, **a** . Los 27 nombres categóricos de las letras en el alfabeto español pueden ser llamado *grafemas*, los símbolos escritos (que son innumerables en sus distintas formas) pueden ser llamados *grafías*, y las grafías que constituyen alternativas de un grafema sencillo son conocidas como *alografías*.

El mismo marco de referencia de definición puede ser utilizado ahora para los elementos básicos del habla y la escritura. Un *fonema* (*grafema*) es una clase de *fonías* (*grafías*) íntimamente relacionadas que constituyen las diferencias significativas más pequeñas en el habla (escritura) que distinguirán a una unidad significativa de otra. El conjunto de *fonías* (*grafías*) funcionalmente equivalentes constituye un *fonema* (*grafema*) individual que es denominado como *alofonías* (*alografías*). Las alografías no parecen tener mucho en común con las alofonías; de hecho, algunas alografías, tales como *a* y *A*, *g* o *G*, parecerían no tener absolutamente nada en común. Pero tienen una *equivalencia funcional* evidente en que sus diferencias no son significativas para la lectura, como tampoco las diferencias entre alofonías son significativas para comprender el habla.

Los lingüistas hacen otras distinciones a lo largo de las mismas líneas de argumentación. Un *morfema* es la parte significativa más pequeña de una palabra. Una palabra puede consistir en uno o más morfemas, algunos "libres" como *granja* o *gusto* porque pueden ocurrir independientemente, y algunos "ligados", como *ero* (que significa alguien que hace algo) y *s* (que significa plural) o *in* (que significa negación), los cuales tienen que ser unidos a un morfema libre. Por lo tanto, *granjeros* está constituida por tres morfemas, uno libre y dos ligados, y por lo tanto es *improbable*. Diferentes *morfías* pueden representar el mismo morfema, por consiguiente, para la pluralidad podemos tener no sólo *s*, sino *es* y varias formas extrañas como el cambio final en *currículum-currícula* o *memorandum-memoranda*, o incluso nada en absoluto como en el singular y el plurar de *hipótesis*. Las morfías que constituyen el mismo morfema son llamadas *alomorfos*. El significado mismo puede ser considerado en forma de elementos algunas veces llamados *sememas*. "Soltero", por ejemplo, comprende sememas relacionados con la masculinidad, la edad, el matrimonio y la negación. Las palabras en un diccionario —denominadas anteriormente como "entradas lexicográficas" —pueden ser llamadas, de manera similar, *lexemas*.

Más acerca de las palabras

Cierta cantidad de mis observaciones acerca de la ambigüedad de las palabras inglesas se deriva del trabajo del lingüista Fries (1945), quien calculó que cada una de las 500 palabras más comunes del inglés tiene un promedio de 28 significados distintos en el diccionario. Los análisis más detallados acerca de la relación entre las frecuencias de las palabras y sus diferentes significados están en Zipf (1960), y hay resúmenes interesantes y más legibles en Miller (1952). Miller señala que las 50 palabras más comunes del inglés constituyen el grueso del trabajo comunicativo del ciudadano hablante de ese idioma, constituyendo el 60% del habla y el 40% de escritura. Sólo siete palabras constituyen el 20% del idioma inglés —*the, of, and, a, to, in* e *is*. Las diez palabras francesas más comunes —*à, de, dans, sur, et, ou, que, ne, pas* e *y* — constituyen el 25% de ese idioma.

El fenómeno del lapso ojo-voz demuestra que cuando leemos en voz alta no decimos las palabras que estamos mirando; el ojo vaga entre intervalos significativos de las palabras y el cerebro se encarga de las unidades que tienen sentido. Hay una ráfaga de estudios sobre el lapso ojo-voz cada década o más; una revisión reciente está incluída en Gibson y Levin (1975), y una más antigua en Geyer (1968).

Lectura complementaria

Para examinar análisis interesantes de por qué seleccionamos las palabras particulares que escogemos, véase R. Brown (1958, reimpreso en R. Brown, 1973) y D. Olson

(1970). Muchos de los temas de este capítulo están elaborados, desde distintos puntos de vista, en libros de texto introductorios sobre psicolingüística, tales como los de Glucksberg y Danks (1975) e I. Taylor (1976). Miller (1965) resume de manera amena cierta cantidad de puntos importantes. Excelentes volúmenes que representan puntos de vista personales más que revisiones del campo son los de R. Brown (1970, 1973) y Slobin (1971). Más técnicos pero de un interés general mayor son los libros de Bever, Fodor y Garrett (1974). Para analizar la psicolingüística en general, véase también Watt (1970) y G. Olson y Clark (en prensa).

Notas del capítulo 7, Aprendizaje acerca del mundo y del lenguaje, págs. 96-109.

Una perspectiva alternativa

Básicamente hay dos teorías psicológicas alternativas acerca del aprendizaje, los extremos de las cuales son diametralmente opuestos. El punto de vista *conductista* es el de que todo el aprendizaje es *formación de hábitos*, y que los únicos datos de importancia son las circunstancias observables en las que los hábitos son establecidos. El punto de vista *cognoscitivo* plantea que el aprendizaje involucra la *adquisición de conocimiento*, y que lo que es de interés es la manera inobservable en que la información es adquirida y organizada por el cerebro. El presente libro, obviamente, tiene una orientación cognoscitiva.

El más famoso exponente contemporáneo del conductismo es B. F. Skinner, cuyo nombre se ha convertido en una respuesta condicionada a la caja (realmente una jaula) que él inventó y en la cual muchos de los principios de la teoría conductista han sido analizados y desarrollados. En la caja de Skinner se ha estudiado la conducta de ratas, pichones, peces, lombrices y otros organismos vivientes, y también ha sido extrapolada, con considerable facilidad, para describir e incluso explicar la conducta de los seres humanos. Los conductistas afirman que toda la conducta puede ser comprendida —en la terminología skinneriana "predecida y controlada" —en términos de *hábitos* establecidos por el *reforzamiento* de una *respuesta* en presencia de un *estímulo* particular.

Una respuesta, dicho muy simplemente, es una pieza o fragmento de conducta observable; no una idea, ni una predicción, ni una emoción, ni una memoria —todas estas son inobservables y, por consiguiente, "ficciones" desde el punto de vista conductista—, sino un movimiento explícito o un cambio físico. Un estímulo, también de manera simple, es una ocasión para una respuesta. Una luz roja es el estímulo para detener un auto; las palabras, "pásame la sal, por favor" son el estímulo para que la sal sea pasada por una persona a otra; un bebé es un estímulo para la conducta de alimentación y protección, y la palabra impresa *gato* es un estímulo para la palabra hablada "gato". El aprendizaje es el establecimiento, o el condicionamiento, de un vínculo entre un estímulo y una respuesta particulares, el establecimiento de un hábito. La naturaleza real del hábito está determinada por las contingencias E-R (estímulo-respuesta). Si un pichón está condicionado a picotear un disco cuando una luz roja se enciende, entonces el vínculo E-R se formará entre la luz roja y un picotazo en el disco.

El reforzamiento determina si el condicionamiento realmente ocurre. Un vínculo E-R particular será establecido sólo si el organismo que se comporta es reforzado de una manera específica mientras responde en presencia de un estímulo. Técnicamente, el reforzamiento se define operacionalmente: reforzamiento positivo es cualquier cosa que incrementa la probabilidad de que una respuesta volverá a ocurrir en presencia de un estímulo particular; el reforzamiento negativo reduce esa probabilidad. En la vida cotidiana, el reforzamiento positivo está asociado con la recompensa, el reforzamiento negativo con el castigo. (Sin embargo, existen diferencias entre castigo y reforzamiento negativo. El reforzamiento negativo, tal como el retiro de una recompensa, reduce la probabilidad de que un tipo de conducta vuelva a ocurrir en el futuro. La conducta castigada probablemente volverá a ocurrir tan pronto como el castigo se detenga; la eliminación del castigo es reforzamiento positivo.)

Después de tanta definición se impone la necesidad de ejemplos. Ofreceré dos: uno de un animal y el otro de un humano. Imagine a una rata en una caja equipada con aparatos de estimulación, respuesta y reforzamiento —una caja de Skinner, en otras palabras. En esta caja particular hay dos estímulos: una luz roja y una luz verde, y dos respuestas disponibles en forma de palancas que la rata puede presionar, una a la izquierda y la otra a la derecha. El aparato de reforzamiento es un tubito desde el cual se puede proporcionar un *pellet* de alimento. Ignorando por un momento la pregunta de cómo aprende la rata primero a emitir los tipos correctos de respuestas, examinemos la adquisición de un hábito E-R. La rata está en el 85% de su peso corporal normal, de tal manera que no es sorprendente que un pellet de alimento sea reforzamiento positivo. La rata presiona una de las palancas cuando la luz está apagada y no ocurre nada. Una luz roja se enciende, pero presiona la palanca "equivocada", y todavía no ocurre nada. Eventualmente, la rata presiona la palanca "correcta" cuando la luz roja se enciende, y recibe reforzamiento positivo, la recompensa de un pellet de alimento. Pero si presiona la misma palanca cuando la luz verde se enciende no hay, por supuesto, ningún pellet. Muy pronto la rata está presionando una palanca cada vez que la luz roja se enciende, y la otra palanca para la luz verde. Una pieza muy compleja de conducta discriminativa ha sido condicionada. Una conducta similar puede ser condicionada de manera muy diferente, mediante reforzamiento negativo al animal si la respuesta correcta no es emitida —por ejemplo, con un choque eléctrico leve.

El segundo ejemplo manifiesta a un niño en un salón de clases equipado también con aparatos de estimulación, respuesta y reforzamiento, pero no llamado caja de Skinner. El aparato de estimulación se llama un maestro, quien hace preguntas, y el aparato de respuesta es la voz del niño. El niño no está en el 85% de su peso corporal normal, por lo tanto, el niño no será reforzado con pellets de alimento. El aparato de estimulación sostiene una tarjeta en la que está escrita la palabra *gato*, y el niño responde mirando en silencio hacia la ventana. No hay reforzamiento. El niño responde pronunciadno la palabra "perro". No hay reforzamiento. Eventualmente el niño pronuncia la palabra "gato", y es reforzado: el maestro sonríe, o dice "correcto" o "muy bien", o "ahora sal a jugar", o se detiene refiriéndose sarcásticamente al niño como un genio, o hace algo más que sea un reforzador según nuestra definición operacional. Esto incrementa la probabilidad de que el niño diga "gato" cuando se enfrente a la palabra impresa *gato*.

El proceso de establecimiento del tipo exacto de conducta que se desea reforzar es conocido como *moldeamiento*. El término es apropiado; la conducta es literalmente moldeada mediante una serie de *aproximaciones sucesivas*. Considere nuevamente la rata que presiona palancas, desde el momento en que es un animal sin entrenar, "vírgen" es el oportuno término empleado —y es colocado por primera vez dentro de la caja. El experimentador, para demostrarle a la rata cómo ha de ser reforzada, suelta un pellet de alimento por el tubo para que llegue a una batea o comedero, y la rata se lo come y busca más. El siguiente problema es hacer que la rata dirija su atención hacia la palanca. Si el experimentador esperara hasta que la rata empujara realmente la palanca, podría llevarle todo el día. En lugar de ello, el experimentador refuerza a la rata por una aproximación muy leve, a saber, dirigirse al extremo final de la caja en donde están situadas las palancas. Muy rápidamente la rata "aprende"[1] que es reforzada sólo en ese extremo de la jaula, pero luego el experimentador refuerza únicamente si la rata llega a la esquina en donde están las palancas. La rata concentra su atención en esa esquina particular e inevitablemente choca contra una de las palancas, por lo que nuevamente es reforzada. Tan pronto como el experimentador ha conseguido que la rata presione la palanca, comienza el serio problema de reforzar sólo cuando la rata presiona la palanca correcta en el momento adecuado. El proceso total le lleva al entrenador con experiencia menos tiempo para realizarlo que para describirlo. Entrenar a una rata inexperta a presionar palancas ante un sonido particular o una luz constituye una demostración de laboratorio de cinco minutos. Y una vez que el moldeamiento ha sido realizado el resto del entrenamiento y la recolección de datos pueden ser controlados de manera muy automática, organizando circuitos programados de contingencias E - R, de tal manera que a cada movimiento del animal condicionado le sigue inexorablemente una consecuencia predeterminada.

Mediante un proceso asociado llamado *encadenamiento*, es posible construir secuencias muy elaboradas de conducta a partir de elementos pequeños. Como un ejemplo muy trivial, los pichones pueden ser entrenados para jugar tenis de mesa. Tanto en el moldeamiento como en el encadenamiento el principio subyacente es el mismo, puesto de manera explícita en la terminología del experimentador conductista: poner primero una pieza de conducta *bajo control*. Una vez que se establece un sistema mediante el cual un organismo responderá para recibir reforzamiento, el programa de reforzamiento puede ser adaptado para desarrollar el patrón particular de conducta que se requiere. ¿Qué ocurre cuando la rata engorda demasiado debido a ésos constantes pellets de alimento, o cuando a un maestro se le acaban las recompensas para el niño? El hecho notable es que el reforzador real desempeña sólo un papel menor en el proceso de condicionamiento una vez que la conducta ha sido puesta bajo control. De hecho, el condicionamiento de la conducta realmente compleja se realiza en ausencia de reforzamiento. Una vez que el reforzamiento es esperado, el experimentador trabaja sobre ésa expectativa. Lo inesperado es el reforzador más efectivo de todos.

En contraste al punto de vista conductista, los psicólogos cognoscitivos consideran a los aprendices humanos como buscadores discriminativos de información y como creativos en sus tomas de decisión, más que como criaturas de hábito. En el punto de vista cognoscitivo, el reforzamiento afecta a la conducta porque es informativo; proporciona retroalimentación acerca de las consecuencias de la conducta. Las personas escalan montañas para ver lo que hay del otro lado, no por la fuerza del hábito, y leen por placer o para encontrar respuestas a las preguntas. La gente no permite que sus experiencias o su conocimiento sea determinado por la casualidad o por la inercia. Incluso los niños, como ha tratado de demostrar el análisis del aprendizaje del lenguaje, son selectivos y autodirectivos en sus interacciones con el mundo.

No puede haber respuesta a la pregunta de cuál punto de vista es el "correcto", conductista o cognoscitivo, porque la pregunta es inapropiada. Ninguno de los dos puede producir datos que contradigan al otro; no existe ningún experimento crucial que decida entre las dos (Dulany, 1974), ya que básicamente ambos tratan de hacer explicable la misma evidencia aunque de maneras muy diferentes. Más bien la pregunta debería ser la de cuál teoría es la más útil, cuál aclara mejor e ilustra nuestros esfuerzos por comprender varios aspectos de la conducta humana. Ninguna teoría puede afirmar que ofrece una explicación completa. Ya he contrastado los puntos

---

[1] Incluso en la teoría conductista existe una tentación de poner las descripciones en palabras cognoscitivas cotidianas como "aprende", "piensa" y "decide", aunque un conductista simplemente diría que la probabilidad de una respuesta particular se ha incrementado.

de vista conductista y cognoscitivo del lenguaje en el capítulo 6. Mi punto de vista personal es que poco se añade a nuestro conocimiento del aprendizaje del lenguaje al decir que es la adquisición de respuestas condicionadas. Sugerir que la lectura se aprende reforzando la respuesta condicionada "gato" en presencia del estímulo visual *gato* me parece que excluye todo lo interesante así como muchos de los aspectos difíciles (F. Smith, en prensa). Una aproximación conductista podría ser considerada más productiva como un análisis de las *situaciones* en las que el aprendizaje ocurre, e incluso simplemente de las situaciones en que se pone atención, más que como una explicación del aprendizaje. Como una teoría de la motivación o al menos como una descripción de las situaciones en las que es probable que los **pichones e incluso las personas más o menos aprenden**, la relevancia del conductismo puede ser más fácilmente apreciada. Pero entonces se tiene que reconocer que el reforzamiento está lejos de ser más sutil para los humanos de lo que podría parecer que es para los animales. Como he afirmado en este capítulo, el aprendizaje humano se proporciona su propia motivación y recompensa. El problema con los reforzadores extrínsecos (o irrelevantes), tales como las recompensas "en fichas" de dinero, dulces o grados escolares, es que mientras pueden hacer temporalmente más probable al aprendizaje, su retiro constituye reforzamiento negativo e incluso castigo. Cuando el reforzamiento irrelevante es eliminado, el aprendizaje deseado o la conducta esperada se hacen menos probables porque no fueron adquiridos por sí mismos en primera instancia (Notz, 1975; Levine y Fasnacht, 1974). Para analizar los propios puntos de vista de Skinner sobre el aprendizaje y la enseñanza, véase Skinner (1953, 1968), y para examinar algunas críticas adicionales, véase McKeachie (1974) y Dember (1974).

El desarrollo del lenguaje y otros estudios

Puede ser difícil ver cómo se relaciona la perspectiva conductista con la autodirección y la complejidad del aprendizaje inicial del lenguaje de un niño, y, efectivamente, hay muy poco sobre el tema aparte de la abundancia de libros y artículos escritos desde un punto de vista cognoscitivo (o psicolingüístico). Además de las referencias ya citadas en las principales secciones de este capítulo, se incluyen análisis de la manera en que el significado es la base del aprendizaje del lenguaje en Bloom (1973) y Nelson (1973, 1974). Bloom, Rocissano y Hodd (1976) trabajan sobre la contribución de los diálogos entre el adulto y el niño para el aprendizaje del lenguaje, y Harper (1975) considera la manera en que los niños controlan realmente la conducta del adulto para hacer posible el aprendizaje. Bruner (1975) afirma que el origen del lenguaje en los niños radica en sus actividades de vinculación con los adultos, y Tough (1974) es otro investigador que sostiene que los niños aprenden el lenguaje a través de la práctica, no por medio de prescripción o instrucción.

Los niños no aprenden el lenguaje por imitación, a menos que la imitación sea definida de manera muy específica como el uso deliberado de las expresiones de los adultos en ocasiones particulares como *modelos*, cuando las expresiones, de hecho, ya son comprendidas. Para un análisis adicional de la naturaleza activa y significativa de la imitación de los niños, y de su utilidad como herramienta de investigación, véase Bloom, Hood y Lightbown (1974) y Slobin y Welsh (1973). Es cierto que los adultos habitualmente no balbucen (en el sentido infantil) sin embargo, las raíces del lenguaje significativo se pueden detectar en el balbuceo infantil (Weir, 1962).

Piaget no ha tenido mucho interés en hablar acerca del aprendizaje del lenguaje de los niños, pero una excelente introducción al pensamiento piagetiano sobre el tema, que enfatiza que sólo puede ser comprendido tomando en cuenta lo que el niño ya conoce, está disponible en Sinclair (1970) y en Sinclair-de-Zwart (1972).

Abajo se proporcionan referencias generales adicionales sobre el aprendizaje del lenguaje en el apartado de lectura complementaria.

Importantes estudios sobre las habilidades generales de aprendizaje infantil son descritos por T. Bower (1971, 1974), Fantz (1964, 1966) y por Kagan (1970) y Kagan, Henker, Hen-Tov, Levine y Lewis (1966), antes de que dirigieran su atención hacia el aprendizaje. En el otro extremo, la importancia de la significatividad en el aprendizaje de un segundo idioma es analizada por McLaughlin (1977) y por Fillion, Smith y Swain (1976).

De manera más general, la noción de que los mismos principios subyacen a la comprensión y al aprendizaje ha sido argumentada por Greeno (1974), mientras que Haviland y Clark (1974) han demostrado que la adquisición de información nueva es una parte intrínseca de la comprensión del lenguaje.

Lectura complementaria

La obra clásica sobre las bases biológicas del lenguaje y del aprendizaje del lenguaje es la de Lenneberg (1967). R. Brown (1973) y McNeill (1970) ya han sido citados como textos básicos sobre los procesos del desarrollo del lenguaje de los niños; a éstos se deben añadir Bloom (1970), Chukovsky (1968), Menyuk (1971), y dos libros con un énfasis educativo, Cazden (1972) y Dale (1976). También existen varios volúmenes editados que contienen capítulos originales importantes, incluídos Hayes (1970), Moore (1973), Ferguson y Slobin (1973), y F. Smith y Miller (1967). Sobre el aprendizaje infantil véase T. Bower (1974), y también el análisis general de Gibson (1969). El argumento más general de que la comprensión y el aprendizaje son inseparables está en F. Smith (1975).

Notas del capítulo 8, Identificación de letras, págs. 110-126.

Teorías del reconocimiento de patrones

Los problemas y teorías del reconocimiento de patrones son analizados en los textos por Neisser (1967) y Lindsay y Norman (1972); hay exposiciones más técnicas en Kolers y Eden (1968) y Selfridge y Neisser (1960). Selfridge ha propuesto una intrigante metáfora del "pandemonio" en la que cada analizador es considerado como un "demonio" que observa hacia su propio aspecto particular, en la que el cerebro toma decisiones de identificación de letras basado en la sonoridad de los gritos combinados del reconocimiento de los demonios colectivos de las letras particulares.

No se sugirió que tengamos analizadores visuales que funcionan sólo para recolectar información acerca de las letras del alfabeto. La información utilizada en la identificación de letras es recibida de los analizadores involucrados en muchas actividades visuales, de los cuales aquéllos interesados en la lectura sólo usan una pequeña parte. Los mismos analizadores podrían contribuir con información en otras circunstancias para la identificación de palabras, números, formas geométricas, rostros, automóviles o cualquier otro conjunto de categorías visuales, así como para la aprehensión del significado. El cerebro hace usos especializados variados de sistemas receptores muy generales; por lo tanto, las afirmaciones acerca de que los analizadores "buscan" aspectos alfabéticos se pueden hacer sin la implicación de que un destino benigno ha "preorganizado" a la humanidad para leer el alfabeto. Todos tenemos una "herencia biológica" que nos permite hablar y leer, andar en bicicletas y tocar el piano, no debido a un diseño genético específico, sino porque los lenguajes escrito y hablado, las bicicletas y los pianos, fueron desarrollados progresivamente por y para los seres humanos, precisamente con el equipo biológico con el que los humanos nacen.

Los lectores deben resistir la tentación de calcular cuáles podrían ser los rasgos o pruebas particulares especificados en mi lista ilustrativa de rasgos. No deben tratar de deducir qué rasgo debería ser marcado — en la prueba 1 para "A" y + en la prueba 1 para "B". Los ejemplos son muy arbitrarios e imaginarios. Para analizar un intento de especificar los rasgos posibles de las letras inglesas, véase Gibson (1965).

De manera incidental, es tan apropiado hablar acerca de los rasgos distintivos del habla como referirse a los rasgos distintivos del lenguaje escrito. De hecho, el modelo de rasgos de la identificación de letras que fue desarrollado en los años sesenta, fue inspirado por una teoría de los rasgos de la percepción del habla publicada en los años cincuentas (Jakobson y Halle, 1956). En ambas teorías se examina una representación física, acústica o visual, de los rasgos distintivos, los cuales son analizados en términos de las listas de rasgos que determinan una categorización particular y una experiencia perceptual. El número de rasgos físicos que se necesitan discriminar dependerá de la incertidumbre del perceptor y de otras fuentes de información acerca del lenguaje (redundancia) que pueden ser utilizadas.

Así como los elementos básicos de las señales escritas o impresas en una página son considerados como rasgos distintivos más pequeños que las letras, de la misma manera los elementos más pequeños que un sonido simple son conceptualizados como rasgos distintivos del habla. Los rasgos distintivos de los sonidos son considerados habitualmente como componentes del proceso mediante el cual se articula un fonema, tales como si un sonido es o no *sonoro* (si las cuerdas vocales vibran cuando se pronuncian /b/, /d/, /g/ comparadas con /p/, /t/, /k/, si el sonido es *nasal* (como /m/ y /n/), la duración del sonido y la posición de la lengua. Cada rasgo distintivo constituye una diferencia significativa, y la discriminación de cualquiera de ellos puede eliminar muchas alternativas del número total de sonidos posibles (el conjunto de fonemas). Cada rasgo divide al conjunto de alternativas de manera diferente, de tal manera que teóricamente un total de sólo seis rasgos distintivos podría ser más que suficiente para distinguir entre 40 fonemas alternativos ($2^6 = 64$). Existen muchas analogías entre los rasgos distintivos de lo impreso y los del habla. El número total de rasgos diferentes puede ser mucho menor que el conjunto de unidades que diferencían (26 para las letras, casi 40 para los sonidos). El número de rasgos sugerido para los fonemas es normalmente de 12 o 13 (nótese nuevamente la redundancia). Los fonemas pueden ser confundidos de la misma manera en que se confunden las letras, y entre más probable sea que dos sonidos se confundan entre sí, se supone que más rasgos distintivos compartirán. Algunos sonidos, tales como /b/ y /d/, los cuales probablemente sólo difieren en un rasgo, tienen mayor probabilidad de ser confundidos que /b/ y /t/, los cuales quizá difieren en dos, y /t/ y /v/ que pueden diferir en tres rasgos. Obviamente, las palabras habladas pueden diferir en sólo un aspecto sencillo de la misma manera en que las palabras escritas pueden diferir —"pan" y "dan", que sólo tienen dos rasgos diferentes, deben tener una probabilidad mucho mayor de ser confundidas que "pan" y "tan", y de un modo aún más probable que "tan" y "van"; la evidencia experimental sugiere que las suposiciones de este tipo son correctas (Miller y Nicely, 1955).

Muchas personas involucradas en las complejidades de la lectura tienden a pensar que la identificación de palabras habladas es un poco más espontánea, instantánea y totalista —casi como si los oídos detectaran palabras completas más que las ondas sonoras moldeadas que el cerebro tiene que analizar e interpretar. No obstante, la percepción del habla no es menos compleja y consumidora de tiempo como lo es la lectura; el sonido que escuchamos es el producto final de un procedimiento de procesamiento de información que conduce a la identificación (la categorización) de un sonido o palabra, o significado previos a la experiencia perceptual. Rara vez "escuchamos" palabras y luego las identificamos; la identificación debe preceder al escuchar, de otra manera sólo escucharíamos ruido. Y no escuchamos los rasgos distintivos del sonido mejor de como vemos los rasgos distintivos de la escritura; la unidad de la que podemos estar conscientes de discriminar está determinada por el sentido que el cerebro es capaz de darle, el tipo de pregunta que está respondiendo. Habitualmente estamos conscientes sólo del significado del lenguaje hablado y escrito. De manera ocasional podemos atender a palabras particulares, pero sólo rara vez, y en circunstancias especiales, estaremos conscientes de la escritura superficial de los fonemas o letras. Los rasgos en sí mismos evaden completamente nuestra atención.

Facilitando la identificación de letras

La identificación de letras, como la he descrito en este capítulo, no es la tarea más fácil para cualquier lector. Pedirle a alguien que identifique una letra al azar proyectada en una pantalla, o incluso escrita en un pizarrón o en una hoja de papel, es, de hecho, la tarea más difícil posible, dado un tamaño constante de tipografía, duración de la exposición, claridad de la visión, etc. Esa tarea es la más difícil en las circunstancias físicas dadas porque no hay redundancia; la letra particular que debe identificarse podría ser cualquiera de las 27 alternativas en el alfabeto, de tal manera que el observador necesita un máximo de información visual y no tiene que comprobar si una identificación, en sí, es hecha incorrectamente. Las letras son mucho más fáciles de identificar, y de aprender, cuando provienen de un conjunto pequeño de alternativas, o cuando no son igualmente probables; en otras palabras, cuando el observador puede hacer uso de la redundancia. Como señalé en las notas del capítulo 2, hay una marcada reducción en la incertidumbre total de las letras si son seleccionadas al azar de un texto en español que cuando son obtenidas de un conjunto de 27 alternativas igualmente probables. El observador puede hacer uso de la redundancia *distribucional* de las letras del inglés si la letra particular que se debe identificar se toma de un punto preseleccionado en un libro, digamos la tercera letra de la cuarta palabra del décimoseptimo renglón de la octava página, en cuyo caso la información no visual de que la letra es cuarenta veces más probable de ser *e* que *z* puede ser utilizada, con todas las otras letras distribuidas entre sí. La redundancia distribucional reduce la incertidumbre de los 4.7 bits de las 26 letras igualmente probables a casi 4.07 bits, el equivalente de casi 17 alternativas equiprobables, un ahorro considerable aún sin la redundancia secuencial que se hace disponible a partir de las otras letras o palabras en una secuencia. La redundancia secuencial de las letras en las palabras del español es enorme. Si las 26 letras del alfabeto inglés pudieran ocurrir de manera independiente en cada posición de una palabra de cinco letras, el número de palabras de cinco letras que habrían sería de $27^5 = 14\,348\,610$, comparadas con quizá $10\,000$ que realmente existen. Aunque las combinaciones de letras permisibles se restringieran a las vocales y las consonantes alternadas (CVCVC o VCVCV) todavía habría un cuarto de millón de alternativas. Y no sólo es difícil para los observadores identificar letras sin claves de redundancia, es mucho menos familiar como una actividad dado que la redundancia con la que se penetra en el lenguaje es algo que cada usuario del lenguaje capitaliza.

La identificación de letras al azar es tan ajena a la lectura y de tan poca relevancia fuera de la literatura especializada de la psicología experimental que no puedo encontrar referencias adicionales sobre el tema lo suficientemente interesantes como para incluirlas en una sección de Lectura complementaria, una sección que debe quedar pendiente para el siguiente o los dos siguientes capítulos mientras el análisis se encuentre en ése nivel detallado.

Notas del capítulo 9, Identificación de palabras, págs. 127-144.

Anderson y Dearborn (1952) incluyen un análisis básico de las suposiciones alternativas que subyacen a la mayoría de las teorías de la identificación de palabras (o más a menudo las teorías de la enseñanza de la identificación de palabras) previo al desarrollo del punto de vista analítico de aspectos. Haré una lista a algunos teóricos cuya aproximación a la lectura o a la instrucción parece descansar en la creencia de que la identificación de letras es una etapa necesaria para la identificación de palabras cuando "otros puntos de vista" sean analizados en las notas del capítulo final.

Identificación de letras en las palabras

Hay un tipo de experimento que a primera vista parecería indicar que las palabras *no* son identificadas más fácilmente que las letras, pero que realmente proporciona una demostración adicional de que las palabras son procesadas efectivamente sobre una base de aspectos en la que el lector hace uso de la redundancia secuencial. El método experimental (F. Smith, 1967) involucra proyectar letras o palabras a tan baja intensidad que apenas haya algún contraste en la pantalla en la cual son mostradas, y luego incrementar el contraste lentamente, haciendo disponible cada vez más información visual de manera gradual hasta que los observadores sean capaces de identificar la palabra. Bajo este procedimiento los observadores no tienen limitaciones de tiempo ni de memoria y pueden escoger entre hacer identificaciones de palabras o de letras con la información disponible en cualquier momento. Ellos identifican típicamente letras dentro de las palabras antes de decir qué palabra completa es, aunque la palabra entera todavía puede ser identificada antes de que cualquiera de sus letras pudiera ser identificada cuando están aisladas. Mientras que este hallazgo no es inconsistente con la evidencia clásica de que las palabras pueden ser identificadas antes de que cualquiera de sus letras componentes esclarezca que cuando están aisladas las palabras, de hecho, no son reconocidas "como un todo" de todo-o-nada, sino por análisis de sus partes. La redundancia secuencial entre rasgos que existe dentro de la configuración de las palabras permite la identificación de las letras con menos rasgos de los que se necesitarían si fueran presentadas de manera aislada. Para decirlo de otra manera, los conjuntos críticos de los rasgos de las palabras no necesitan incluir información suficiente en ninguna posición para la identificación única de una letra individual si toda la redundancia secuencial fuera eliminada, **pero cuando la redundancia secuencial está presente**, puede facilitar la identificación de una o más letras aún antes de que la palabra como un todo pueda ser identificada. La letra *h* requiere de menos rasgos para ser identificada si se presenta en la secuencia *hoy* que si se presenta sola, aunque el lector identifica la *h* antes que *oy*. La información adicional que permite la primera identificación de letras que debe hacerse en las palabras se basa en la redundancia ortográfica del deletreo de palabras, reduciendo la incertidumbre de las letras de más de cuatro bits a menos de tres (casi siete alternativas), como se analizó en las notas del capítulo 3. Aunque un lector no haya discriminado suficientes aspectos en la segunda y tercera posiciones de la configuración *hoy* para identificar las letras *oy*, todavía hay disponible cierta información de rasgos de aquéllas posiciones que, cuando se combinan con la información no visual acerca de la redundancia de los rasgos dentro de las palabras, permiten la identificación de la letra en la primera posición con una información visual mínima.

Existe otra evidencia de que aunque las palabras son identificadas "como un todo", en el sentido de que la información de los rasgos de todas las partes puede ser tomada en cuenta en su identificación, por ningún medio son identificadas sobre la base de la familiaridad de su forma o contorno. Al principio de este capítulo se proporcionaron ejemplos de la facilidad con la que serían leídas las configuraciones bastante desconocidas como *lEcTuRa* y *CaBaLlO*. Es posible leer pasajes enteros impresos con estas configuraciones particulares casi de manera tan rápida como se lee un texto normal (F. Smith, Lott y Cronnel, 1969). De hecho, si el tamaño de las letras mayúsculas se reduce ligeramente de tal modo que no interfieran en la discriminabilidad de las letras minúsculas, por ejemplo lEcTuRa, entonces no hay ninguna diferencia entre las velocidades a las que tales palabras y el texto normal pueden ser leídos. El resultado quizá no es tan sorprendente cuando reflexionamos sobre la facilidad con la que los lectores hábiles pueden adaptarse a formas muy distorsionadas de tipografía o escritura a mano. Efectivamente, la facilidad con la que podemos leer pasajes de escritura a mano cuando las letras individuales, e incluso palabras, serían indescifrables constituye una evidencia adicional de que la lectura no depende de la identificación de letras.

Obviamente, es una gran sobresimplificación hablar acerca de la "discriminabilidad" relativa de las diferentes letras del alfabeto, o asumir que las letras que son difíciles de identificar cuando están solas deben ser difíciles de percibir cuando están en las palabras.[2] Los rasgos de criterio de las letras no son un conjunto fijo e inmutable. La cantidad de información visual que se requiere para identificar una letra tiene relativamente poco que ver con las características físicas del estímulo real, sino que depende mucho más de la experiencia del lector y del contexto en el que la letra ocurre. Y precisamente el mismo tipo de argumento se aplica a las palabras. Los niños que están aprendiendo a leer a menudo pueden identificar en el contexto las palabras que no pueden identificar cuando se presentan aisladas (Pearson y Studt, 1975). Es erróneo hablar de la identificación de palabras de los niños (de su habilidad para realizarla) en términos de su "vocabulario visual" o de destrezas de ataque a las palabras.

Existe una amplia literatura técnica sobre la identificación de letras en las palabras, incluyendo a Reicher (1969), Wheeler (1970), Meyer y Schvaneveldt (1971), Rumelhart y Siple (1974), Johnson (1975), y Cosky (1976). Brand (1971) demuestra que se pueden hacer distinciones entre letras y números sin la identificación de letras o números específicos (subrayando el aspecto de las características de la identificación), y un artículo titulado "No busques y encontrarás" (Johnston y McClelland, 1974) describe la manera en que las letras pueden ser identificadas más fácilmente en las palabras en algunas ocasiones si no se les busca de manera específica. Argumentos adicionales sobre la prioridad de las palabras sobre las letras (y del significado sobre las palabras individuales) están en Kolers (1970) y F. Smith y Holmes (1971).

Uso de la redundancia por los niños

No hay evidencias de que los niños necesiten ser entrenados para buscar o utilizar la redundancia de alguna manera; efectivamente, parte de los argumentos de este libro es que toda la percepción depende del uso del conocimiento previo y que los niños más pequeños demuestran habilidad para limitar la incertidumbre eliminando las alternativas improbables de antemano. Algunos estudios con lectores jóvenes han encontrado una habilidad para usar la redundancia secuencial desde muy corta edad (Lott y Smith, 1970). A ciertos niños de primer grado escolar que ha-

---

[2] Este argumento se aplica especialmente a la cuestión de las "inversiones" de pares de letras como *b* y *d*, las cuales son particularmente molestas para algunos niños (y maestros). Las inversiones se consideran específicamente en el capítulo 12.

bían tenido una cantidad limitada de instrucción en la lectura en el jardín de niños se les mostraron letras aisladas y en palabras simples de tres letras que normalmente podían identificar con facilidad. Los niños se mostraron capaces de identificar las letras en las palabras con menos información visual que cuando se les presentaban solas. Para los niños de cuarto grado la diferencia entre la información con la que las letras eran identificadas en las palabras y la información con la que las mismas letras eran identificadas en forma aislada era igual a la de los lectores adultos hábiles, indicando que para las palabras familiares de tres letras al menos, los niños de cuarto grado podían hacer tanto uso de la redundancia secuencial de los rasgos como lo hacen los adultos. Krueger, Keen y Rublevich (1974) confirmaron subsecuentemente que los niños de cuarto grado pueden ser tan hábiles como los adultos para hacer uso de la redundancia entre secuencias de letras en las palabras y en las que no lo son.

Redundancia distribucional entre palabras

La redundancia secuencial que existe entre las palabras en el texto, la cual desempeña una función crítica en hacer posible la lectura, será analizada en capítulos posteriores. Pero hay también una redundancia distribucional entre las palabras, reflejando el hecho obvio de que algunas palabras son utilizadas de manera más frecuente que otras. La redundancia distribucional de las palabras españolas no ha sido calculada formalmente, pero probablemente se relaciona con la incertidumbre teórica máxima de entre 15 y 16 bits para un conjunto de casi 50 000 alternativas y los doce bits reales de incertidumbre de las palabras aisladas calculados por Shannon para el idioma inglés (1951) y analizados en las notas del capítulo 3. La redundancia distribucional entre palabras complica los estudios experimentales sobre la identificación de palabras porque las palabras más frecuentes habitualmente son identificadas más rápidamente, de manera más exacta y con menos información visual que las palabras menos frecuentes. La razón precisa de este "efecto de la frecuencia de las palabras" es en sí misma el tema de un debate largo que no ha concluido en la literatura técnica (Howes y Solomon, 1951; Broadbent, 1967). La referencia estándar sobre las frecuencias relativas de las palabras ha sido desde hace tiempo la lista de Thorndike y Lorge (1944) con una compilación más reciente de Carroll, Davies y Richman (1971).

Notas del capítulo 10, Fónica—y la identificación mediada de palabras, págs. 145-163

La relevancia de la fónica

El análisis que he proporcionado de la relación entre el deletreo de las palabras escritas y los sonidos del habla se deriva principalmente del trabajo de un grupo de investigadores (Berdiansky, Cronnell, y Koehler, 1969) asociados con el Southwest Regional Laboratory (SWRL), un influyente centro de desarrollo e investigación en California auspiciado por el gobierno federal. Los investigadores del SWRL no sólo se han esforzado por analizar el laberinto de las correspondencias letra-sonido en el idioma inglés, basados ampliamente en el trabajo de Venezky (1967, 1970), sino que también han comenzado a idear programas de instrucción para enseñar estas correspondencias a los niños, tanto para los hablantes del idioma inglés como para otros, en la expectativa de que ello los hará mejores lectores y escritores. La historia de diez años de esta empresa está registrada en cierta cantidad de reportes técnicos publicados por el SWRL.

La relevancia de la instrucción a través del método fonético es el tema del volumen frecuentemente citado de Chall (1967) intitulado *Aprendiendo a leer: el gran debate*, aunque su análisis se refiere más a la manera en que la lectura es enseñada que a la manera en que es aprendida, y no se puede pensar que las conclusiones se derivan inevitablemente de la evidencia presentada. Por otra parte, Carol Chomsky (1970), haciendo un uso amplio de su propia experiencia y de la teoría de Noam Chomsky (N. Chomsky y Halle, 1968), afirma que la ortografía no representa tanto el sonido como la estructura del significado subyacente del lenguaje. C. Chomsky (1971) recomienda una introducción pronta a la escritura, no porque tenga algo que ver directamente con la lectura, sino porque puede ayudar a que los lectores principiantes le den sentido a la instrucción fónica. Este punto de vista no debe ser confundido con el argumento ocasional de que a los niños se les debe enseñar la fónica para que aprendan la manera como se escribe la palabra. En primer lugar, la ortografía tiene muy poco que ver con la lectura, muchos lectores diestros son deletreadores deficientes. Y en segundo lugar, los niños que deletrean las palabras de la manera en que la pronuncian, como lo hacen la mayoría de los niños al principio (Read, 1971), deletrean deficientemente. La ortografía por regla no es una estrategia eficiente para escribir la mayoría de las palabras comunes (H. Brown, 1970). Aunque se pueden obtener claves de las palabras conocidas con significados similares, el principal requerimiento para el deletreo adecuado es *recordar* los deletreos individuales, un requerimiento que no es relevante para la lectura y que puede, si se le permite, complicar su aprendizaje. Gillooly (1973) afirma que no hay justificación para los intentos de cambiar la escritura actual del idioma inglés, el cual, según él, incrementa la velocidad de la lectura y es casi óptimo para aprender a leer. Una discusión adicional acerca de la relación del deletreo con la lectura y la escritura se incluye en los capítulos 6 y 10 de F. Smith (1973). Baron (1973) ha demostrado experimentalmente que la decodificación del sonido no es necesaria para la comprensión, y, por el contrario, Calfee, Arnold y Drum (1976) han discutido la frecuente pero indocumentada afirmación de que es posible que los niños "decodifiquen" sin comprensión.

Una pequeña pero notable controversia se ha sucitado de una demostración de Rozin, Poritsky y Sotsky (1971) de que los lectores deficientes que han fracasado en aprender a través de la instrucción fónica tradicional podrían tener éxito cuando los caracteres chinos de los significados del inglés eran sustituidos por el deletreo inglés. Después de demostrar claramente que los lectores podían extraer significado directamente del texto escrito, sin la mediación de la fónica, los autores conclüyeron de manera notable que la lectura, por consiguiente, se enseñaría de mejor manera mediante un método silábico, Gleitman y Rozin (1973a) desarrollaron esta noción de la enseñanza de la lectura a través de un silabario, y respondieron vehementemente (Gleitman y Rozin, 1973b) cuando Goodman (1973) comentó que su propósito le parecía que habría de ser otra manera fácil de hacer difícil el aprendizaje de la lectura. Los últimos tres artículos están contenidos en un ejemplar vivaz de *Reading Research Quarterly*. Sobre la relativa facilidad con la que los niños pueden aprender a leer con un lenguaje escrito no alfabético, también véase Makita (1968, 1976) para analizar la investigación con los niños japoneses.

Lectura complementaria

El libro clásico sobre los sitemas de escritura es el de Gelb (1963), aunque refleja un prejuicio occidental al acreditar a los griegos el descubrimiento exclusivo de un alfabeto. Un buen caso también lo constituye el sistema de escritura independiente y alfabético sánscrito ideado por el año 3000 A. C. Todo depende de si usted pretende decir que un alfabeto debe tener símbolos vocales que los separen de los símbolos iguales para las consonantes. De manera más reciente véase Vachek (1973) para un análisis de los sistemas de escritura.

Notas del capítulo 11, La identificación del significado, págs. 164-186.

Efecto del contexto significativo

La significatividad claramente juega un papel sustancial en la facilitación de la identificación de las palabras en la lectura, reduciendo su incertidumbre de por lo menos doce bits (el equivalente de 4096 alternativas igualmente probables) para las palabras aisladas a menos de ocho bits (256 alternativas) para las palabras en un contexto (notas del capítulo 3). Es realmente irrelevante hablar de las letras en esta etapa —las letras habitualmente no son de interés cuando se lee un texto significativo. Pero como un parámetro, es interesante recordar del análisis del experimento de Cattell (1885), en el capítulo 3, que la incertidumbre de las letras disminuye de 4.7 bits a apenas un bit cuando el contexto es significativo, permitiendo que el cerebro perciba cuatro veces cuando mucho de una línea impresa. No sólo es posible identificar cuando mucho dos veces las palabras en una mirada sencilla cuando se encuentran en un contexto significativo, superando por consiguiente las obstrucciones de la memoria y del procesamiento de infomación, sino que los problemas de ambigüedad y el abismo entre la estructura superficial y el significado son eliminados mediante la eliminación previa de la consideración de las alternativas improbables. El contexto tiene su efecto no porque existe, sino porque puede ser *significativo* y contribuye con información que reduce la incertidumbre de las palabras individuales a través de la redundancia secuencial. Es importante ser claros acerca del efecto del contexto. El contexto fija restricciones sobre lo que cada palabra individual podría ser.[3] Estas restricciones constituyen la redundancia secuencial, utilizable únicamente si se refleja en el conocimiento previo, o información no visual, que el lector puede traer consigo. Esta es la razón por la que sostengo que el contexto debe ser *significativo*, con todas las connotaciones relativas de esa palabra. Si un contexto particular no es comprensible para un lector, o si por una u otra razón el lector se muestra renuente a aprovechar la redundancia y reducir la cantidad de información visual necesaria para cualquier aspecto de la lectura, entonces el contexto también podría ser absurdo, un ordenamiento al azar de las señales en la página.

El contexto significativo, como he estado utilizando el término, ejerce sus restricciones sobre la ocurrencia de las palabras de dos maneras, sintáctica y semántica. Existen dos tipos de restricción sobre las palabras particulares que un autor puede seleccionar —o un lector predecir— en cualquier momento. (Hay otras limitaciones sobre los autores, tales como el conjunto limitado de palabras que un lector podría esperarse que comprenda.) La elección de las palabras siempre está limitada por lo que queremos decir (semántica) y cómo queremos decirlo (sintáxis). No he tratado de separar los efectos de la sintáxis y la semántica en este análisis por la simple razón de que no he encontrado una buena manera de hacerlo. El análisis teórico del capítulo 6 afirmó que las dos son inseparables; que sin el significado es inútil hablar

[3] El interés presente está en el contexto del *lenguaje*, el cuerpo de palabras en un texto. Pero como subrayé en el capítulo 7, las palabras también pueden ser limitadas por los contextos *situacionales* más generales; por ejemplo, existe un conjunto muy pequeño y altamente predecible de palabras alternativas que probablemente ocurren en un tubo de dentífrico. Existe también un contexto importante en las expectativas del receptor. Como Olson (1970) ha señalado, las palabras son seleccionadas y obtienen significado a partir de lo que el oyente o el lector necesitan saber.

de la gramática. Triesman (1965) intentó desenmarañar experimentalmente a las dos y concluyó que en el lenguaje normal el componente sintáctico se subordina al semántico.

No hay escasez de investigación que demuestre el poderoso efecto facilitador del contexto significativo en la identificación de palabras. Efectivamente, no hay evidencias de lo contrario. Pero antes de que comience a citar esta investigación, se debe reiterar un punto fundamental: *la lectura habitualmente no involucra o no depende de la identificación de palabras.* Aunque puede sonar banal, el punto básico acerca del contexto significativo es que hace posible la lectura por el significado y a la identificación de palabras la hace innecesaria. El hecho de que el contexto significativo hace más fáciles de identificar a las palabras individuales es básicamente tan irrelevante como el hecho de que las letras individuales son más fáciles de identificar en las palabras; la evidencia de la investigación simplemente es una demostración del efecto del contexto significativo. Aun cuando la lectura en voz alta está involucrada, de tal manera que la identificación exacta de las palabras es necesaria, la aprehensión previa del significado es un prerrequisito importante. La lectura en voz alta es difícil si la comprensión previa está limitada, y si a la identificación de palabras se le proporciona prioridad habrá interferencia con la comprensión (Howe y Singer, 1975).

Además del estudio de Tulving y Gold (1963) utilizado en este capítulo como un ejemplo de la manera en que el contexto facilita la identificación de palabras, véase Morton (1964), Klein y Klein (1973), E. Smith y Spoehr (1974), y, para un resumen de todos los argumentos de los cuatro capítulos anteriores, Smith y Holmes (1971). En estudios relacionados que demuestran el efecto de la significatividad, Rothkopf y Coatney (1974) demuestran que la velocidad de la lectura está determinada por las expectativas del lector sobre la información en el texto, y Rothkopf y Billington (1974) afirman que la comprensión se mejora cuando se buscan y se encuentran respuestas a preguntas específicas. Carpenter y Just (1975, 1977) examinan la manera en que la lectura normalmente involucra la integración de nueva información contextual con lo que ya se conoce (demostrando nuevamente que el aprendizaje y la comprensión son inseparables). Cohen (1970) proporciona una demostración experimental extraña de que el significado puede buscarse sin la identificación de palabras individuales. En una tarea que involucra una búsqueda a través de listas de palabras, no lleva más tiempo encontrar un ejemplo de una categoría (tal como "cualquier flor" que encontrar una palabra específica en ésa categoría (tal como *margarita*). Las tareas de búsqueda de este tipo requieren básicamente del rechazo de ítemes irrelevantes en la lista (como cuando eliminamos rápidamente los nombres que *no* estamos buscando en un directorio telefónico) y demostrar que no es necesario identificar específicamente una palabra para decidir que no cae dentro de una categoría particular (conjunto de alternativas) en las cuales estamos interesados. Lefton y Fisher (1976) han demostrado que el significado es tan prepotente que interferirá en una búsqueda en la que el significado es realmente irrelevante. Neisser (1967) ha hecho un análisis amplio de tales tareas de búsqueda y de la luz que arrojan sobre la toma de decisiones visuales. En un estudio intitulado "El significado en la búsqueda visual", que *no* se refiere a la lectura, Potter (1975) reporta que los observadores reconocen imágenes de una manera exacta y casi tan rápida cuando todos saben de antemano cuál es el "significado" (proporcionando por un nombre o título, tal como "un bote") como cuando ya han visto la imagen en sí misma. McNeill y Lindig (1973) demuestran que los efectos del contexto existen tanto en el lenguaje hablado como en el escrito(véase también Miller, Heise y Lichten, 1951). Para un análisis de la relación entre los movimientos oculares y la comprensión, véase Kolers (1976). No debe sorprender que el orden y la ubicación particulares de las fijaciones no constituyen una buena guía particular de la manera en que el lector comprende el texto, especialmente cuando la velocidad de la lectura aumenta y se aborda una expansión amplia de la información visual en un momento dado. (De manera similar, la manera intermitente en que concentramos nuestra mirada alrededor de una habitación no es particularmente sugerente de la percepción estable de la habitación que el cerebro construye.)

El uso de la información contextual para identificar palabras suprimidas completamente del texto constituye la base de la *prueba Cloze* (W. Taylor, 1957; Neville y Pugh, 1976-77), empleada frecuentemente para estimar la comprensibilidad de un pasaje o la comprensión de un lector (aunque es teóricamente indefendible esperar que cualquier libro sea igualmente legible para más que unos cuantos lectores o resumir la habilidad de cualquier lector en una simple calificación). El texto en una prueba Cloze tiene palabras suprimidas en ciertos intervalos regulares o sistemáticos, por ejemplo:

Los oídos de una mariposa nocturna se localizan _____ los lados de la

parte posterior _____ parte de su tórax y _____ dirigi-

dos hacia afuera y hacia atrás dentro _____ constricción que separa al tó-

rax _____ el abdomen. Cada oído es _____ externa-

mente visible como una pequeña _____ , y dentro de la cavidad está _____

_____ tímpano transparente.

Supóngase que seis pasajes de este tipo son presentados a diez lectores a quienes se les ha pedido que llenen tantos espacios como puedan, calificando como una respuesta correcta cada adivinación que coincida con la palabra que fue realmente suprimida de un espacio. Una manera de interpretar una calificación alta para un espacio particular sería que hay muy poc s alternativas (palabras) que podrían ser colocadas en esa posición; la incertidumbre es baja. La única razón de que la incertidumbre sea baja en esa posición es que la mayoría de las palabras alternativas han sido eliminadas por la información adquirida a partir de otras partes del pasaje, de las palabras que no han sido eliminadas. Los pasajes que obtienen un número relativamente grande de palabras perdidas correctamente reemplazadas pueden ser considerados, por lo tanto, como más fácilmente **comprensibles** que aquellos cuyos espacios son más inciertos; por consiguiente, este tipo de calificación es interpretado en ocasiones como una medida de la "inteligibilidad" o "legibilidad" de un pasaje. Por otra parte, un lector que tiene éxito en completar correctamente un número relativamente grande de palabras perdidas podría ser considerado como un lector que es capaz de hacer un gran uso de la redundancia en el pasaje y quien, por lo tanto, comprende más. La prueba Cloze demuestra que el significado no es algo que aparece súbitamente cuando hemos leído hasta el final de una secuencia de palabras, ni de acumular palabra por palabra de izquierda a derecha a lo largo de la página. Algunas claves de cada palabra suprimida en el ejemplo se perderían si todas las palabras que se presentan después del hueco fueran eliminadas. Efectivamente, una buena estrategia en cualquier ocasión en que se encuentran dificultades para comprender lo impreso es seguir leyendo más adelante en vez de regresar inmediatamente para volver a leer cualquier parte que preceda al pasaje problemático.

Aprendices y el contexto

Varios estudios han demostrado la aptitud de los niños para hacer uso del contexto en las primeras lecturas (si se les permite), por ejemplo Klein, Klein y Bertino (1974), Golinkoff (1975-76), y Doehring (1976). Rosinski, Golinkoff y Kukish (1975) concluyen que el significado es irresistible para los niños; puede interferir en la ejecución de una tarea porque no pueden ignorarlo. Semejantes estudios también tienden a demostrar que el uso del contexto y la habilidad en la lectura aumentan de manera conjunta. Esta correlación a menudo se atribuye al hecho de que los mejores lectores pueden hacer más uso del contexto; con menor frecuencia se considera la posibilidad de que el uso del contexto hace mejores a los lectores. Para analizar la relación entre la habilidad y el uso del contexto véase también Clay e Imlach (1971) y Samuels, Begy y Chen (1975-1976). Para los análisis de los errores de los niños, que Goodman llama "ventanas en el proceso de la lectura", véase Goodman (1965, 1969), Weber (1968), y Clay (1969). Los estudios sobre los errores en la lectura por parte de los niños tienden a destacar el hecho importante de que muchos de los errores, especialmente aquellos cometidos por los mejores lectores, conservan el significado del contexto, y también que los errores que hacen una diferencia en el significado son a menudo corregidos subsecuentemente por los niños que están leyendo por medio del significado (y por lo tanto no son errores que necesiten ser una gran causa del interés). Los niños que leen más literalmente, quizá debido a un énfasis en la "exactitud" durante la instrucción, sin embargo pueden cometer errores absurdos sin que estén conscientes de ellos.

El ejemplo paradigmático de un niño aprendiendo a leer por el significado solo, sin ninguna posibilidad de decodificar el sonido, debe ser el de Helen Keller. Henderson (1976) reporta el caso de un niño sordo que aprendió a reconocer 4 400 palabras impresas en nueve meses a la edad de seis años relacionándolas con las señales manuales en un contexto significativo, básicamente en respuesta a las propias preguntas espontáneas del niño.

Predicciones globales y focales

Varios lingüistas han propuesto que cada oración en un contexto significativo contiene alguna información que es vieja y alguna que es nueva. Chafe (1970) se refiere a la información llevada de una oración a otra como de "primer término"; véase también Halliday (1970), Bates (1976), y el capítulo ya citado de Carpenter y Just (1977). G. Bower (1976) observa que las historias tienen una estructura predecible tanto en la temática general como en los niveles episódicos más específicos, y que los niños aprenden y utilizan esta estructura en la lectura de historias.

Lectura complementaria

El análisis de la lectura ahora se ha vuelto muy general y las sugerencias para fuentes adicionales se consolidan de manera más apropiada con las del capítulo resumen final que enseguida se presenta.

Notas del capítulo 12, Lectura y su aprendizaje, págs. 187-208.

Aprendizaje de la lectura

Dos libros importantes sobre la manera en que los niños pequeños aprenden a leer, cada uno con su propia predilección instruccional, son los de Durkin (1966) y

Clark (1976). La investigación sobre cómo aprenden a leer los niños rara vez permanece sin ser contaminada por la influencia que la instrucción previa ya ha tenido sobre ellos. Barr (1972, 1974) ha escrito artículos básicos sobre el efecto de la instrucción sobre las estrategias de lectura de los niños. Downing y Oliver (1974), Meltzer y Herse (1969), y Jenkins, Bausel y Jenkins (1972) hablan sobre la relevancia de ciertos aspectos de la instrucción temprana en la lectura de los niños, mientras que Pearson (1974) señala que la comprensibilidad no se mejora en los libros de lectura inicial fragmentando las oraciones y reduciendo la complejidad gramatical. Holdaway (1976) comenta sobre la importancia de la autocorrección de los niños que están aprendiendo a leer y sobre el riesgo de que algunas técnicas instruccionales alejarán del niño esta responsabilidad. F. Smith (1977a) desarrolla algunos de los puntos señalados en este capítulo acerca de la relevancia de la instrucción de la lectura, y F. Smith y Goodman (1971) arguyen que el análisis psicolingüístico de la lectura nunca debe convertirse en la base de un "método psicolingüístico" de enseñanza de la lectura.

Sobre la asignación de culpa por el fracaso de los niños al aprender a leer no hay punto final. Guthrie (1973) ofrece uno de muchos estudios sobre varios sistemas de caracterizar las incapacidades de los niños que parecen no poder sacar provecho de los recursos disponibles de la pedagogía de la lectura moderna. A tales niños se les clasifica frecuentemente como "incapaces de aprender", un diagnóstico que es acremente criticado por Glenn (1975) y Hart (1976). Serafica y Sigel (1970) señalan que algunos niños "incapaces de leer" tienen una discriminación visual superior a la de los lectores normales.

Carroll y Chall (1975) editaron un reporte del Comité sobre la lectura del Instituto Nacional de Educación de los Estados Unidos, analizando la investigación que estaba disponible o que se necesitaba para aprovechar la tecnología moderna y producir una capacidad universal de leer y escribir. En una revisión del libro de Carroll y Chall, D. Olson (1975) señala que ninguno de los investigadores contribuyentes duda de la suposición subyacente de que la tecnología podría erradicar la incapacidad de escribir y leer.

Usos del lenguaje

Para análisis generales acerca del contexto del lenguaje y sus usos, véase Wilkinson (1971), Halliday (1973), D. Olson (1972) y F. Smith (1977b). Para examinar las consecuencias de los sistemas de escritura y la capacidad de leer y escribir, véase Havelock (1976), Goody y Watts (1972) y D. Olson (1977).

Lectura complementaria

Los autores nunca tienen la última palabra. La lectura complementaria que sugiero, y otras fuentes que los lectores indudablemente encontrarán por sí mismos, a menudo representará puntos de vista discrepantes, inclusive aquéllos que he citado como evidencias o argumentos que apoyan los puntos particulares que he tratado de enfatizar. No puedo, por supuesto, contradecir de antemano cada argumento alternativo, pero quizá pueda aminorar un poco su amenaza subrayando en donde creo que las diferencias significativas residen a menudo. Simplemente están establecidas. Desde un punto de vista *educativo*, se encontrará el argumento de que mi análisis debe estar equivocado porque el método fonético funciona. La lectura debe ser un asunto de decodificar el sonido porque los niños que reciben instrucción a través del método fonético aprenden a leer. El problema aquí me parece que es uno de diferentes dominios de discurso; no estamos hablando de lo mismo. Cuando rechazo el punto de vista de la decodificación de la lectura es porque estoy hablando acerca de lo que considero que son *hechos* irrefutables de la lectura, que las correspondencias letra-sonido posiblemente no pueden ser la base de la lectura o de su aprendizaje porque no traducen lo impreso en habla comprensible. El punto de vista opuesto se refiere a una *estrategia* de enseñanza, y así como un análisis teórico no puede comprobar que un método de instrucción no funciona, de la misma manera el éxito percibido de un método de instrucción no puede objetar a un análisis teórico. Los métodos instruccionales pueden tener éxito por diversas razones, y los niños y los maestros pueden tener éxito a pesar del método. En vista de que ningún método de instrucción ocupa todo el tiempo de vigilia de un niño, y que el "eclecticismo" es una virtud contemporánea —siempre existe la posibilidad de que algo más ocurra desde lo cual, de hecho, un niño pueda aprender algo útil acerca de la lectura. Ocasionalmente se ha afirmado que la fónica puede no ser necesaria para los lectores fluidos, pero que aún es necesaria cuando los niños aprenden a leer, especialmente para los que tienen dificultades. Mi posición es exactamente lo contrario: que sólo los buenos lectores pueden darle sentido a las correspondencias letra-sonido, y que entre más dificultades tenga un niño en aprender a leer, más necesita el niño de experiencias de lectura significativas. Desde el punto de vista *psicológico*, una objeción común es que el significado es un concepto demasiado vago o poco práctico sobre el cual construir una teoría de la lectura, la cual debe comenzar con una identificación de letras y ser totalmente explicable como una modalidad puramente refleja o programática. He caracterizado a esta aproximación a la lectura como "en el exterior", opuesta a los puntos de vista basados en el significado como el mío que son "en el interior" (F. Smith, en prensa), y sugiero que la preponderancia de la perspectiviva en el exterior tanto en la investigación como en la instrucción se debe a que conduce a experimentos más fácilmente controlables y replicables y a programas de instrucción más estructurados y explicables, los tipos de consideración que hacen respetables profesionalmente a los científicos y a los educadores. Pero si la ciencia se restringe a la consideración de las cuestiones que son tratatables con procedimientos experimentales, y los educadores y el mundo en general están convencidos de que estas cuestiones son las únicas que tienen significado, entonces una gran cantidad de aspectos importantes será pasada por alto. El hecho de que existan problemas teóricos de la significatividad que no los lleven a ningún lugar excepto al tipo de estudio experimental más trivial no significa que el significado pueda ser ignorado o que su relevancia sea mínima.

Una aproximación alternativa típica tanto a la teoría como a la instrucción es la de Venezky (1976), quien establece de manera explícita en el principio de este libro que "la lectura es la traducción de lo escrito a una forma del lenguaje a partir de la cual el lector ya es capaz de derivar significado", una afirmación para la que considero que no hay evidencias y que es probablemente incomprobable. Kavanagh y Matingly (1972) presentan una compilación de artículos sobre varios aspectos de la lectura y el lenguaje de manera general, la mayoría de ellos desde un punto de vista en el exterior. Entre tales artículos sobresale uno de Gough (1972), intitulado "Un segundo de lectura" (que aborda en esencia el proceso considerado). Gough afirma que la lectura debe progresar de las letras, a través de los sonidos, a las palabras y finalmente al significado, y presenta un diagrama elaborado de estas etapas. Pero las flechas en el diagrama de flujo llegan a un detenimiento total teórico en la comprensión, la cual se relega a un área mística del cerebro llamada ELADLOVCSC (*el lugar a donde las oraciones van cuando son comprendidas*) gobernado por un mago llamado Merlin. Gibson y Levin (1975) han reunido una compilación sustancial de datos de investigación y de teorizaciones acerca de la lectura y de su instrucción; su libro ha recibido una revisión crítica de Calfee, Arnold y Drum (1976). Chall (1967) ya ha sido citada por su revisión de los métodos instruccionales que conducen a una conclusión de decodificación, y Samuels (1976, también LaBerge y Samuels, 1974) ha afirmado consistentemente que conviene una aproximación de "subdestrezas" a la instrucción, basada en la noción de que la decodificación es una parte central de la lectura, aunque se vuelve tan rápida y automática que, de hecho, no es detectable por ningún medio. Atkinson (1974) ejemplifica el punto de vista usual de que las computadoras pueden enseñar a los niños a leer, aunque los objetivos comúnmente son muy limitados, y la teoría de la lectura que subyace a tales programas rara vez es evidente o adecuada.

Por otra parte, Huey (1908) habla acerca de ese sentido común y científico tocante a la lectura (a pesar de algunas inquietudes muy citadas acerca de la "higiene" de ciertos hábitos de lectura) que muchos teóricos, incluyendo al presente autor, se han visto tentados a afirmar que él es su predecesor intelectual. Para examinar historias de la investigación sobre la lectura y su instrucción véase Venezky (1977), Mathews (1966) y Davies (1973). Para estudios comparativos de las aproximaciones a la lectura en diferentes países véase Downing (1973) y Gray (1956). El punto de vista ruso, de características muy en el exterior, lo proporciona Elkonin en Downing (1973), mientras que Sakamoto (1976) analiza la lectura en el Japón. Ciertos volúmenes editados que cubren varios puntos de vista incluyen a Singer y Ruddell (1976), Merritt (1976), Resnick y Weaver (en prensa), y F. Smith (1973). Hay varios capítulos sobre la lectura en un compendio internacional de dos volúmenes sobre el lenguaje en general, editado por Lenneberg y Lenneberg (1975).

La lectura constituye un asunto de amplio interés nacional. En los Estados Unidos, varios reportes panel de una conferencia en el Instituto Nacional de Educación sobre los estudios en la lectura han sido publicados desde 1974, subrayando los programas de investigación sobre tales temas como semántica, aprendizaje y motivación; véase especialmente Miller (1974). En el Reino Unido, las opiniones actuales sobre la lectura y su instrucción son presentadas y sostenidas en el "Reporte Bullock" (Bullock, 1975).

Glosario

Esta lista no pretende definir las palabras como lo hace un diccionario, pero indica la manera general en que ciertos términos se emplean en este libro. Los números entre paréntesis indican el capítulo en que un término se usa por primera vez. Los términos en *cursivas* aparecen por separado en este glosario.

Análisis de rasgos. Una teoría de reconocimiento del patrón que propone que las configuraciones visuales tales como dígitos, letras, o palabras, se identifican mediante el análisis de los *rasgos distintivos* y su ubicación en las *listas de rasgos*; en contraste con la *teoría del modelo* (8).

Aprendizaje. La modificación o elaboración de la *estructura cognoscitiva*, específicamente el establecimiento de *categorías cognoscitivas, interrelaciones de categorías,* o *listas de rasgos* nuevas o revisadas (7).

Capacidad de canal. El límite de la *información* que puede pasar a través de cualquier parte de un sistema de procesamiento de información (2).

Categorías cognoscitivas. Decisiones previas para tratar con algunos aspectos de la experiencia de una misma manera, no obstante que sean diferentes a otros aspectos de la experiencia; el marco de referencia en constante desarrrollo de la *estructura cognoscitiva* (5).

Cognición. Una organización particular del conocimiento en el cerebro, o el proceso de organización de tal conocimiento (5). Véase *estructura cognoscitiva.*

Comprensión. La interpretación de la experiencia; relacionar la información nueva con la que ya se conoce; encontrar respuestas a los *problemas cognoscitivos* (5).

Conjunto crítico. Un conjunto de *rasgos distintivos* dentro de una *lista de rasgos* que permite efectuar una *identificación* con base en una información mínima a partir de una serie de alternativas determinadas (9).

Contexto. El marco de referencia, físico o lingüístico, en el que ocurren las palabras, y en el que se imponen restricciones sobre el rango de alternativas en que estas palabras podrían estar (11).

Correspondencias de letra-sonido. La co-ocurrencia de una letra o un grupo de letras particulares y del sonido supuesto de la misma parte de la palabra en el habla (10).

Decodificación del sonido. El punto de vista de que la lectura se realiza transformando lo impreso en habla real o subvocal (implícita) a través del ejercicio de las *correspondencias de letra-sonido* (10).

Depósito sensorial. En la **visión**; la retención muy breve de la *información visual* mientras se toman decisiones de *identificación; imagen visual* (4).

Diferencia de significado. Una diferencia en las propiedades físicas de un evento que forma la base para tomar una decisión de *identificación* (7).

Equivalencia funcional. La especificación de la misma *categoría cognoscitiva* en dos o más *listas de rasgos* (9).

Estructura cognoscitiva. La totalidad de la organización del conocimiento del cerebro; todo lo que una persona sabe (o cree) con respecto al mundo. Comprende las *categorías cognoscitivas*, las *listas de rasgos*, y las *interrelaciones de categorías*. También se refiere a la *memoria a largo término* y a la *teoría interna del mundo* (5).

Estructura profunda. El aspecto significativo del lenguaje; la interpretación de la *estructura superficial* (6).

Estructura superficial. Las propiedades físicas del lenguaje, para la lectura, la *información visual* (6).

Fijación. La pausa para la selección de la *información visual* cuando la visión descansa en un lugar en el texto entre *saltos oculares* (3).

Fonema. Cualquier clase discriminable de sonido *significativamente diferente* de un idoma (10).

Fonética. El estudio científico de la estructura de los sonidos del habla; no tiene nada que ver con la lectura (10). Véase *fónica*.

Fónica. La instrucción de la lectura basada en la suposición de que dicha actividad consiste en decodificar el sonido, y que requiere del aprendizaje de las *correspondencias de letra-sonido* (10). En ocasiones se le confunde erróneamente con la *fonética*.

Grafema. Una letra del alfabeto, una de las 27 alternativas (10).

Gramática. Véase *sintaxis*.

Hipótesis. Una modificación tentativa de la estructura cognoscitiva (*categorías cognoscitivas, listas de rasgos,* o *interrelaciones de categorías*) que es comprobada como una base para el *aprendizaje* (7).

Identificación. En la lectura, una decisión cognoscitiva entre letras, palabras o significados alternativos que se basa en el análisis de la *información visual* impresa seleccionada (8-11).

Identificación inmediata de la palabra. La *identificación* de una palabra vista, sin la *información* de otra persona y sin la *identificación* previa de letras o de combinaciones de letras de esa palabra (9).

Identificación inmediata del significado. La *comprensión* del lenguaje sin la identificación previa de las palabras (11).

Identificación mediada de la palabra. Una alternativa menos eficiente para la *identificación inmediata de la palabra*; requiere de información proveniente de las letras o de combinaciones de las letras dentro de la palabra (10).

Identificación mediada del significado. Una alternativa inferior para la *identificacion inmediata del significado*; intenta derivar el significado mediante la identificación previa de las palabras (11).

Imagen visual. Véase *memoria sensorial*.

Incertidumbre. La cantidad de *información* necesaria para tomar una decisión de *identificación*; está determinada por el número de decisiones alternativas que pueden elegirse; la probabilidad percibida de cada alternativa y el *nivel crítico* de una persona para tomar la decisión (2).

Información. Cualquier propiedad del ambiente físico que reduce la *incertidumbre*, eliminando o reduciendo la probabilidad de alternativas entre las cuales un perceptor debe decidir (2).

Información no visual. El conocimiento previo "detrás de los ojos" que reduce la *incertidumbre* de antemano, y que permite tomar decisiones de *identificación* con menos *información* visual (1).

Información visual. En la lectura, la información disponible para el cerebro a través de los ojos, y que proviene de la *estructura superficial* de lo impreso, por ejemplo, de las marcas de tinta en una página (1).

Interrelaciones de categorías. Las distintas maneras en que se pueden combinar las *categorías cognoscitivas* como una base para la *predicción* o la acción (5).

Lista de rasgos. Una especificación cognoscitiva o "serie de reglas" para las combinaciones particulares de los *rasgos distintivos* que permitirán la *identificación* en la lectura (8).

Memoria. Véase *memoria sensorial, memoria a corto término* y *memoria a largo término*.

Memoria a corto término. El contenido limitado y en constante cambio de lo que se está atendiendo en un momento particular (4).

Memoria a largo término. La totalidad del conocimiento y las creencias de una persona acerca del mundo, incluyendo los resúmenes de la experiencia previa con el mundo y las maneras de interactuar con él (4).

Nivel crítico. La cantidad de información que una persona necesita para tomar una decisión particular, la cual varía según la incertidumbre de la situación percibida y el riesgo y costo percibidos de cometer un error (2).

Ortografía. Deletrear; el ordenamiento de las letras en las palabras (10).

Percepción. Las decisiones de *identificación* efectuadas en el cerebro; la conciencia subjetiva de esas decisiones (3).

Predicción. La eliminación previa de las alternativas improbables; la serie de alternativas restante de entre las cuales se tomará una decisión de *identificación* (en la lectura) proveniente de una *información visual* impresa seleccionada (5).

Problema del perro y el gato. El hecho de que los *rasgos distintivos* no se pueden enseñar explícitamente, sino que se deben aprender mediante la comprobación de hipótesis (7).

Problemas cognoscitivos. La información específica exigida por el cerebro para tomar una decisión entre distintas alternativas; el rango de una *predicción* (5).

Psicolingüística. Una área de interés común para la psicología y la lingüística que estudia la manera en que los individuos aprenden y usan el lenguaje.

Rasgos distintivos. Las *diferencias significativas* entre los patrones visuales (o acústicos); por ejemplo, las diferencias que hacen una diferencia. Para la lectura, cualquier aspecto de la *información visual* que permite efectuar distinciones entre letras, palabras, o significados alternativos (2, 5, 8). Véase también *lista de rasgos*.

Redundancia. La información disponible proveniente de más de una fuente. En la lectura, puede presentarse en la *información visual* impresa, en la *ortografía*, en la *sintaxis*, en el *significado*, o en la combinación de estas fuentes. La redundancia puede ser *distribucional* o *secuencial*. La redundancia siempre debe reflejar *información no visual*; el conocimiento previo del lector que permite que se use la redundancia (2).

Redundancia de aspectos. En la lectura, la *redundancia* entre los *rasgos distintivos* de lo impreso, como una consecuencia de las restricciones sobre la ocurrencia de la letra o la palabra (8,9).

Redundancia distribucional. Reducción de la *incertidumbre* debido a que las alternativas no son igualmente probables (8, 9). Puede existir en las letras o en las palabras (y en las expresiones, si los manerismos de una persona son lo suficientemente conocidos). Véase también *redundancia de rasgos*.

Redundancia secuencial. La reducción de la *incertidumbre* atribuible a las *restricciones* en el número o en la relativa probabilidad de que haya alternativas probables en el *contexto* (9, 11); puede existir en las letras o en las palabras, y como una consecuencia de las expectativas de un lector o un oyente. Véase también *redundancia de aspectos*.

Regresión. Un movimiento ocular (*salto ocular*) de derecha a izquierda a lo largo de un renglón, o de abajo hacia arriba en una página (3).

Restricción. Una limitación que excluye o hace menos probables ciertas alternativas; el mecanismo de la *redundancia* (11).

Retroalimentación. La información que permite decidir si una *hipótesis* es correcta o incorrecta (apropiada o inapropiada) en el *aprendizaje* (7).

Ruido. Una señal que no comunica información (2).

Salto ocular. El movimiento de los ojos cuando la visión se mueve de una *fijación* a otra en la lectura (3).

Semántica. El aspecto significativo del lenguaje; el estudio de este aspecto (6).

Significado. Un término relativo; la interpretación que un lector realiza de algo escrito (la respuesta a un *problema cognoscitivo*). Alternativamente, la interpretación que un autor o una tercera persona espera que efectúe un lector de algo escrito. La consecuencia de la *comprensión* (5).

Sintaxis. La manera en que se organizan las palabras en el lenguaje significativo; también se le llama "gramática" (6).

Taquistoscopio. Un proyector o cualquier dispositivo visual con un obturador o cronómetro que controla la presentación de la *información visual* durante breves periodos (3).

Teoría. En la ciencia, un resumen de la experiencia previa de un científico, la base para la interpretación de las experiencias nuevas y para la predicción de eventos futuros (5).

Teoría del modelo. Una teoría de reconocimiento del patrón que afirma que las configuraciones visuales tales como dígitos, letras, o palabras, se pueden identificar mediante la comparación con las representaciones o modelos prestablecidos en el cerebro del rango de configuraciones alternativas; en contraste con el *análisis de rasgos* (8).

Teoría del mundo en la cabeza. La *teoría* del cerebro; también se le conoce como *estructura cognoscitiva* y como *memoria a largo término* (5).

Texto. Una muestra significativa (o potencialmente significativa) del lenguaje escrito; puede variar de una frase a un libro entero.

Bibliografía

Anderson, John R. y Gordon H. Bower, *Human Associative Memory* (Washington, D. C.: Winston, 1973).

Anderson, I. H. y W. F. Dearborn, *The Psychology of Teaching Reading* (Nueva York: Ronald, 1952).

Atkinson, Richard C., Teaching children to read using a computer, *American Psychologist*, 1974, *29*, 169-178.

Attneave, Fred, *Applications of Information Theory to Psychology* (Nueva York: Holt, Rinehart and Winston, 1959).

Attneave, Fred, How do you know? *American Psychologist*, 1974, *29*, 493-499.

Averbach, E. y A. S. Coriell, Short-term memory in vision, *Bell Systems Technical Journal*, 1961, *40*, 309-328.

Bach, Emmon y R. T. Harms (dirs.), *Universals of Linguistic Theory* (Nueva York: Holt, Rinehart and Winston, 1968).

Baddeley, A. D. y Karalyn Patterson, The relation between long-term and short-term memory, *British Medical Bulletin*, 1971, *27*, 3, 237-212.

Baer, Donald M. y John C. Wright, Developmental psychology, in Mark A. Rosenzweig and Lyman W. Porter (dirs.), *Annual Review of Psychology*, 1975, *25*, 1-82.

Barclay, J. R., The role of comprehension in rememberign sentences, *Cognitive Psychology*, 1973, *1*, 229-252.

Baron, Jonathon, Phonemic stage not necesary for reading, *Quarterly Journal of Experimental Psychology*, 1973, *15*, 241-246.

Barr, Rebecca C., The influence of instructional conditions on word recognition errors, *Reading Research Quarterly*, 1972, 7, 509-529.

Barr, Rebecca C., The effect of instruction on pupil reading strategies, *Reading Research Quarterly*, 1974, *10*, 555-582.

Bartlett, Frederick C., *Remembering: A Study in Experimental and Social Psychology* (Londres: Cambridge University Press, 1932).

Bates, Elizabeth, *Language and Context* (Nueva York: Academic Press, 1976).

Berdiansky, Betty, Bruce Cronnell, y John A. Koehler, *Spelling-Sound Relations and Primary Form-Class Descriptions for Speech-Comprehension Vocabularies of 6-9 Year-Olds*, Southwest Regional Laboratory for Educational Research and Development, Technical Report No. 15, 1969.

Bloom, Lois, *Language Development: Form and Function in Emerging Grammars* (Cambridge, Mass.: M.I.T. Press, 1970).

Bloom, Lois, *One Word at a Time: The Use of Single Word Utterances Before Syntax* (The Hague: Mouton, 1973).

Bloom, Lois, Lois Hood, y Patsy Lightbown, Imitation in language development: If, when, and why, *Cognitive Psychology*, 1974, *6*, 380-420.

Bloom, Lois, Lorraine Rocissano, y Lois Hood, Adult-child discourse: Developmental interaction between information processing and linguistic knowledge, *Cognitive Psychology*, 1976, *8*, 521-552.

Bower, Gordon H., Experiments on story undestanding and recall, *Quarterly Journal of Experimental Psychology*, 1976, *28*, 511-534.

Bower, Thomas G. R., The object in the world of the infant, *Scientific American*, 1971, *225*, 30-47.

Bower, Thomas G. R., *Development in Infancy* (San Francisco: Freeman, 1974).

Brand, H., Classification without identification in visual search, *Quarterly Journal of Experimental Psychology*, 1971, *23*, 178-86.

Bransford, John D., J. R. Barclay, y Jeffrey J. Franks, Sentence meaning: A constructivist vs. interpretive approach, *Cognitive Psychology*, 1972, *3*, 193-209.

Bransford, John D. y Jeffrey J. Franks, The abstraction of linguistic ideas, *Cognitive Psychology*, 1971, *2*, 331, 350.

Brooks, Lee, Spatial and verbal components of the act of recall, *Canadian Journal of Psychology*, 1968, *22*, 349-368.

Broadbent, Donald E., The word-frequency effect and response bias, *Psychological Review*, 1967, *74*, 1-15.

Brown, H. D., Categories of spelling difficulty in speakers of English as a first and second language, *Jorunal of Verbal Learning and Verbal Behavior*, 1970, *9*, 232-236.

Brown, Roger, How shall a thing be called? *Psychological Review*, 1958, *65*, 1, 14-21.

Brown, Roger, *Psycholinguistics* (Nueva York: Free Press, 1970).

Brown, Roger, *A First Language: The Early Stages* (Cambridge, Mass.: Harvard University Press, 1973).

Brown, Roger y David McNeill, The "tip of the tongue" phenomenon, *Journal of Verbal Learning and Verbal Behavior*, 1966, *5*, 4, 325-337.

Bruner, Jerome S., On perceptual readiness, *Psychological Review*, 1957, *64*, 123-152.

Bruner, Jerome S., *Beyond the Information Given* (collected papers) (Nueva York: Norton, 1973).

Bruner, Jerome S., The ontogenesis of speech acts, *Journal of Child Language*, 1975, · *2*, 1-19.

Bruner, Jerome S. y D. O'Dowd, A note of the informativeness of parts of words, *Language and Speech*, 1958, *1*, 98-101.

Bullock, Alan (chairman, U. K. Department of Science and Education Committee of Enquiry), *A Language for Life* ("The Bullock Report") (Londres: Her Majesty's Stationery Office, 1975).

Calfee, Robert C., Memory and cognitive skills in reading acquisition, in Drake D. Duane and Margaret B. Rawson (dirs.), *Reading, Perception and Language* (Baltimore: York Press, 1974).

Calfee, Robert C., *Human Experimental Psychology* (Nueva York: Holt, Rinehart and Winston, 1975).

Calfee, Robert C., Richard Arnold, y Priscilla Drum, Review of *The Psychology of Reading* (by Eleanor Gibson and Harry Levin), in *Proceedings of the National Academy of Education*, 1976, *3*, 1-80.

Carpenter, Patricia A. y Marcel A. Just, Sentence comprehension: A psycholinguistic processing model of verification, *Psychological Review*, 1975, *82*, 45-73.

Carpenter, Patricia A. y Marcel A. Just, Integrative processes in comprehension, in David LaBerge and S. Jay Samuels (dirs.), *Perception and Comprehension* (Hillsdale, N. J.: Erlbaum Associates, 1977).

Carroll, John B. y Jeanne S. Chall (dirs.), *Toward a Literate Society* (Nueva York: McGraw-Hill, 1975).

Carroll, John B., Peter Davies, and Barry Richman, *The American Heritage Word Frequency Book* (Boston: Houghton Mifflin, 1971).

Carroll, John B. and R. O. Freedle (dirs.), *Language Comprehension and the Acquisition of Knowledge* (Washington, D. C.: Winston, 1972).

Cattell, James McKeen, Ueber die Zeit der Erkennung und Benennung von Schriftzeichen, Bildern und Farben, *Philosophische Studien*, 1885, *2*, 635-650; translated and reprinted in A. T. Poffenberger (dir.), *James McKeen Cattell, Man of Science, 1860-1944* (Vol. 1) (Lancaster, Pa.: Science Press, 1947).

Cazden, Courtney B., *Child Language and Education* (Nueva York: Holt, Rinehart and Winston, 1972).

Chafe, Wallace L., *Meaning and the Structure of Language* (Chicago: University of Chicago Press, 1970).

Chall, Jeanne S., *Learning To Read: The Great Debate* (Nueva York: McGraw-Hill, 1967).

Cherry, Colin, *On Human Communication* (Cambridge, Mass.: M.I.T. Press, 1966).

Chomsky, Carol, Reading, writing and phonology, *Harvard Educational Review*, 1970, *40*, 2, 287-309.

Chomsky, Carol, Write first, read later, *Childhood Education*, 1971, *47*, 6, 296-299.

Chomsky, Noam, *Syntactic Structures* (The Hague: Mouton, 1957).

Chomsky, Noam, Review of *Verbal Learning* (by B. F. Skinner), *Language*, 1959, *35*, 26-58.

Chomsky, Noam, *Aspects of the Theory of Syntax* (Cambridge, Mass.: M.I.T. Press, 1965).

Chomsky, Noam, *Language and Mind* (Nueva York: Harcourt, 1972).

Chomsky, Noam, *Reflections on Language* (Nueva York: Pantheon, 1975).

Chomsky, Noam y Morris Halle, *Sound Pattern of English* (Nueva York: Harper & Row, 1968).

Chukovsky, Kornei (tr. Miriam Morton), *From Two to Five* (Berkeley: University of California Press, 1968).

Clark, Margaret M., *Young Fluent Readers* (London: Heinemann Educational Books, 1976).

Clay, Marie M., Reading errors and self-correction behavior, *British Journal of Educational Psychology*, 1969, *39*, 1, 49-56.

Clay, Marie M. y Robert H. Imlach, Juncture, pitch and stress and reading behavior variables, *Journal of Verbal Learning and Verbal Behavior*, 1971, *10*, 133-139.

Cofer, Charles N., Constructive processes in memory, *American Scientist*, 1973, *61*, 5, 537-543.

Cohen, Gillian, Search times for combinations of visual, phonemic and semantic targets in reading prose, *Perception and Psychophysics*, 1970, *8*, 5B, 370-372.

Cosky, Michael J., The role of letter recognition in word recognition, *Memory and Cognition*, 1976, *4*, 2, 207-214.

Craik, Fergus I. M. y Robert S. Lockhart, Levels of processing: A framework for memory research, *Journal of Verbal Learning and Verbal Behavior*, 1972, *11*, 671-684.

Crowder, Robert G., *Principles of Learning and Memory* (Hillsdale, N. J.: Erlbaum, 1976).

Dale, Philip S., *Language Development: Structure and Function* (Nueva York: Holt, Rinehart and Winston, 1976).

Davies, W. J. Frank, *Teaching Reading in Early England* (London: Pitman, 1973).

Dember, William N., Motivation and the cognitive revolution, *American Psychologist,* 1974, *29,* 3, 161-168.

Goody, Jack y Ian Watt, The consequences of literacy, in P. P. Gigliolo (dirs.), *Language and Social Context* (Londres: Penquin, 1972).

Gough, Philip B., One second of reading in James F. Kavanagh and Ignatius G. Mattingly (dirs.), *Language by Ear and by Eye* (Cambridge, Mass.: M.I.T. Press, 1972).

Gray, William S. *The Teaching of Reading and Writing: An International Survey* (Paris: UNESCO, 1956).

Greene, Judith, *Psycholinguistics: Chomsky and Psychology* (Londres: Penguin, 1972).

Greeno, James G., Learning and comprehension, in Lee W. Gregg (dir.), *Knowledge and Cognition* (Hillsdale, N. J.: Erlbaum, 1974).

Gregory, R. L., *Eye and Brain: The Psychology of Seeing* (Nueva York: McGraw-Hill, 1966).

Grimes, Joseph E., *The Thread of Discourse* (The Hague: Mouton, 1975).

Guthrie, John T., Models of reading and reading disability, *Journal of Educational Psychology,* 1973, *65,* 9-18.

Haber, Ralph N. (dir.), *Contemporary Theory and Research in Visual Perception* (Nueva York: Holt, Rinehart and Winston, 1968).

Halliday, Michael, A. K., Language function and language structure, in John Lyons (dir.), *New Horizons in Linguistics* (Londres: Penquin, 1970).

Halliday, Michael A. K., *Explorations in the Functions of Language* (Londres: Arnold, 1973).

Hardyck, C. D. y L. F. Petrinovich, Subvocal speech and comprehension level as a function of the difficulty level of reading material, *Journal of Verbal Learning and Verbal Behavior,* 1970, *9,* 647-652.

Harper, Lawrence V., The scope of offspring effects: From caregiver to culture, *Psychological Bulletin,* 1975, *82,* 5, 784-801.

Hart, Leslie A., Misconceptions about learning disabilities, *National Elementary Principal,* 1976, *56,* 1, 54-57.

Havelock, Eric A., *Origins of Western Literacy* (Toronto: Ontario Institute for Studies in Education, 1976).

Haviland, Susan E. y Herbert H. Clark, What's new? Acquiring new information as a process in comprehension, *Journal of Verbal Learning and Verbal Behavior,* 1974, 13, 512-521.

Hayes, John R. (dir.), *Cognition and the Development of Language* (Nueva York: Wiley, 1970).

Heckenmueller, E. G., Stabilization of the retinal image: A review of method, effects and theory, *Psychological Review,* 1965, *63,* 157-169.

Henderson, John M., Learning to read: A case study of a deaf child, *American Annals of the deaf,* 1976, *121,* 502-506.

Hochberg, Julian, In the mind's eye, in Ralph N. Haber (dir.), *Contemporary Theory and Research in Visual Perception* (N.Y: Holt, Rinehart and Winston, 1968).

Hochberg, Julian, Components of literacy: Speculations and exploratory research, in Harry Levin and Joanna P. Williams (dirs.), *Basic Studies on Reading* (nueva York: Basic Books, 1970).

Holdaway, Don, Self-evaluation and reading development, in John E. Merritt (dir.), *New Horizons in Reading* (Newark, Del.: International Reading Association, 1976).

Howe, M. J. A. y Linda Singer, Presentation variables and Students activities in meaningful learning, *British Journal of Educational Psychology*, 1975, 45, 52-61.

Howes, D. H. y R. L. Solomon, Visual duration threshold as a function of word-probability, *Journal of Experimental Psychology*, 1951, *41*, 401-410.

Huey, Edmund Burke, *The Psychology and Pedagogy of Reading* (Nueva York: Macmillan, 1908, reprinted Cambridge, Mass.: M.I.T. Press, 1968).

Huttenlocher, Janellen y Deborah Burke, Why does memory span increase with age? *Cognitive Psychology, 1976*, 8, 1, 1-31.

Jacobs, Roderick A. y Peter S. Rosenbaum, *English Transformational Grammar* (Waltham, Mass.: Blaisdell Publishing Company, 1968).

Jakobson, Roman y Morris Halle, *Fundamentals of Language* (The Hague: Mouton 1956).

Jenkins, James J., Remember that old theory of memory? Well, forget it! *American Psychologist*, 1974, *29*, 11, 785-795.

Jenkins, J. R., R. B. Bausel, y L. M. Jenkins, Comparison of letter name and letter sound training as transfer variables, *American Educational Research Journal*, 1972, *9*, 75-86.

Johnson, Neal F., On the function of letters in word identification: Some data and a preliminary model, *Journal of Verbal Learning and Verbal Behavior*, 1975, *11*, 1, 17-29.

Johnston, J. C. y J. L. McClelland, Perception of letters in words: Seek not and ye shall find, *Science*, 1974, *184*, 1192-1193.

Kagan, Jerome, The determinants of attention in the infant, *American Scientist*, 1970, *58*, 298-306.

Kagan, Jerome, Barbara A. Henker, Amy Hen-Tov, Janet Levine, y Michael Lewis, Infants' differential reactions to familiar and distorted faces, *Child Development*, 1966, *37*, 3, 519-532.

Kavanagh, James F. and Ignatius G. Mattingly (dirs.), *Language by Ear and by Eye* (Cambridge, Mass.: M.I.T. Press, 1972).

Kintsch, Walter, *The Representation of Meaning in Memory* (Hillsdale, N. J.: Erlbaum, 1974).

Klatzky, Roberta L., *Human Memory: Structures and Processes* (San Francisco: Freeman, 1975).

Klein, Gary A. y Helen Altman Klein, Word identification as a function of contextual information, *American Journal of Psychology*, 1973, *86*, 2, 399-406.

Klein, Helen Altman, Gary A. Klein, y Mary Bertino, Utilization of context for word identification in children, *Journal of Experimental Psychology*, 1974, *17*. 79-86

Kolers, Paul A., Reading and Talking bilingually, *American Journal of Psychology*, 1966, *79*, 357-376.

Kolers, Paul A., Reading is only incidentally visual, in Kenneth S. Goodman and James T. Fleming (dirs.), *Psycholinguistics and the Teaching of Reading* (Newark, Del.: International Reading Association, 1969).

Kolers, Paul A., Three stages of reading, in Harry Levin and Joanna P. Williams (dirs.), *Basic Studies on Reading* (Nueva York: Basick Books, 1970).

Kolers, Paul A., Buswell's discoveries, in R. A. Monty and J. W. Senders (dirs.), *Eye Movements and Psychological Processes* (Hillsdale, N. J.: Erlbaum, 1976).

Kolers, Paul A. and M. Eden (dirs.), *Recognizing Patterns: Studies in Living and Automatic Systems* (Cambridge, Mass.: M.I.T. Press, 1968).

Kolers, Paul A. and M. T. Katzman, Naming sequentially presented letters and words, *Language and Speech*, 1966, *9*, 2, 84-95.

Krueger, Lester E., Robert H. Keen, y Bella Rublevich, Letter search through words and nonwords by adults and fourth-grade children, *Journal of Experimental Psychology*, 1974, *102*, 5, 845-849.

LaBerge, David y S. Jay Samuels, Towards a theory of automatic information processing in reading, *Cognitive Psychology*, 1974, *6*, 293-323.

Lefton, Lester A. y Dennis F. Fisher, Information extraction during visual search: A developmental progression, *Journal of Experimental Child Psychology*, 1976, *22*, 346-361.

Lenneberg, Eric H., *Biological Foundations of Language* (Nueva York: Wiley, 1967).

Lenneberg, Eric H. y Elizabeth Lenneberg, *Foundations of Language Development: A Multidisciplinary Approach*, 2 vols. (Nueva York: Academic Press, 1975).

Levine, Frederic M. y Geraldine Fasnacht, Token rewards may lead to token learning, *American Psychologist*, 1974, *29*, 816-820.

Liberman, Alvin M., The grammars of speech and language, *Cognitive Psychology*, 1970, *1*, 301-323.

Liberman, Alvin M., F. S. Cooper, D. F. Shankweiler, y M. Studdert-Kennedy, Perception of the speech code, *Psychological Review*, 1957, *54*, 358-368.

Lindsay, Peter H. and Donald R. Norman, *Human Information Processing* (New York: Academic Press, 1972).

Llewellyn-Thomas, E., Eye movements in speed reading, in *Speed Reading: Practices and Procedures, Num. 10* (Newark, Del.: University of Delaware Reading Study Center, 1962).

Lott, Deborah y Frank Smith, Knowledge of intra-word redundancy by beginning readers, *Psychonomic Science*, 1970, *19*, 6, 343-344.

Mackworth, Norman H., Visual noise causes tunnel vision, *Psychonomic Science*, 1965, *3*, 67-68.

Macnamara, John, Cognitive basis of language learning in infants, *Psychological Review*, 1972, 79, 1, 1-13.

Magee, Bryan, *Popper* (Londres: Fontana, 1973).

Makita, Kiyoshi, The rarity of reading disability in Japanese children, *American Journal of Orthopsychiatry*, 1968, *38*, 4, 599-614.

Makita, Kiyoshi, Reading disability and the writing system, in John E. Merritt (dir.), *New Horizons in Reading* (Newark, Del.: International Reading Association, 1976).

Marshall, John C. y F. Newcombe, Syntactic and semantic errors in paralexia, *Neuropsychologia*, 1966, *4*, 169-176.

Mandler, Jean M. and N. S. Johnson, Remembrance of things parsed: Story structure and recall, *Cognitive Psychology*, 1977, *9*, 111-151.

Massaro, Dominic W., *Experimental Psychology and Information Processing* (Skokie, Ill.: Rand McNally, 1975).

Mathews, M. M., *Teaching To Read: Historically Considered* (Chicago: University of Chicago Press, 1966).

McKeachie, W. J., The decline and fall of the laws of learning, *Educational Researcher*, 1974, *3*, 3, 7-11.

McLaughlin, Barry, Second-language learning in children, *Psychological Review*, 1977, *84*, 3, 438-459.

McNeill, David, Developmental psycholinguistics, in Frank Smith and George A. Miller (dirs.), *The Genesis of Language* (Cambridge, Mass.: M.I.T. Press, 1967).

McNeill, David, *The Acquisition of Language: The Study of Developmental Psycholinguistics* (Nueva York: Harper & Row, 1970).

McNeill, David and Karen Lindig, The perceptual reality of phonemes, syllables, words, and sentences, *Journal of Verbal Learning and Verbal Behavior*, 1973, *12*, 4, 419-430.

Meltzer, Nancy S. y Robert Herse, The boundaries of written words as seen by first graders, *Journal of Reading Behavior*, 1969, *1*, 3-14.

Menyuk, Paula, *The Acquisition and Development of Language* (Englewood Cliffs,

N. J.: Prentice-Hall, 1971).

Merritt, John E. (dir.), *New Horizons in Reading* (Newark, Del.: International Reading Association, 1976).

Meyer, David E. y Roger W. Schvaneveldt, Facilitation in recognizing pairs of words: Evidence of a dependence between retrieval operations, *Journal of Experimental Psychology*, 1971, *90*, 227-234.

Meyer, David E. y Roger W. Schvaneveldt, Meaning, memory structure and mental processes, *Science*, 1976, *192*, 27-33.

Miller, George A., *Language and Communication* (Nueva York: McGraw-Hill, 1951).

Miller, George A., The magical number seven, plus or minus two: Some limits on our capacity for processing information, *Psychological Review*, 1956, *63*, 81-92.

Miller, George A., Some psychological studies of grammar, *American Psychologist*, 1962, *17*, 748-762.

Miller, George A. (dir.), *Mathematics and Psychology* (Nueva York: Wiley, 1964).

Miller, George A., Some preliminaries to psycholinguistics, *American Psychologist*, 1965, *20*, 15-20.

Miller, George A., The organization of lexical memory, in G. A. Talland and Nancy C. Waugh (dirs.), *The pathology of Memory* (Nueva York: Academic Press, 1969).

Miller, George A. (chairman), *Report of the Study Group on Linguistic Communication* (Washington, D. C.: National Institute of Education, 1974).

Miller, George A., Jerome S. Bruner, y Leo Postman, Familiarity of letter sequences and tachistoscopic identification, *Journal of Genetic Psychology*, 1954, *50*, 129-139.

Miller, George A., Eugene Galanter, y Karl H. Pribram, *Plans and the Structure of Behavior* (Nueva York: Holt, Rinehart and Winston, 1960).

Miller, George A., G. A. Heise, y W. Lichten, The intelligibility of speech as a function of the context of the text materials, *Journal of Experimental Psychology*, 1951, *41*, 329-335.

Miller, George A. y Philip N. Johnson-Laird, *Language and Perception* (Cambridge, Mass.: The Belknap Press of Harvard University Press, 1975).

Miller, George A. y Patricia E. Nicely, An analysis of perceptual confusions among some English consonants, *Journal of the Acoustical Society of America*, 1955, *27*, 338-353.

Moore, Timothy E. (dir.), *Cognitive Development and the Acquisition of Language* (Nueva York: Academic Press, 1973).

Morton, John, The effects of context on the visual duration threshold for words, *British Journal of Psychology*, 1964, *55*, 2, 165-180.

Neisser, Ulric, *Cognitive Psychology* (Nueva York: Appleton, 1967).

Neisser, Ulric, *Cognition and Reality* (San Francisco: Freeman, 1977).

Nelson, Katherine, Structure and strategy in learning to talk, *Monographs of the Society for Research in Child Development*, 1973, *38*, 149.

Nelson, Katherine, Concept, word and sentence: Interrelations in acquisition and development, *Psychological Review*, 1974, *84*, 4, 267-285.

Neville, Mary H. y A. K. Pugh, Context in reading and listening: Variations in approach to Cloze tasks, *Reading Research Quarterly*, 1976-77, *12*, 1, 13-31.

Newman, Edwin B., Speed of reading when the span of letters in restricted, *American Journal of Psychology*, 1966, *79*, 272-278.

Newson, John y Elizabeth Newson, Intersubjectivity and the transmission of culture: On the social origins of symbolic functioning, *Bulletin of the British Psychological Society*, 1975, *28*, 437-446.

Nisbett, Richard E. y Timothy DeCamp Wilson, Telling more than we can Know: Verbal reports on mental processes, *Psychological Review*, 1977, *84*, 3, 231-259.

Norman, Donald A., *Memory and Attention: An Introduction to Human Information Processing* (Nueva York: Wiley, 1969; 2ª ed. 1976).

Norman, Donald A. y David E. Rumelhart, *Explorations in Cognition* (San Francisco: Freeman, 1975).

Notz, William W., Work motivation and the negative effects of extrinsic rewards, *American Psychologist*, 1975, *30*, 9, 884-891.

Oettinger, Anthony G., *Run, Computer Run: The mythology of Educational Innovation* (Cambridge, Mass.: Harvard Educational Press, 1969).

Olson, David R., Language and Thought: Aspects of a cognitive theory of semantics, *Psychological Review*, 1970, 77, 257-273.

Olson, David R., Language use for communicating, instructing and thinking, in John B. Carroll y R. Freedly (dirs.), *Language Comprehension and the Acquisition of Knowledge* (Washington, D. C.: Winston, 1972).

Olson, David R., Review of *Towards a Literate Society* (editado por John B. Carroll y Jeanne Chall), en *Proceedings of the National Academy of Education*, 1975, 2, 109-178.

Olson, David R., From utterance to text: The bias of language in speech and writing, *Harvard Educational Review*, 1977, 47, 3, 257-281.

Olson, Gary M., Memory development and language acquisition, in Timothy E. Moore (dir.), *Cognitive Development and the Acquisition of Language* (Nueva York: Academic Press, 1973).

Olson, Gary M. y Herbert H. Clark, Research methods in psycholinguistics, in E. C. Carterette and M. P. Friedman (dirs.), *Handbook of Perception Vol. 7; Speech and Language* (Nueva York: Academic Press, in press).

Paivio, Allan, *Imagery and Verbal Processes* (Nueva York: Holt, Rinehart y Winston, 1971).

Palmer, F. R., *Semantics: A New Outline* (Cambridge: Cambridge University Press, 1976).

Paris, S. G. y A. Y. Carter, Semantic and constructive aspects of sentence memory in children, *Developmental Psychology*, 1973, 9, 109-113.

Pastore, R. E. y C. J. Scheirer, Signal detection theory: Considerations for general application, *Psychological Bulletin*, 1974, *81*, 12, 945-958.

Pearson, P. David, The effects of grammatical complexity on children's comprehension, recall and conception of certain semantic relations, *Reading Research Quarterly*, 1974-75, *10*, 2, 155-192.

Pearson, P. David, y Alice Studt, Effects of word frequency and contextual richness on children's word identification abilities, *Journal of Educational Psychology*, 1975, *67*, 1, 89-95.

Perfetti, Charles A., Psychosemantics: Some cognitive aspects of structural meaning, *Psychological Bulletin*, 1972, *78*, 4, 241-259.

Piaget, Jean, *The Construction of Reality in the Child* (Nueva York: Basic Books, 1954).

Piaget, Jean and Barbel Inhelder, *The Psychology of the Child* (Nueva York: Basic Books, 1969).

Pierce, J. R., *Symbols, Signals and Noise: The Nature and Process of Communication* (nueva York: Harper & Row, 1961).

Pierce, J. R. and J. E. Karlin, Reading rates and the information rate of a human channel, *Bell Systems Technical Journal*, 1957, *36*, 497-516.

Pillsbury, W. B., A study in apperception, *American Journal of Psychology*, 1897, *8*, 315-393.

Polanyi, Michael, *The Tacit Dimension* (Garden City, N. Y.: Doubleday, 1966).

Popper, Karl R., *Objetive Knowledge: An Evolutionary Approach* (Oxford: Clarendon Press, 1973).

Popper, Karl R., *Unended Quest: An Intellectual Autobiography* (Londres: Fontana/Collins, 1976).

Potter, Mary C., Meaning in visual search, *Science*, 1975, *187*, 965-966.

Pritchard, R. M., Stabilized images on the rutina, *Scientific American*, 1961, *201*, 6, 72-78.

Quastler, Henry, Studies of human channel capacity, in Colin Cherry (dir.), *Information Theory* (Londres: Butterworths, 1956).

Rayner, Kenneth, The perceptual span and peripheral cues in reading, *Cognitive Psychology*, 1975, *7*, 68-81.

Read, Charles, Pre-school children's knowledge of English phonology, *Harvard Educational Review*, 1971, *41*, 1, 1-34.

Reicher, G. M., Perceptual recognition as a function of meaningfulness of stimulus material, *Journal of Experimental Psychology*, 1969, *81*, 275-280.

Reid, L. Starling, Towards a grammar of the image, *Psychological Bulletin*, 1974, *81*, 6, 319-334.

Resnick, Lauren and Phyllis Weaver (dirs.), *Theory and Practice of Early Reading* (Hillsdale, N. J.: Erlbaum, in press).

Rosinski, Richard R., Roberta Michnick Golinkoff, y Karen S. Kukish, Automatic semantic processing in a picture-word interference task, *Child Development*, 1975, *46*, 1, 247-253.

Rothkopf, Ernst Z. y Richard P. Coatney, Effects of readability of context passages on subsequent inspection rates, *Journal of Applied Psychology*, 1974, *59*, 6, 679-682.

Rothkopf, Ernst Z. y M. J. Billington, Indirect review and priming through questions, *Journal of Educational Psychology*, 1974, *66*, 5, 669-679.

Rozin, Paul, Susan Poritsky, and Raina Sotksy, American children with reading problems can easily learn to read English represented by Chinese characters *Science*, 1971, *171*, 1264-1267.

Rumelhart, David E. y Patricia Siple, Process of recognizing tachistoscopically presented words, *Psychological Review*, 1974, *81*, 99-118.

Sachs, Jacqueline S., Memory in reading and listening to discourse, *Memory and Cognition*, 1974, *2*, 1A, 95-100.

Sakamoto, Takahiko, Writing systems in Japan, in John E. Merritt (dir.), *New horizons in Reading* (Newark, Del.: International Reading Association, 1976).

Samuels, S. Jay, Letter-name versus letter-sound knowledge in learning to read, *Reading Teacher*, 1971, *24*, 604-608.

Samuels, S. Ja., Automatic decoding and reading comprehension, *Language Arts*, 1976, *53*, 323-325.

Samuels, S. Jay, Gerald Begy, y Chau Ching Chen, Comparison of word recognition speed and strategies of less skilled and more highly skilled readers, *Reading Research Quarterly*, 1975-76, *1*, 11(1), 72-86.

Schneider, Walter y Richard M. Shiffrin, Controlled and automatic human information processing: I. Detection, search, and attention, *Psychological Review*, 1977, *84*, 1, 1-66.

Selfridge, Oliver y Ulric Neisser, Pattern recognition by machine, *Scientific American*, 1960, *203*, 2, 60-68.

Serafica, F. C. y I. E. Sigel, Styles of categorization and reading disability, *Journal of Reading Behavior*, 1970, *2*, 105-115.

Shallice, Tim y Elizabeth K. Warrington, Word recognition in a phonemic dyslexic patient, *Quarterly Journal of Experimental Psychology*, 1975, *27*, 187-199.

Shannon, Claude E., Prediction and entropy of printed English, *Bell Systems Technical Journal*, 1951, *30*, 50-64.

Shiffrin, Richard M., Locus and role of attention in memory systems, in P. M. A.

Rabbitt and S. Dornic (dirs.), *Attention and Performance V* (Nueva York: Academic Press, 1975).

Simon, Herbert A., How big is a chunk? *Science,* 1974, *183*, 482-488.

Sinclair, Hermina, The transition from sensory-motor behavior to symbolic activity, *Interchange,* 1970, *1*, 3, 119-126.

Sinclair-de-Zwart, Hermina, Language acquisiton and cognitive development, in John B. Carroll and R. O. Freedle (dirs.), *Cognitive Development and the Acquisition of Language* (Washington, D. C.: Winston, 1972).

Singer, Harry and Robert B. Ruddell (dirs.), *Theoretical Models and Process of Reading,* 2ª ed. (Newark, Del.: International Reading Association, 1976).

Skinner, B. F., *Science and Human Behavior* (Nueva York: Macmillan, 1953).

Skinner, B. F., *Verbal Behavior* (Nueva York: Appleton, 1957).

Skinner, B. F., *The Technology of Teaching* (Nueva York: Appleton, 1968).

Slobin, Dan I., *Psycholinguistics* (Glenview, Ill.: Scott, Foresman, 1971).

Slobin, Dan I. y C. A. Welsh, Elicited imitation as a research tool in developmental psycholinguistics, en Charles A. Ferguson y Dan I. Slobin (dirs.), *Readings in Child Language Acquisition* (Nueva York: Holt, Rinehart and Winston, 1973).

Smith, Edward E., Edward J. Shoben, y Lance J. Rips, Structure and process in semantic memory: A featural model for semantic decisions, *Psychological Review,* 1974, *81*, 3, 214-241.

Smith, Edward E. y Kathryn T. Spoehr, The perception of printed English: A theoretical perspective, in B. H. Kantowitz (dir.), *Human Information Processing: Tutorials in Performance and Cognition* (Hillsdale, N. J.: Erlbaum, 1974).

Smith, Frank, The use of featural depdendencies across letters in the visual identification of words, *Journal of Verbal Learning and Verbal Behavior,* 1969, *8*, 215-218.

Smith, Frank, *Psycholinguistics and Reading* (Nueva York: Holt, Rinehart y Winston, 1973).

Smith, Frank, *Comprehension and Learning* (Nueva York: Holt, Rinehart y Winston, 1975(a).

Smith, Frank, The role of prediction in reading, *Elementary English,* 1975(b), *52*, 3, 305-311.

Smith, Frank, Learning to read by reading: A brief case study, *Language Arts,* 1976, *53*, 3, 297-299.

Smith, Frank, Making sense of reading—and of reading instruction, *Harvard Educational Review.* (1977(a), *47*, 3, 386-395.

Smith, Frank, The uses of language, *Language Arts,* 1977(b), *54*, 6, 638-644.

Smith, Frank Conflicting approaches to reading research and instruction, en Lauren Resnick y Phyllis Weaver (dirs.), *Theory and Practice of Early Reading* (Hillsdale, N. J.: Erlbaum, in press).

Smith, Frank y Peter Carey, Temporal factors in visual information processing, *Canadian Journal of Psychology,* 1966, *20*, 3, 337-342.

Smith, Frank and Kenneth S. Goodman, On the psycholinguistic method of teaching reading, *Elementary School Journal,* 1971, 177-181.

Smith, Frank y Deborah Lott Holmes, The independence of letter, word and meaning identification in reading, *Reading Research Quarterly,* 1971, *6*, 3, 394-415.

Smith, Frank, Deborah Lott, y Bruce Cronnell, The effect of type size and case alternation on word identification, *American Journal of Psychology,* 1969, *82*, 2, 248-253.

Smith, Frank, y George A. Miller (dirs.), *The Genesis of Language* (Cambridge, Mass.: M.I.T. Press, 1966).

Smith, Mary K., Measurement of the size of general English vocabulary through the elementary grades and high school, *Genetic Psychology Monographs*, 1941, *24*, 311-345.

Sperling, George, The information available in brief visual presentations, *Psychological Monographs*, 1960, *74*, 11, Whole No. 498.

Spragins, Anne B., Lester A. Lefton, y Dennis F. Fisher, Eye Movements while reading and searching spatially transformed text: A developmental examination, *Memory and Cognition*, 1976, *4*, 1, 36-42.

Swets, John A., The relative operating characteristic in psychology, *Science*, 1973, *182*, 990-1000.

Swets, John A., W. P. Tanner, Jr., y T. G. Birdsall, Decision processes in perception, *Psychological Review*, 1961, *68*, 301-320.

Taylor, Insup, *Introduction to psycholinguistics* (Nueva York: Holt, Rinehart and Winston, 1976).

Taylor, Stanford E., *The Dynamic Activity of Reading: A Model of the Process* (Huntington, N. Y.: Educational Dvelopmental Laboratories, Inc., Bulletin no. 9. 1971).

Taylor, Stanford E., Helen Frackenpohl, y James L. Pettee, *Grade Level Norms for the Components of the Fundamental Reading Skill* (Huntington, N. Y.: Educational Developmental Laboratories Inc., Bulletin No. 3, 1960).

Taylor, W. L., "Cloze" readability scores as indices of individual differences in comprehension and aptitude, *Journal of Applied Psychology*, 1957, *41*, 19-26.

Thorndike, E. L. and I. Lorge, *The Teacher's Word Book of 30, 000 Words* (Nueva York: Teachers College, 1944).

Tinker, Miles A., Fixation pause duration in reading, *Journal of Education Research*, 1951, *44*, 471-479.

Tinker, Miles A., Recent studies of eye movements in reading, *Psychological Bulletin*, 1958, *54*, 215-231.

Tinker, Miles A., *Bases for Effective Reading* (Minneapolis: University of Minnesota Press, 1965).

Tough, Joan, Children's use of language, *Educational Review* (Birmingham University) 1974, *26*, 3, 166-179.

Treisma, Anne M., Strategies and models of selective attention, *Psychological Review*, 1969, *76*, 3, 282-299.

Tulving, Endel y Wayne Donaldson (eds.), *Organization of Memory* (Nueva York: Academic Press, 1972).

Tulving, Endel y Cecille Gold, Stimulus information and contextual information as determinants of tachistoscopic recognition of words, *Journal of Experimental Psychology*, 1963, *66*, 319-327.

Tulving, Endel y Donald M. Thomson, Encoding specificity and retrieval processes in episodic memory, *Psychological Review*, 1973, *80*, 5, 352-373.

Tulving, Endel y Michael J. Watkins, Structure of memory traces, *Psychological Review*, 1975, *82*, 4, 261-275.

Vachek, J., *Written Language* (The Hague: Mouton, 1973).

Venezky, Richard L., English orthography: Its graphical structure and its relation to sound, *Reading Research Quarterly*, 1967, *2*, 75-106.

Venezky, Richard L., *The Structure of English Orthography* (The Hague: Mouton, 1970).

Venezky, Richard L., *Theoretical and Experimental Base for Teaching Reading* (The Hague: Mouton, 1976).

Venezky, Richard L., Research on reading processes: A historical perspective, *American Psychologist*, 1977, *32*, 5, 339-345.

Wardhaugh, Ronald, *Reading: A Linguistic Perspective* (Nueva York: Harcourt, 1969).

Watt, W. C., On two hypotheses concerning psycholinguistics, in John R. Hayes (dir.), *Cognition and the Development of Language* (Nueva York: Wiley, 1970).

Weber, Rose-Marie, The study of oral reading errors: A survey of the literature, *Reading Research Quarterly*, 1968, *4*, 96-119.

Weber, Rose-Marie, First-graders' use of grammatical context in reading, in Harry Levin and Joanna P. Williams (dirs.), *Basic Studies on Reading*, Nueva York: Basic Books, 1970).

Weir, Ruth H., *Language in the Crib* (The Hague: Mouton, 1962).

Wheeler, D. D., Processes in word recognition, *Cognitive Psychology*, 1970, *1*, 59-85.

Wilkinson, Andrew M. (dir.), The context of language, *Educational Review*, 1971, *23*, 3.

Woodworth, Robert S., *Experimental Psychology* (Nueva York: Holt, 1938).

Woodworth, Robert S. and H. Schlosberg, *Experimental Psychology* (Nueva York: Holt, Rinehart and Winston, 1954).

Zipf, Paul, *Semantic Analysis* (Ithaca, N. Y.: Cornell University Press, 1960).

Índice analítico

Índice onomástico